はじめに

『１対１対応の演習』シリーズは，入試問題から基本的あるいは典型的だけど重要な意味を持っていて，得るところが大きいものを精選し，その問題を通して

入試の標準問題を確実に解ける力

をつけてもらおうというねらいで作った本です．

さらに，難関校レベルの問題を解く際の足固めをするのに最適な本になることを目指しました．

そして，入試の標準問題を確実に解ける力が，問題を精選してできるだけ少ない題数（本書で取り上げた例題は59題です）で身につくように心がけ，そのレベルまで，

効率よく到達してもらうこと

を目標に編集しました．

以上のように，受験を意識した本書ですが，教科書にしたがった構成ですし，解説においては，高２生でも理解できるよう，分かりやすさを心がけました．学校で一つの単元を学習した後でなら，その単元について，本書で無理なく入試のレベルを知ることができるでしょう．

なお，教科書レベルから入試の基本レベルの橋渡しになる本として『プレ１対１対応の演習』シリーズがあります．また，数ⅠＡⅡＢを一通り学習した大学受験生を対象に，入試の基礎を要点と演習で身につけるための本として「入試数学の基礎徹底」（月刊「大学への数学」の増刊号として発行）があります．

問題のレベルについて，もう少し具体的に述べましょう．入試問題を10段階に分け，易しい方を１として，

1～5の問題……Ａ（基本）

6～7の問題……Ｂ（標準）

8～9の問題……Ｃ（発展）

10の問題………Ｄ（難問）

とランク分けします．この基準で本書と，本書の前後に位置する月刊「大学への数学」の増刊号

「入試数学の基礎徹底」（「基礎徹底」と略す）

「新数学スタンダード演習」（「新スタ」と略す）

「新数学演習」（「新数演」と略す）

のレベルを示すと，次のようになります．（濃い網目のレベルの問題を主に採用）

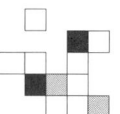

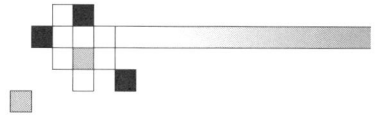

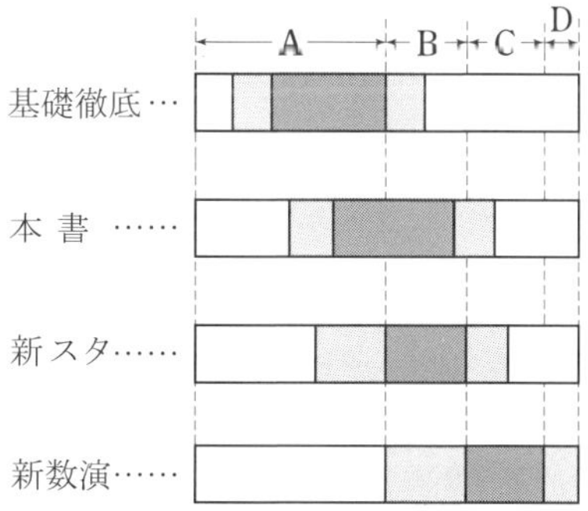

本書を活用して，数Ｂの入試への足固めをしていってください．

皆さんの目標達成に本書がお役に立てれば幸いです．

本書の構成と利用法

坪田三千雄

本書のタイトルにある‘1対1対応’の意味から説明しましょう.

まず例題(四角で囲ってある問題)によって，例題のテーマにおいて必要になる知識や手法を確認してもらいます．その上で，例題と同じテーマで1対1に対応した演習題によって，その知識，手法を問題で適用できる程に身についたかどうかを確認しつつ，一歩一歩前進してもらおうということです．この例題と演習題，さらに各分野の要点の整理（2ページ）などについて，以下，もう少し詳しく説明します.

要点の整理： その分野の問題を解くために必要な定義，用語，定理，必須事項などをコンパクトにまとめました．入試との小さくはないギャップを埋めるために，一部，教科書にない事柄についても述べていますが，ぜひとも覚えておきたい事柄のみに限定しました.

例題： 原則として，基本～標準の入試問題の中から

・これからも出題される典型問題
・一度は解いておきたい必須問題
・幅広い応用がきく汎用問題
・合否への影響が大きい決定問題

の59題を精選しました（出典のないものは新作問題，あるいは入試問題を大幅に改題した問題）．そして，どのようなテーマかがはっきり分かるように，一題ごとにタイトルをつけました（大きなタイトル／細かなタイトル の形式です)．なお，問題のテーマを明確にするため原題を変えたものがありますが，特に断っていない場合もあります.

解答の**前文**として，そのページのテーマに関する重要手法や解法などをコンパクトにまとめました．前文を読むことで，一題の例題を通して得られる理解が鮮明になります．入試直前期にこの部分を一通り読み直すと，よい復習になるでしょう.

解答は，試験場で適用できる，ごく自然なものを採用し，計算は一部の単純計算を除いては，ほとんど省略せずに目で追える程度に詳しくしました．また解答の右側には，傍注(⇦ではじまる説明）で，解答の補足や，使った定理・公式等の説明を行いました．どの部分についての説明かはっきりさせるため，原則として，解答の該当部分にアンダーライン（——）を引きました（容易に分かるような場合は省略しました).

演習題： 例題と同じテーマの問題を選びました．例題よりは少し難し目ですが，例題の解答や解説，傍注等をじっくりと読みこなせば，解いていけるはずです．最初はうまくいかなくても，焦らずにじっくりと考えるようにしてください．また横の枠囲みをヒントにしてください.

そして，例題の解答や解説を頼りに解いた問題については，時間をおいて，今度は演習題だけを解いてみるようにすれば，一層確実な力がつくでしょう.

演習題の解答： 解答の最初に各問題のランクなどを表の形で明記しました（ランク分けについては前ページを見てください)．その表にはA*，B*∘というように*や∘マークもつけてあります．これは，解答を完成するまでの受験生にとっての“目標時間”であって，*は1つにつき10分，∘は5分です．たとえばB*∘の問題は，標準問題であって，15分以内で解答して欲しいという意味です．高2生にとってはやや厳しいでしょう.

ミニ講座： 例題の前文で詳しく書き切れなかった重要手法や，やや発展的な問題に対する解法などを1～2ページで解説したものです.

コラム： その分野に関連する話題の紹介です.

本書で使う記号など： 上記で，問題の難易や目標時間で使う記号の説明をしました．それ以外では，
⇨**注**は初心者のための，➾**注**はすべての人のための，➡**注**は意欲的な人のための注意事項です．また，

∴ ゆえに
∵ なぜならば

1対1対応の演習

数学B 新訂版

目次

平面のベクトル

本書の前文の解説などを教科書的に詳しくまとめた本として,「教科書Next ベクトルの集中講義」(小社刊)があります.是非ともご活用ください.

平面のベクトル
要点の整理

1. ベクトルの基本

1・1　ベクトルと有向線分

「向き」と「大きさ」という2つの要素をもつ量をベクトルという．ベクトルは有向線分（向きを指定した線分）で表すことができる．

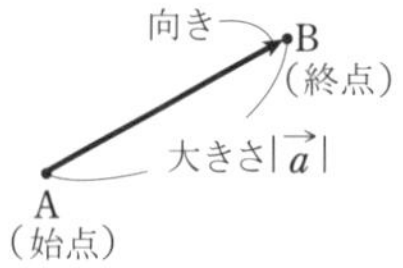

ベクトル $\vec{a}$ の始点を A としたときに終点が B になる，つまり，$\vec{a}$ の向きが A から B へ向かう向きであって大きさが線分 AB の長さであるとき，$\vec{a}=\overrightarrow{AB}$ と表す．$\vec{a}$ の大きさを $|\vec{a}|$ で表す．

1・2　単位ベクトルと零ベクトル

大きさが1のベクトルを**単位ベクトル**という．大きさが0のベクトルを**零ベクトル**といい，$\vec{0}$ で表す．なお，$\vec{0}=\overrightarrow{AA}$ である．

1・3　ベクトルの演算

$\vec{a}$，$\vec{b}$ をベクトル，k を実数とする．

$\vec{a}+\vec{b}$ は，$\vec{a}=\overrightarrow{OA}$，$\vec{b}=\overrightarrow{AB}$ とする（$\vec{a}$ の終点と $\vec{b}$ の始点を一致させる）とき $\overrightarrow{OB}$ である．

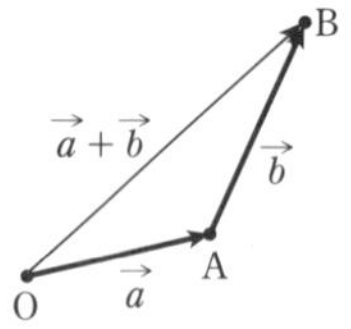

$k\vec{a}$ は，$k>0$ のとき $\vec{a}$ と同じ向きで大きさが k 倍のベクトルを表す．$k<0$ のとき $\vec{a}$ と逆向きで大きさが $-k$（$=|k|$）倍のベクトルを表す．

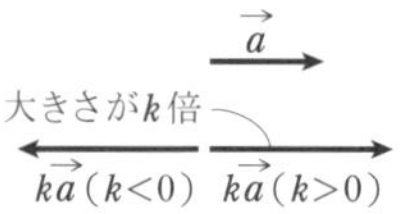

1・4　1次独立

$\vec{a}$ と $\vec{b}$ が

$\vec{a}\neq\vec{0}$，$\vec{b}\neq\vec{0}$，$\vec{a}\nparallel\vec{b}$

を満たすとき，すなわち

$\vec{a}=\overrightarrow{OA}$，$\vec{b}=\overrightarrow{OB}$ である3点 O，A，B が三角形を作る

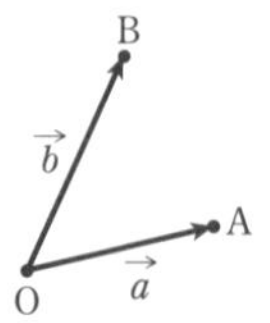

とき，$\vec{a}$ と $\vec{b}$ は**1次独立**であるという．

なお，$\vec{a}$ と $\vec{b}$ が同じ方向（同じ向きか逆向き）のとき，$\vec{a}$ と $\vec{b}$ は平行であるといい，$\vec{a}\parallel\vec{b}$ と書く．

2. 点の表現

2・1　平面上の点の表現

平面上に O，A，B が与えられていて，$\overrightarrow{OA}$（$=\vec{a}$ とおく）と $\overrightarrow{OB}$（$=\vec{b}$ とおく）は1次独立であるとする．

P をこの平面上の点として，右図のように P_1，P_2 を定める．すると

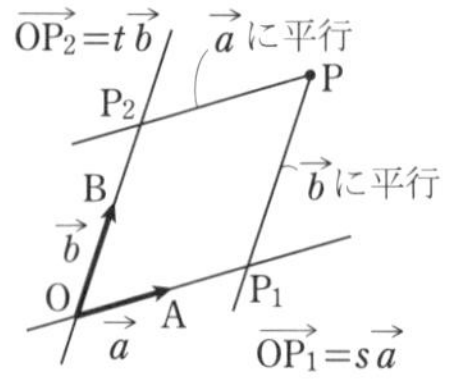

$\overrightarrow{OP}=\overrightarrow{OP_1}+\overrightarrow{OP_2}$

であるが，

$\overrightarrow{OP_1}=s\vec{a}$，$\overrightarrow{OP_2}=t\vec{b}$

（s，t は実数）と書けるから

$\overrightarrow{OP}=s\vec{a}+t\vec{b}$

と表せる．図から，異なる P に対して異なる s，t の組が対応する，すなわち

$\overrightarrow{OP}=s\vec{a}+t\vec{b}$，$\overrightarrow{OP'}=s'\vec{a}+t'\vec{b}$，$P\neq P'$

ならば $(s,\ t)\neq(s',\ t')$ $[s\neq s'$ または $t\neq t']$

であることはわかるだろう．

逆に，実数 s，t に対して，$\overrightarrow{OP}=s\vec{a}+t\vec{b}$ を満たす点 P が一つ定まる．従って，

$\vec{a}$ と $\vec{b}$ が1次独立のとき，

$$s\vec{a}+t\vec{b}=s'\vec{a}+t'\vec{b} \iff s=s' \text{ かつ } t=t'$$

である．

2・2　直線上の点の表現

直線 AB 上の点 X の表現について考えよう．

まず，実数 t を用いて

$\overrightarrow{AX}=t\overrightarrow{AB}$

と表される．

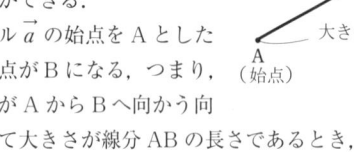

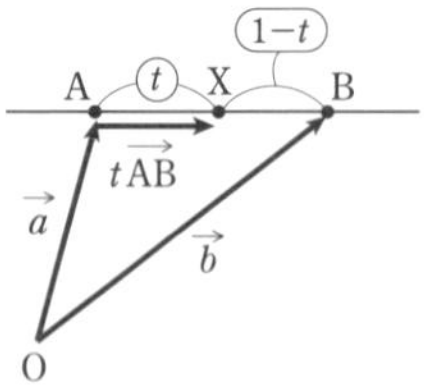

次に，直線 AB 上にない点 O をとり，$\overrightarrow{OX}$ を，$\vec{a}=\overrightarrow{OA}$，$\vec{b}=\overrightarrow{OB}$ と上の t を用いて表そう．

$$\overrightarrow{OX}=\overrightarrow{OA}+\overrightarrow{AX}=\overrightarrow{OA}+t\overrightarrow{AB}=\overrightarrow{OA}+t(\overrightarrow{OB}-\overrightarrow{OA})$$
$$=\vec{a}+t(\vec{b}-\vec{a})=(1-t)\vec{a}+t\vec{b}$$

となるから，$s=1-t$ とおけば

$$\overrightarrow{OX}=s\vec{a}+t\vec{b},\quad s+t=1 \text{（係数の和が1）}$$

となる．これは逆も成り立つ．つまり，この形で表される点 X は直線 AB 上にある．

2・3　分点の公式

2・2において，点 X が線分 AB を $m:n$ に内分する点であるとすると，$t=\dfrac{m}{m+n}$ であるから，

$$\overrightarrow{\mathrm{OX}}=\frac{n}{m+n}\overrightarrow{\mathrm{OA}}+\frac{m}{m+n}\overrightarrow{\mathrm{OB}}\left(=\frac{n\vec{a}+m\vec{b}}{m+n}\right)$$

である．外分の場合，例えば AB を 2：3 に外分するときは，一方にマイナスをつけて「(−2)：3 に内分する点」と考えて上の公式を使えばよい．

3．ベクトルの成分表示

座標平面において，原点を O，A$(a,\ b)$ とするとき，

$\overrightarrow{\mathrm{OA}}=\begin{pmatrix}a\\b\end{pmatrix}$ ［または $(a,\ b)$］

と表す．これをベクトルの成分表示という．

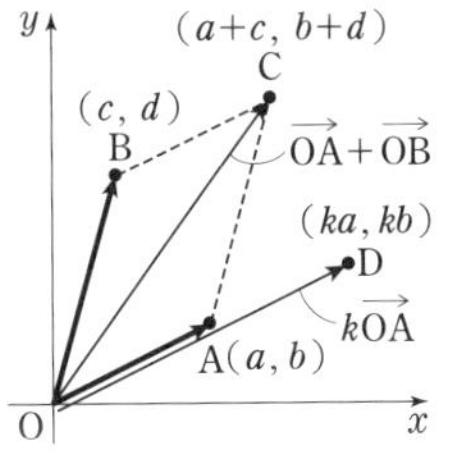

成分表示されたベクトルの和と実数倍は，図の $\overrightarrow{\mathrm{OA}}+\overrightarrow{\mathrm{OB}}=\overrightarrow{\mathrm{OC}}$，$k\overrightarrow{\mathrm{OA}}=\overrightarrow{\mathrm{OD}}$ に対応して

$$\begin{pmatrix}a\\b\end{pmatrix}+\begin{pmatrix}c\\d\end{pmatrix}=\begin{pmatrix}a+c\\b+d\end{pmatrix},\quad k\begin{pmatrix}a\\b\end{pmatrix}=\begin{pmatrix}ka\\kb\end{pmatrix}$$

となる．

4．内積

4・1　内積の定義

$\vec{0}$ でない 2 つのベクトル $\vec{a}$，$\vec{b}$ のなす角を θ とする $(0^\circ\leqq\theta\leqq180^\circ)$．$\vec{a}$ と $\vec{b}$ の内積を $|\boldsymbol{a}||\boldsymbol{b}|\cos\boldsymbol{\theta}$ で定め，$\vec{\boldsymbol{a}}\cdot\vec{\boldsymbol{b}}$ と書く．$\vec{a}=\vec{0}$ または $\vec{b}=\vec{0}$ のときは $\vec{a}\cdot\vec{b}=0$ とする．

$\vec{a}\,(\neq\vec{0})$，$\vec{b}$ の始点を O にそろえ，$\vec{a}=\overrightarrow{\mathrm{OA}}$，$\vec{b}=\overrightarrow{\mathrm{OB}}$ とする．B から直線 OA に下ろした垂線の足を H とすると，

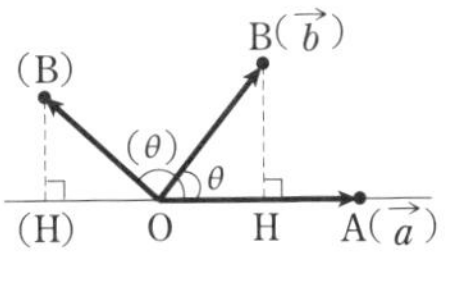

$0^\circ\leqq\theta\leqq90^\circ$ のとき

$\vec{a}\cdot\vec{b}=\mathrm{OA}\cdot\mathrm{OH}$（2 線分の長さの積）

$90^\circ<\theta\leqq180^\circ$ のとき $\vec{a}\cdot\vec{b}=-\mathrm{OA}\cdot\mathrm{OH}$

となる．

4・2　内積の成分での表現

$\vec{a}=\begin{pmatrix}a_1\\a_2\end{pmatrix}$，$\vec{b}=\begin{pmatrix}b_1\\b_2\end{pmatrix}$ のとき

$$\vec{\boldsymbol{a}}\cdot\vec{\boldsymbol{b}}=\begin{pmatrix}a_1\\a_2\end{pmatrix}\cdot\begin{pmatrix}b_1\\b_2\end{pmatrix}=\boldsymbol{a_1b_1+a_2b_2}$$

⇨**注**　定義式の cos に余弦定理を使うと導かれる．

4・3　内積の計算法則

［1］　$\vec{a}\cdot\vec{b}=\vec{b}\cdot\vec{a}$（交換法則）

［2］　$\vec{a}\cdot(\vec{b}+\vec{c})=\vec{a}\cdot\vec{b}+\vec{a}\cdot\vec{c}$（分配法則）

［3］　$(k\vec{a})\cdot\vec{b}=\vec{a}\cdot(k\vec{b})=k(\vec{a}\cdot\vec{b})$（$k$ は実数）

4・4　内積と大きさ

$|\vec{a}|^2=\vec{a}\cdot\vec{a}$，$|\vec{a}|=\sqrt{\vec{a}\cdot\vec{a}}$ である．

$\vec{a}=\begin{pmatrix}a_1\\a_2\end{pmatrix}$ のときは，$|\vec{a}|=\sqrt{a_1{}^2+a_2{}^2}$

5．ベクトルの垂直と平行

ここでは，$\vec{a}\neq\vec{0}$，$\vec{b}\neq\vec{0}$ とする．

5・1　垂直

$\vec{a}\perp\vec{b}\iff\vec{\boldsymbol{a}}\cdot\vec{\boldsymbol{b}}=\boldsymbol{0}$

$\vec{a}=\begin{pmatrix}a_1\\a_2\end{pmatrix}$，$\vec{b}=\begin{pmatrix}b_1\\b_2\end{pmatrix}$ のとき，$\vec{a}\cdot\vec{b}=0$ は

$a_1b_1+a_2b_2=0$

5・2　平行

$\vec{a}\parallel\vec{b}$

$\iff\vec{a}=t\vec{b}$（t は 0 でない実数）と表される

$\vec{a}=\begin{pmatrix}a_1\\a_2\end{pmatrix}$，$\vec{b}=\begin{pmatrix}b_1\\b_2\end{pmatrix}$ として，上の条件を成分で表そう．

t を消去という方針でよいが，$\vec{b}$ に垂直なベクトルの一つが

$\vec{c}=\begin{pmatrix}b_2\\-b_1\end{pmatrix}$ ［$\vec{b}\cdot\vec{c}=0$ となる］

であることを用いると，

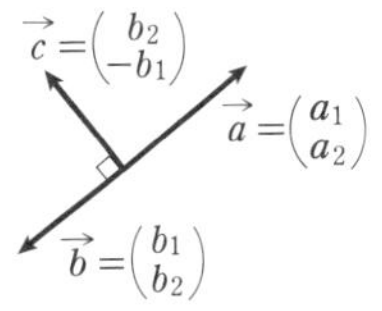

$\vec{a}\parallel\vec{b}\iff\vec{a}\perp\vec{c}\iff a_1b_2-a_2b_1=0$

1 内分点，交点(1)

三角形 ABC において，辺 AB を 1：2 に内分する点を D，辺 AC を 3：5 に内分する点を E とし，線分 BE と線分 CD の交点を P とする．

このとき，$\overrightarrow{\mathrm{AP}}=$ □ $\overrightarrow{\mathrm{AB}}+$ □ $\overrightarrow{\mathrm{AC}}$ となる．　（立正大・地理／右ページに続く）

直線上の点の表現　直線 AB とその上にない点 O があり，$\overrightarrow{\mathrm{OA}}=\vec{a}$，$\overrightarrow{\mathrm{OB}}=\vec{b}$ とする．P を直線 AB 上の点とすると，実数 s を用いて $\overrightarrow{\mathrm{AP}}=s\overrightarrow{\mathrm{AB}}$ と表せるから，$\overrightarrow{\mathrm{OP}}=\overrightarrow{\mathrm{OA}}+s\overrightarrow{\mathrm{AB}}=\vec{a}+s(\vec{b}-\vec{a})=(1-s)\vec{a}+s\vec{b}$ ……☆

となる．$\vec{a}$，$\vec{b}$ の**係数の和が 1** であることに注意しよう．

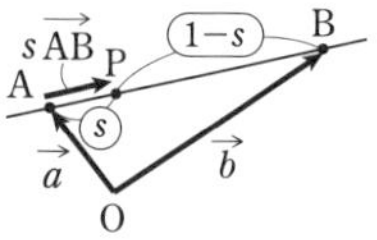

交点の求め方　本問のような構図では，まず線分比（内分比）をおいて

$\overrightarrow{\mathrm{AP}}=(1-s)\overrightarrow{\mathrm{AB}}+s\overrightarrow{\mathrm{AE}}$，　$\overrightarrow{\mathrm{AP}}=(1-t)\overrightarrow{\mathrm{AC}}+t\overrightarrow{\mathrm{AD}}$　［右図参照］

とする．次に，登場するベクトルを $\overrightarrow{\mathrm{AB}}$ と $\overrightarrow{\mathrm{AC}}$ に統一して（例題であれば $\overrightarrow{\mathrm{AD}}=\dfrac{1}{3}\overrightarrow{\mathrm{AB}}$ などを用いる），上の 2 式を $\overrightarrow{\mathrm{AP}}=\alpha\overrightarrow{\mathrm{AB}}+\beta\overrightarrow{\mathrm{AC}}$ の形にする．

そうすると“係数比較”ができて s と t についての連立方程式が得られ，（連立方程式を解くと）値が求められる．

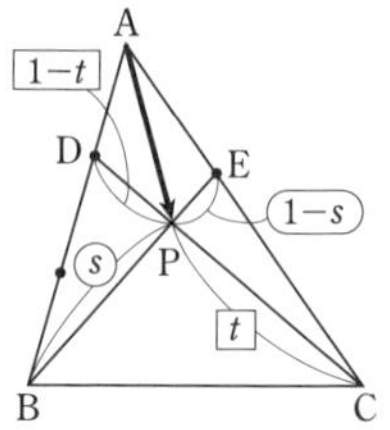

解答

$\vec{b}=\overrightarrow{\mathrm{AB}}$，$\vec{c}=\overrightarrow{\mathrm{AC}}$ とおく．P は線分 BE 上にあるので，

BP：PE$=s$：$(1-s)$ とおくと

$\overrightarrow{\mathrm{AP}}=(1-s)\overrightarrow{\mathrm{AB}}+s\overrightarrow{\mathrm{AE}}=(1-s)\vec{b}+s\cdot\dfrac{3}{8}\vec{c}$　……①

と表せる．また，P は線分 CD 上にあるので，

CP：PD$=t$：$(1-t)$ とおくと

$\overrightarrow{\mathrm{AP}}=(1-t)\overrightarrow{\mathrm{AC}}+t\overrightarrow{\mathrm{AD}}=(1-t)\vec{c}+t\cdot\dfrac{1}{3}\vec{b}$　……②

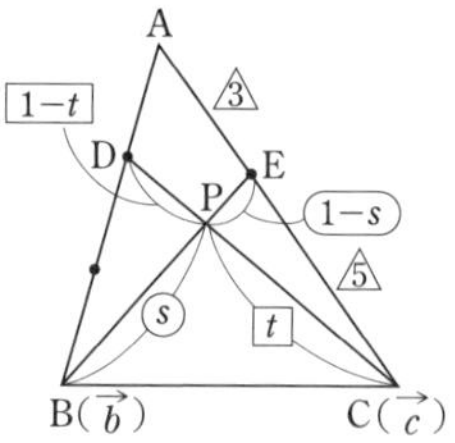

$\vec{b}$，$\vec{c}$ は 1 次独立だから①と②の $\vec{b}$，$\vec{c}$ の係数はそれぞれ等しく，　⇦$\vec{b}\neq\vec{0}$，$\vec{c}\neq\vec{0}$，$\vec{b}\not\parallel\vec{c}$

$1-s=\dfrac{1}{3}t$ ……………③，　$\dfrac{3}{8}s=1-t$ ……………④

④より $t=1-\dfrac{3}{8}s$ で，これを③に代入して，

$1-s=\dfrac{1}{3}\left(1-\dfrac{3}{8}s\right)$　∴　$\dfrac{2}{3}=\dfrac{7}{8}s$　∴　$s=\dfrac{16}{21}$

これを①に代入して，$\overrightarrow{\mathrm{AP}}=\left(1-\dfrac{16}{21}\right)\vec{b}+\dfrac{16}{21}\cdot\dfrac{3}{8}\vec{c}=\boldsymbol{\dfrac{5}{21}\overrightarrow{\mathrm{AB}}+\dfrac{2}{7}\overrightarrow{\mathrm{AC}}}$

1 演習題（解答は p.22）

正八角形 ABCDEFGH において，$\overrightarrow{\mathrm{AB}}=\vec{a}$，$\overrightarrow{\mathrm{AH}}=\vec{b}$ とする．また AF と CH，DH との交点をそれぞれ I，J とするとき，

$\overrightarrow{\mathrm{AI}}=$ ［ア］ $\vec{a}+$ ［イ］ $\vec{b}$，$\overrightarrow{\mathrm{AD}}=$ ［ウ］ $\vec{a}+$ ［エ］ $\vec{b}$

である．

また，$\overrightarrow{\mathrm{AJ}}=$ ［オ］ $\overrightarrow{\mathrm{AH}}+$ ［カ］ $\overrightarrow{\mathrm{AD}}$ であるから，HJ：JD$=$ ［キ］ ：1 である．

（立命館大・文系）

ア～エ：
$\overrightarrow{\mathrm{AI}}=\overrightarrow{\mathrm{AH}}+\overrightarrow{\mathrm{HI}}$，
$\overrightarrow{\mathrm{AD}}=\overrightarrow{\mathrm{AH}}+\overrightarrow{\mathrm{HC}}+\overrightarrow{\mathrm{CD}}$
オ～キ：
HJ：JD$=s$：$(1-s)$とおく．また，$\overrightarrow{\mathrm{AJ}}=k\overrightarrow{\mathrm{AI}}$

2 内分点，交点（２）

◯1の例題で，線分APの延長が辺BCと交わる点をFとするとき，

BF：FC=□：□，$\overrightarrow{\mathrm{AF}}=$□$\overrightarrow{\mathrm{AB}}+$□$\overrightarrow{\mathrm{AC}}$である．（立正大・地理／後半を追加）

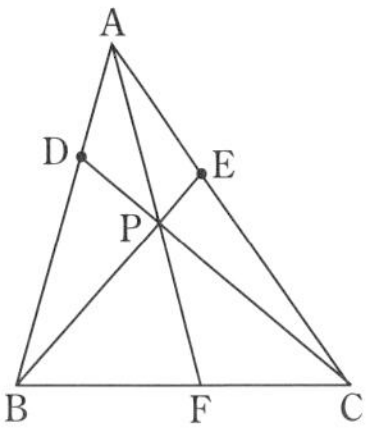

線分の延長と直線の交点の場合 $\overrightarrow{\mathrm{AF}}$を２通りに表現して求める，という意味では，考え方は例題１と同じである．FがAPの延長上にあることから$\overrightarrow{\mathrm{AF}}=k\overrightarrow{\mathrm{AP}}$，BC上にあることから$\overrightarrow{\mathrm{AF}}=(1-s)\overrightarrow{\mathrm{AB}}+s\overrightarrow{\mathrm{AC}}$と書けることを利用する．答案は，後者の式を書くかわりに

　FがBC上 $\iff$ $\overrightarrow{\mathrm{AF}}=x\overrightarrow{\mathrm{AB}}+y\overrightarrow{\mathrm{AC}}$と表したとき$x+y=1$

を用いて，「$\overrightarrow{\mathrm{AF}}=k\overrightarrow{\mathrm{AP}}$を$\overrightarrow{\mathrm{AB}}$と$\overrightarrow{\mathrm{AC}}$で表したときの**係数の和が1**」から$k$を決める，とするとよいだろう（解答参照）．

内分比が先に求められる この例題では，$k\overrightarrow{\mathrm{AP}}=k\left(\dfrac{5}{21}\overrightarrow{\mathrm{AB}}+\dfrac{2}{7}\overrightarrow{\mathrm{AC}}\right)=\dfrac{5}{21}k\overrightarrow{\mathrm{AB}}+\dfrac{2}{7}k\overrightarrow{\mathrm{AC}}$の係数の和が１になるように$\left(\dfrac{5}{21}k+\dfrac{2}{7}k=1\right)$$k$を決める．この$k$に対して，FはBCを$\dfrac{2}{7}k:\dfrac{5}{21}k$に内分する点となるが，この比は$k$によらないから$k$を求めずに内分比を求めることができる．$\overrightarrow{\mathrm{AF}}$を求める場合は，$k$を求めるか，あるいは内分点の公式：右図で$\overrightarrow{\mathrm{OQ}}=\dfrac{n}{m+n}\overrightarrow{\mathrm{OA}}+\dfrac{m}{m+n}\overrightarrow{\mathrm{OB}}$（左ページの☆で$s=\dfrac{m}{m+n}$）を用いる．

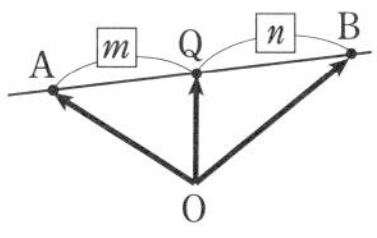

解 答

［例題１の解答の続き］

Fは直線AP上にあるので，実数kを用いて

$$\overrightarrow{\mathrm{AF}}=k\overrightarrow{\mathrm{AP}}=\frac{5}{21}k\overrightarrow{\mathrm{AB}}+\frac{2}{7}k\overrightarrow{\mathrm{AC}}\quad\cdots\cdots\text{①}$$

と書ける．また，Fは直線BC上にあるので，①の$\overrightarrow{\mathrm{AB}}$と$\overrightarrow{\mathrm{AC}}$の係数の和$\dfrac{5}{21}k+\dfrac{2}{7}k$は１となる．この$k$に対して，$\mathrm{BF}:\mathrm{FC}=\dfrac{2}{7}k:\dfrac{5}{21}k=\dfrac{6}{21}:\dfrac{5}{21}=$**6：5**

よって，内分点の公式から

$$\overrightarrow{\mathrm{AF}}=\frac{5}{6+5}\overrightarrow{\mathrm{AB}}+\frac{6}{6+5}\overrightarrow{\mathrm{AC}}=\boldsymbol{\frac{5}{11}\overrightarrow{\mathrm{AB}}+\frac{6}{11}\overrightarrow{\mathrm{AC}}}$$

⇨注　kを求めると，$\dfrac{5+6}{21}k=1$より$k=\dfrac{21}{11}$

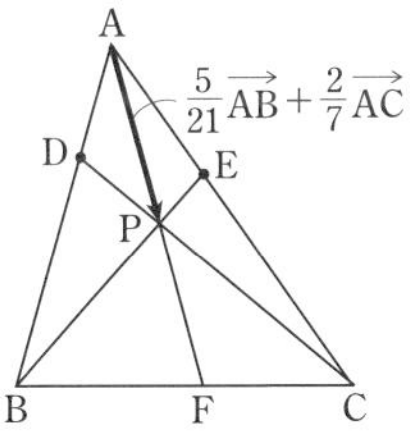

一般に，$\overrightarrow{\mathrm{AP}}=\alpha\overrightarrow{\mathrm{AB}}+\beta\overrightarrow{\mathrm{AC}}$のとき$\overrightarrow{\mathrm{AP}}$

$=(\alpha+\beta)\left(\dfrac{\alpha}{\alpha+\beta}\overrightarrow{\mathrm{AB}}+\dfrac{\beta}{\alpha+\beta}\overrightarrow{\mathrm{AC}}\right)$

⇦と変形できる．〰は，係数の和が１になっているから，〰$=\overrightarrow{\mathrm{AG}}$とおくとGはBC上の点となる．

　上のように係数の和でくくると交点を見つけることができる．この方法はα，βの分母が同じときには（この変形がしやすいので）有力である．答案としても問題ない．

2 演習題（解答はp.22）

a，bを正の数とする．平行四辺形ABCDの辺ABを$a:b$に内分する点をE，辺BCを3:5に内分する点をFとする．また，線分AFと線分DEの交点をP，対角線ACと線分DFの交点をQとする．

（１）$\overrightarrow{\mathrm{AP}}$を$\overrightarrow{\mathrm{AB}}$と$\overrightarrow{\mathrm{AD}}$を用いて表すと$\overrightarrow{\mathrm{AP}}=$□$\overrightarrow{\mathrm{AB}}+$□$\overrightarrow{\mathrm{AD}}$である．

（２）$\overrightarrow{\mathrm{AQ}}$を$\overrightarrow{\mathrm{AB}}$と$\overrightarrow{\mathrm{AD}}$を用いて表すと$\overrightarrow{\mathrm{AQ}}=$□$\overrightarrow{\mathrm{AB}}+$□$\overrightarrow{\mathrm{AD}}$である．

（３）$a:b=$□：□のとき，点Pは線分AFの中点となる．

（４）$a:b=$□：□のとき，辺ADと線分PQは平行になる．

（東京工科大・応生，コンピュータ）

（１）$\overrightarrow{\mathrm{AP}}=s\overrightarrow{\mathrm{AF}}$かつPはDE上．（２）も同様．
（３）上のsが1/2.
（４）$\overrightarrow{\mathrm{PQ}}$が$\overrightarrow{\mathrm{AD}}$の実数倍になる．

3 $a\overrightarrow{\mathrm{PA}}+b\overrightarrow{\mathrm{PB}}+c\overrightarrow{\mathrm{PC}}=\vec{0}$

三角形ABCの内部に点Pがあり，等式 $6\overrightarrow{\mathrm{AP}}+3\overrightarrow{\mathrm{BP}}+2\overrightarrow{\mathrm{CP}}=\vec{0}$ をみたす．また，線分BCを3：2に内分する点をQとする．次の問いに答えよ．

（1） $\overrightarrow{\mathrm{AQ}}$ を $\overrightarrow{\mathrm{AB}}$ と $\overrightarrow{\mathrm{AC}}$ を用いて表すと $\overrightarrow{\mathrm{AQ}}=\square\,\overrightarrow{\mathrm{AB}}+\square\,\overrightarrow{\mathrm{AC}}$ である．

（2） $\overrightarrow{\mathrm{AP}}$ を $\overrightarrow{\mathrm{AB}}$ と $\overrightarrow{\mathrm{AC}}$ を用いて表すと $\overrightarrow{\mathrm{AP}}=\square\,\overrightarrow{\mathrm{AB}}+\square\,\overrightarrow{\mathrm{AC}}$ である．

（3） 三角形ABCの面積を S，三角形APQの面積を T とするとき，$S=\square\,T$ である．

（国士舘大・理工）

$a\overrightarrow{\mathrm{PA}}+b\overrightarrow{\mathrm{PB}}+c\overrightarrow{\mathrm{PC}}=\vec{0}$ を満たす点Pのとらえ方 （2）のようにAを始点にして条件式を書き直すのがよいだろう（そうすると3か所にあったPが1か所になる）．このあと，直線APとBCの交点をRとして，$\overrightarrow{\mathrm{AP}}=\alpha\overrightarrow{\mathrm{AB}}+\beta\overrightarrow{\mathrm{AC}}$ を $k\overrightarrow{\mathrm{AR}}$ の形にする（☞○2）とRの“位置”がわかる．

面積比を求めるときは底辺か高さが等しい三角形の組を見つける 例えば右図で△ARQ：△APQ＝AR：APとなる（底辺がAR，APで高さが共通）．

（3）は $\triangle\mathrm{ARQ}=\dfrac{\mathrm{AR}}{\mathrm{AP}}\triangle\mathrm{APQ}$，$\triangle\mathrm{ABC}=\dfrac{\mathrm{BC}}{\mathrm{RQ}}\triangle\mathrm{ARQ}$ から求める．

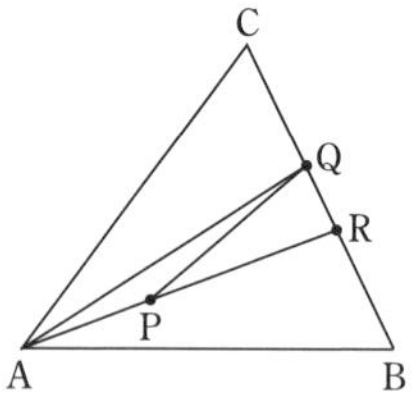

解 答

（1） $\boldsymbol{\overrightarrow{\mathrm{AQ}}=\dfrac{2}{5}\overrightarrow{\mathrm{AB}}+\dfrac{3}{5}\overrightarrow{\mathrm{AC}}}$

（2） 条件式を，Aを始点に書き直すと，

$$6\overrightarrow{\mathrm{AP}}+3(\overrightarrow{\mathrm{AP}}-\overrightarrow{\mathrm{AB}})+2(\overrightarrow{\mathrm{AP}}-\overrightarrow{\mathrm{AC}})=\vec{0}$$

$$\therefore\ 11\overrightarrow{\mathrm{AP}}=3\overrightarrow{\mathrm{AB}}+2\overrightarrow{\mathrm{AC}}$$

よって，$\boldsymbol{\overrightarrow{\mathrm{AP}}=\dfrac{3}{11}\overrightarrow{\mathrm{AB}}+\dfrac{2}{11}\overrightarrow{\mathrm{AC}}}$

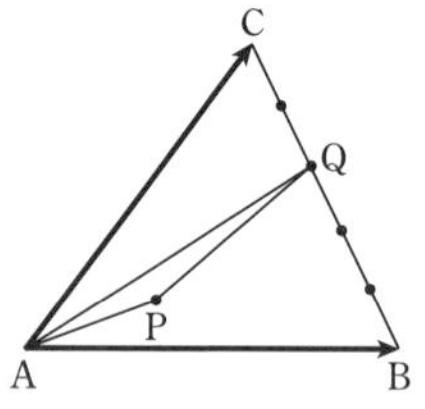

（3） $\overrightarrow{\mathrm{AP}}=\dfrac{3+2}{11}\left(\dfrac{3}{5}\overrightarrow{\mathrm{AB}}+\dfrac{2}{5}\overrightarrow{\mathrm{AC}}\right)$ と書ける．$\overrightarrow{\mathrm{AR}}=\dfrac{3}{5}\overrightarrow{\mathrm{AB}}+\dfrac{2}{5}\overrightarrow{\mathrm{AC}}$ とおくと，（$\overrightarrow{\mathrm{AB}}$，$\overrightarrow{\mathrm{AC}}$ の係数の和が1だからRはBC上にあり）Rは線分BCを2：3に内分する点である．また，$\overrightarrow{\mathrm{AP}}=\dfrac{5}{11}\overrightarrow{\mathrm{AR}}$ であるから，

Rは直線AP上の点で

$$\mathrm{AP}：\mathrm{AR}=5：11$$

よって，

$$S=\triangle\mathrm{ABC}=\frac{\mathrm{BC}}{\mathrm{RQ}}\triangle\mathrm{ARQ}$$

$$=\frac{\mathrm{BC}}{\mathrm{RQ}}\cdot\frac{\mathrm{AR}}{\mathrm{AP}}\triangle\mathrm{APQ}=\frac{5}{1}\cdot\frac{11}{5}T=\boldsymbol{11T}$$

⇦APの延長とBCの交点をRとして，Rを求める．RはBC上の点だから $\overrightarrow{\mathrm{AB}}$，$\overrightarrow{\mathrm{AC}}$ の係数の和は1．この変形については，○2の傍注を参照．

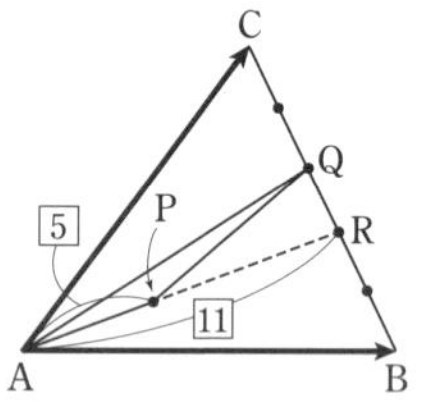

⇦△ABC，△ARQの底辺をBC，RQとみる（高さが共通）．

⇦△ARQ，△APQの底辺をAR，APとみる（高さが共通）．

3 演習題（解答はp.23）

△ABCの内部に点Pがあって，$l\overrightarrow{\mathrm{AP}}+m\overrightarrow{\mathrm{BP}}+n\overrightarrow{\mathrm{CP}}=\vec{0}$ を満たすとする．ただし，l，m，n は正の数とする．

（1） $\overrightarrow{\mathrm{AP}}$ を $\overrightarrow{\mathrm{AB}}$ と $\overrightarrow{\mathrm{AC}}$ を用いて表せ．

（2） △ABCの面積を1とするとき，△BCP，△CAP，△ABPそれぞれの面積を求めよ．

（群馬大・教，医，工）

（1） 例題と同様．
（2） 共通の底辺に対する高さの比を求める．

4 内心

AB=5, BC=7, CA=6 である三角形 ABC がある．∠BAC の角の二等分線と BC との交点を D, ∠ABC の角の二等分線と AD との交点を E とする．このとき，$\overrightarrow{\mathrm{AD}}$, $\overrightarrow{\mathrm{AE}}$ を $\overrightarrow{\mathrm{AB}}$, $\overrightarrow{\mathrm{AC}}$ を用いて表せ．

（長崎総科大）

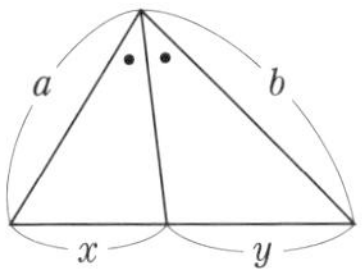

（角の二等分線の定理） 右図で $x:y=a:b$［内分比は長さの比］が成り立つ．

（内心の求め方） この例題は，角の二等分線の定理を2回使って解く（標準的な解法）．まず，AD が ∠A の二等分線であることから $\overrightarrow{\mathrm{AD}}$ を $\overrightarrow{\mathrm{AB}}$ と $\overrightarrow{\mathrm{AC}}$ で表す．ここで BD の長さを計算しておくことがポイントで，再び角の二等分線の定理を用いると AE : ED(=BA : BD) が計算できて $\overrightarrow{\mathrm{AE}}=\dfrac{\mathrm{AE}}{\mathrm{AD}}\overrightarrow{\mathrm{AD}}$ から $\overrightarrow{\mathrm{AE}}$ が求められる．

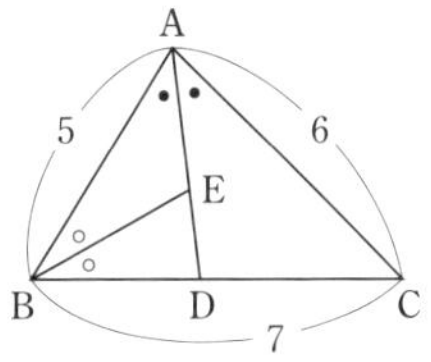

なお，E は △ABC の内心である．「△ABC の内心を E として，$\overrightarrow{\mathrm{AE}}$ を $\overrightarrow{\mathrm{AB}}$ と $\overrightarrow{\mathrm{AC}}$ で表せ.」というような問題文になっても同じ解法で解けるようにしておきたい．

解 答

角の二等分線の定理より，

BD : DC = AB : AC = 5 : 6

内分点の公式を用いて，

$$\overrightarrow{\mathrm{AD}}=\frac{6}{5+6}\overrightarrow{\mathrm{AB}}+\frac{5}{5+6}\overrightarrow{\mathrm{AC}}=\mathbf{\frac{6}{11}\overrightarrow{AB}+\frac{5}{11}\overrightarrow{AC}}$$

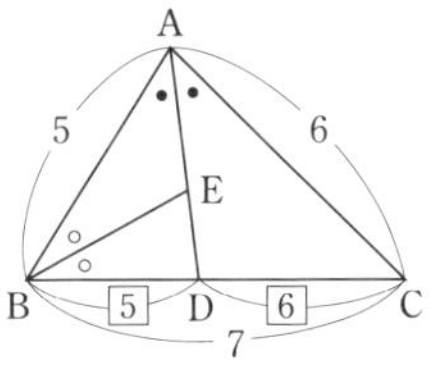

また，$\mathrm{BD}=7\times\dfrac{5}{5+6}$ であるから，再び角の二等分線の定理を用いると，

$$\mathrm{AE}:\mathrm{ED}=\mathrm{BA}:\mathrm{BD}=5:7\cdot\frac{5}{11}=11:7$$

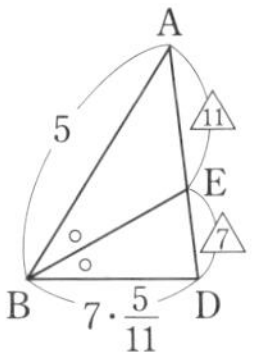

よって，

$$\overrightarrow{\mathrm{AE}}=\frac{\mathrm{AE}}{\mathrm{AD}}\overrightarrow{\mathrm{AD}}=\frac{\mathrm{AE}}{\mathrm{AE}+\mathrm{ED}}\overrightarrow{\mathrm{AD}}=\frac{11}{11+7}\overrightarrow{\mathrm{AD}}$$

$$=\frac{11}{18}\left(\frac{6}{11}\overrightarrow{\mathrm{AB}}+\frac{5}{11}\overrightarrow{\mathrm{AC}}\right)=\mathbf{\frac{1}{3}\overrightarrow{AB}+\frac{5}{18}\overrightarrow{AC}}$$

4 演習題 （解答は p.24）

△ABC があり，AB=3, BC=7, CA=5 を満たしている．△ABC の内心を I, $\overrightarrow{\mathrm{AB}}=\vec{b}$, $\overrightarrow{\mathrm{AC}}=\vec{c}$ とおく．次の問いに答えよ．

(1) $\overrightarrow{\mathrm{AI}}$ を $\vec{b}$ と $\vec{c}$ を用いて表せ．

(2) △ABC の面積を求めよ．

(3) 辺 AB 上に点 P, 辺 AC 上に点 Q を，3点 P, I, Q が一直線上にあるようにとるとき，△APQ の面積 S のとりうる値の範囲を求めよ．

（横浜国大・経済）

(1)は例題と同様．(3)は，$\overrightarrow{\mathrm{AP}}=p\vec{b}$, $\overrightarrow{\mathrm{AQ}}=q\vec{c}$, $\overrightarrow{\mathrm{AI}}=(1-t)\overrightarrow{\mathrm{AP}}+t\overrightarrow{\mathrm{AQ}}$ とおいて一直線上の条件を p, q, t で表す．どの文字を残すか？

5 領域の表現

△OAB に対して $\overrightarrow{\mathrm{OP}}=s\overrightarrow{\mathrm{OA}}+t\overrightarrow{\mathrm{OB}}$ とする．実数 s，t が次の条件を満たすとき，点 P が動く部分の面積をそれぞれ求めよ．ただし，△OAB の面積を S とする．

（1） $\dfrac{1}{2}\leqq s+t\leqq 1$，$0\leqq s$，$0\leqq t$ （明大・農）

（2） $2\leqq s+4t\leqq 6$，$s\geqq 0$，$t\geqq 0$ （東海大・医／改題）

$s\geqq 0$ が表す領域 記号は上の通りとする．図 1 より，「$s\geqq 0$，t は全実数」のときに P が動く領域は図 2 のようになる（直線 OB の右側）ことがわかるだろう．同様に，「$t\geqq 0$，s は全実数」のときは図 3.

図 1

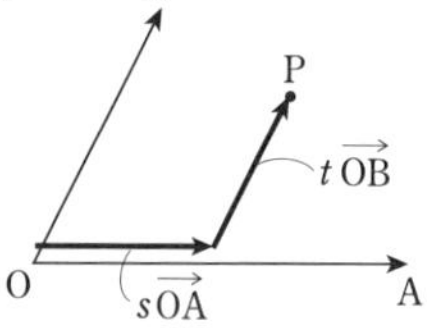

図 2

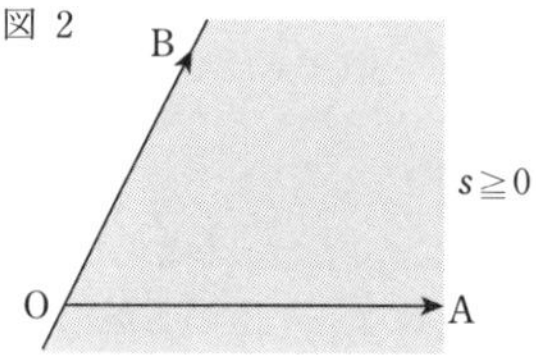

図 3

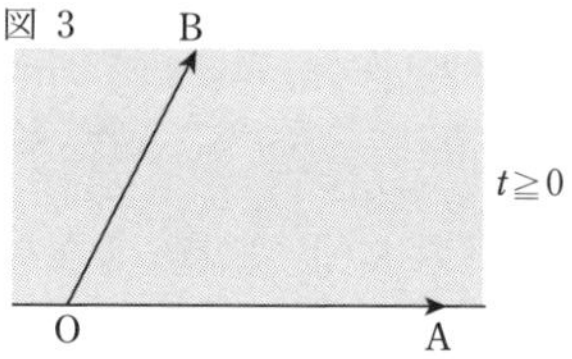

$s+t=k$ が表す図形 まず $k=1$ の場合（$\overrightarrow{\mathrm{OP}}=s\overrightarrow{\mathrm{OA}}+t\overrightarrow{\mathrm{OB}}$，$s+t=1$）を考えよう．この場合は係数の和が 1 だから P が描く図形は直線 AB となる（図 4）．$k\neq 0$ の場合は，$\overrightarrow{\mathrm{OP}}=s\overrightarrow{\mathrm{OA}}+t\overrightarrow{\mathrm{OB}}$，$s+t=k$ から係数の和が 1 の形を作る．$s+t=k$ の両辺を k で割って $\dfrac{s}{k}+\dfrac{t}{k}=1$ とし，$\dfrac{s}{k}$ と $\dfrac{t}{k}$ が係数になるように

$\overrightarrow{\mathrm{OP}}=\dfrac{s}{k}\cdot k\overrightarrow{\mathrm{OA}}+\dfrac{t}{k}\cdot k\overrightarrow{\mathrm{OB}}$（$k\overrightarrow{\mathrm{OA}}$ と $k\overrightarrow{\mathrm{OB}}$ の係数の和が 1）と変形する．すると，P が描く図形は図 5 の直線 A′B′（$\overrightarrow{\mathrm{OA'}}=k\overrightarrow{\mathrm{OA}}$，$\overrightarrow{\mathrm{OB'}}=k\overrightarrow{\mathrm{OB}}$）になることがわかる．なお，A′B′∥AB である．

図 4

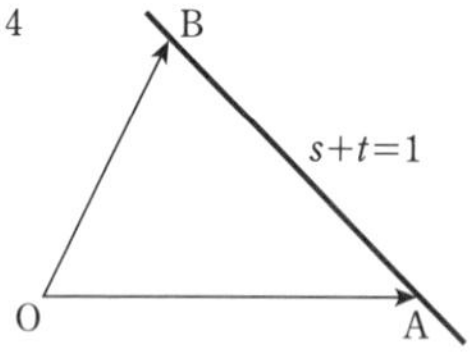

図 5

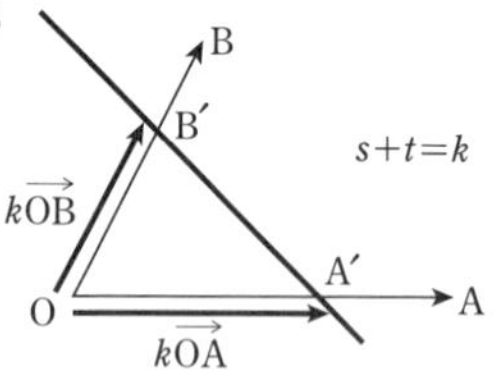

$0\leqq s+t\leqq 1$ が表す領域 $\overrightarrow{\mathrm{OP}}=s\overrightarrow{\mathrm{OA}}+t\overrightarrow{\mathrm{OB}}$，$s+t=k$ の k を $0\leqq k\leqq 1$ の範囲で動かせばよい．つまり，図 5 の k（直線 A′B′）を $0\leqq k\leqq 1$ で動かせばよく，右図の網目部（境界含む）となる．$k=0$ の場合は，$\overrightarrow{\mathrm{OP}}=s\overrightarrow{\mathrm{OA}}+(-s)\overrightarrow{\mathrm{OB}}=s(\overrightarrow{\mathrm{OA}}-\overrightarrow{\mathrm{OB}})=s\overrightarrow{\mathrm{BA}}$ であるから，O を通り AB に平行な直線である．

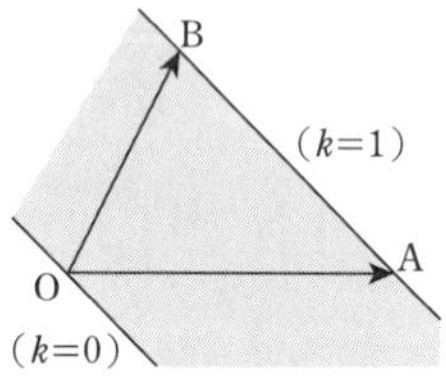

解 答

（1） $s+t=k$（k は 0 でない定数）を満たして s，t が動くとする．このとき，

$\overrightarrow{\mathrm{OP}}=s\overrightarrow{\mathrm{OA}}+t\overrightarrow{\mathrm{OB}}=\dfrac{s}{k}\cdot k\overrightarrow{\mathrm{OA}}+\dfrac{t}{k}\cdot k\overrightarrow{\mathrm{OB}}$，$\dfrac{s}{k}+\dfrac{t}{k}=1$

であるから，P が描く図形は右図の直線 A′B′(∥AB) となる．よって，この k を $\dfrac{1}{2}\leqq k\leqq 1$ で動かしたとき P が動く部分は右ページ上の左図の網目部になる．また，

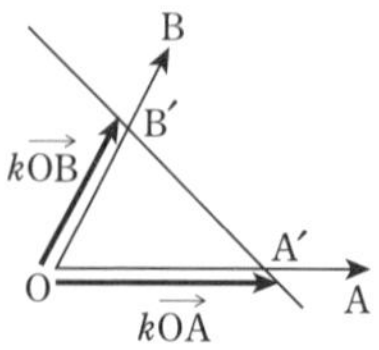

$0\leqq s$ のとき P は直線 OB の右側（A と同じ側），$0\leqq t$ のとき P は直線 OA の上側（B と同じ側）を動く（同中央図）．これらを合わせて同右図を得る．

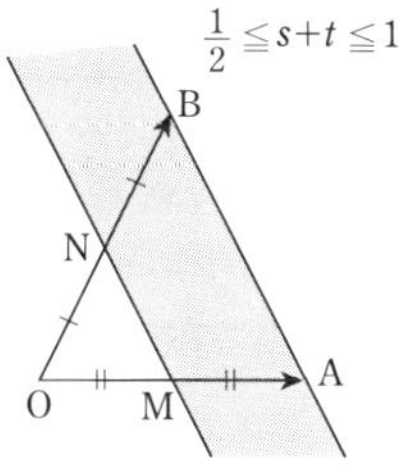

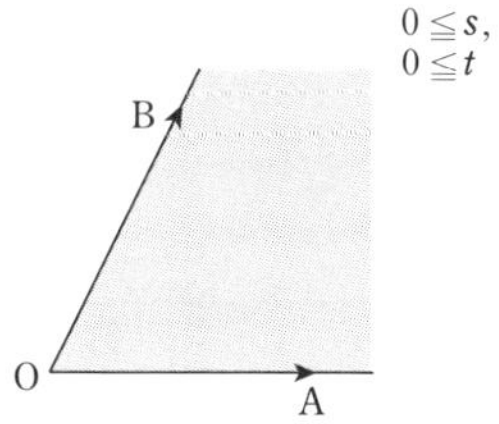

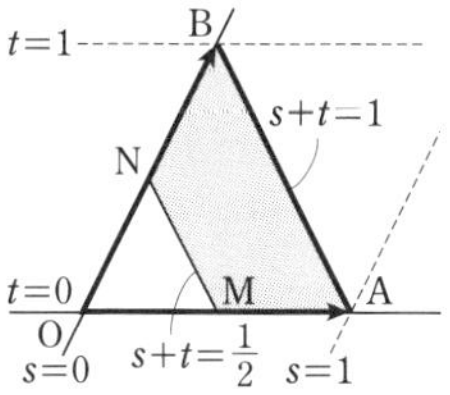

よって，Pが動く部分の面積は，

$\triangle OAB - \triangle OMN$

$= S - \frac{1}{2} \cdot \frac{1}{2} S = \mathbf{\frac{3}{4}S}$

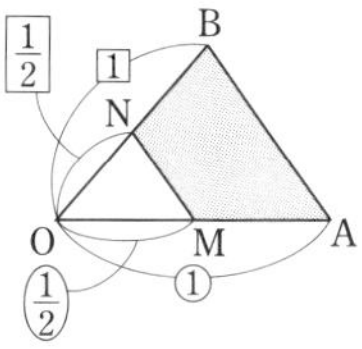

⇦一般に

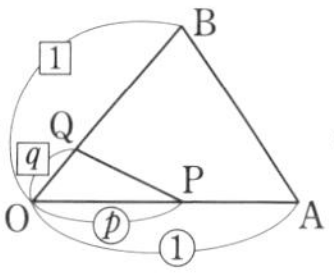

のとき

$\triangle OPQ = pq \triangle OAB$

（２）　$4t = t'$ とおくと，$\overrightarrow{OP} = s\overrightarrow{OA} + t\overrightarrow{OB} = s\overrightarrow{OA} + t' \cdot \frac{1}{4}\overrightarrow{OB}$

となる．よって，B′ を $\overrightarrow{OB'} = \frac{1}{4}\overrightarrow{OB}$ で定めれば，条件は

$\overrightarrow{OP} = s\overrightarrow{OA} + t'\overrightarrow{OB'}$，$2 \leqq s + t' \leqq 6$，$s \geqq 0$，$t' \geqq 0$

となる．

⇦（１）と同じ形になった．こうするためにt′=4tとおいた．

〰〰 は，

$\overrightarrow{OA_1} = 2\overrightarrow{OA}$，$\overrightarrow{OB_1} = 2\overrightarrow{OB'}$，

$\overrightarrow{OA_2} = 6\overrightarrow{OA}$，$\overrightarrow{OB_2} = 6\overrightarrow{OB'}$

とするとき，直線 A_1B_1 と直線 A_2B_2 の間の領域を表すから，$s \geqq 0$，$t' \geqq 0$ と合わせてPが動く部分は右図網目部になる．求める面積は，

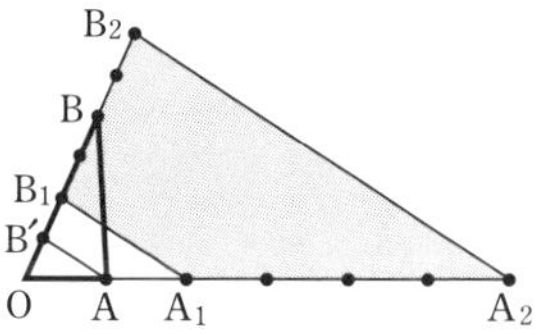

$\triangle OA_2B_2 - \triangle OA_1B_1$

$= 6 \cdot \left(\frac{1}{4} \cdot 6\right)S - 2 \cdot \left(\frac{1}{4} \cdot 2\right)S$

$= \left(6 \cdot \frac{3}{2} - 1\right)S = \mathbf{8S}$

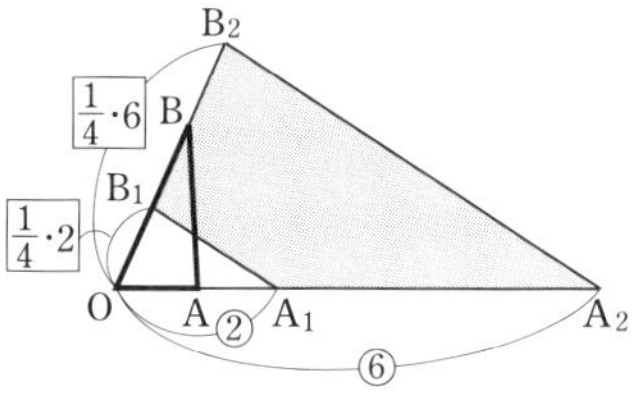

⇦OA=①，OB=1

5　演習題（解答は p.24）

（ア）　△OAB に対して $\overrightarrow{OP} = s\overrightarrow{OA} + t\overrightarrow{OB}$ とする．実数 s，t が $t \leqq s$，$s \leqq 3$，$0 \leqq t$ を満たすとき，点Pが動く部分の面積を求めよ．ただし，△OAB の面積を S とする．

（明大・農）

（イ）　三角形ABC を１辺の長さが１の正三角形とする．実数 s，t が次の条件を満たしながら動くとき，$\overrightarrow{AP} = s\overrightarrow{AB} + t\overrightarrow{AC}$ を満たす点Pの存在領域を正三角形ABC とともにそれぞれ図示し，その領域の面積を求めよ．

（１）　$s \geqq 0$，$t \geqq 0$，$1 \leqq s+t \leqq 2$

（２）　$1 \leqq |s| + |t| \leqq 2$

（甲南大・理系／省略・表現変更あり）

（ア）　$t=s$ のときのPを図示してみる．
（イ）　（２）は s，t の符号で場合わけすれば（１）と同じ．

6 内積／大きさ

$|\vec{a}|=5$, $|\vec{b}|=4$, $|\vec{a}-\vec{b}|=2\sqrt{5}$ のとき，$\vec{a}\cdot\vec{b}=$ [(1)] であり，$|\vec{a}-t\vec{b}|$ を最小にする t の値は [(2)] である．

（大同大）

大きさと内積 ベクトル $\vec{a}$ の大きさ $|\vec{a}|$ は，内積を用いて $|\vec{a}|^2=\vec{a}\cdot\vec{a}$ （$|\vec{a}|=\sqrt{\vec{a}\cdot\vec{a}}$ ）と表される．大きさの条件を使う場合は内積の形に翻訳（$|\vec{a}|=5$ ⇨ $\vec{a}\cdot\vec{a}=5^2$）し，大きさを計算する場合は内積を計算する（$|\vec{a}-t\vec{b}|^2=(\vec{a}-t\vec{b})\cdot(\vec{a}-t\vec{b})=\cdots$）のが原則である．

例題の(1)では，$\vec{a}\cdot\vec{a}=25$，$\vec{b}\cdot\vec{b}=16$，$(\vec{a}-\vec{b})\cdot(\vec{a}-\vec{b})=20$ から $\vec{a}\cdot\vec{b}$ を求める．第 3 の条件は，普通の文字のように展開することができて（分配法則，交換法則は成り立つ）

$$(\vec{a}-\vec{b})\cdot(\vec{a}-\vec{b})=\vec{a}\cdot\vec{a}-\vec{a}\cdot\vec{b}-\vec{b}\cdot\vec{a}+\vec{b}\cdot\vec{b}=\vec{a}\cdot\vec{a}-2\vec{a}\cdot\vec{b}+\vec{b}\cdot\vec{b}\ (=20)\cdots\cdots☆$$

となるから，これに残りの 2 条件を代入すればよい．(2)も同様に計算すると t の 2 次関数になる．

☆式を，（再び）大きさで書くと $|\vec{a}|^2-2\vec{a}\cdot\vec{b}+|\vec{b}|^2$ となる．答案では，この式を書くのがよいだろう（$|\vec{a}|^2-2\vec{a}\cdot\vec{b}+|\vec{b}|^2=20$ に $|\vec{a}|=5$，$|\vec{b}|=4$ を代入；解答参照）．

解 答

(1) $|\vec{a}-\vec{b}|=2\sqrt{5}$ より，$|\vec{a}-\vec{b}|^2=(\vec{a}-\vec{b})\cdot(\vec{a}-\vec{b})=20$

$$\therefore\ |\vec{a}|^2-2\vec{a}\cdot\vec{b}+|\vec{b}|^2=20$$

⇦これくらいのテンポで答案が書けるように練習しよう．2 乗の展開とほとんど同じ式．

これに $|\vec{a}|=5$，$|\vec{b}|=4$ を代入して，

$$25-2\vec{a}\cdot\vec{b}+16=20 \qquad \therefore\ \boldsymbol{\vec{a}\cdot\vec{b}=\frac{21}{2}}$$

(2) $|\vec{a}-t\vec{b}|^2=\underline{(\vec{a}-t\vec{b})\cdot(\vec{a}-t\vec{b})}=|\vec{a}|^2-2t\vec{a}\cdot\vec{b}+t^2|\vec{b}|^2\cdots\cdots☆$

⇦この式は省略してかまわない．

$$=25-2\cdot\frac{21}{2}t+t^2\cdot16=16t^2-21t+25$$

⇦$|\vec{a}|=5$，$|\vec{b}|=4$，$\vec{a}\cdot\vec{b}=\frac{21}{2}$ を代入．

$$=16\left(t-\frac{21}{32}\right)^2+25-16\cdot\left(\frac{21}{32}\right)^2$$

よって，$|\vec{a}-t\vec{b}|$ を最小にする t は $\boldsymbol{\frac{21}{32}}$

➡注 O を始点として $\overrightarrow{OA}=\vec{a}$，$\overrightarrow{OB}=\vec{b}$ と定めると $\vec{a}-\vec{b}=\overrightarrow{BA}$，$|\vec{a}-\vec{b}|=AB$ となるので △OAB は右図のようになる．

(1) $|\vec{a}-\vec{b}|^2=|\vec{a}|^2-2\vec{a}\cdot\vec{b}+|\vec{b}|^2$ は

$AB^2=OA^2+OB^2-2OA\cdot OB\cos\angle AOB$

と書ける．これは余弦定理に相当する式である．

(2) $\overrightarrow{OX}=\vec{a}-t\vec{b}$ で点 X を定めると，（t が動くとき）X は，A を通り OB に平行な直線 l の上を動く．$|\overrightarrow{OX}|$ が最小になるのは，X が O から l に下ろした垂線の足 H になるときである．例題(2)の結果によれば，$\overrightarrow{AH}=-\frac{21}{32}\vec{b}$

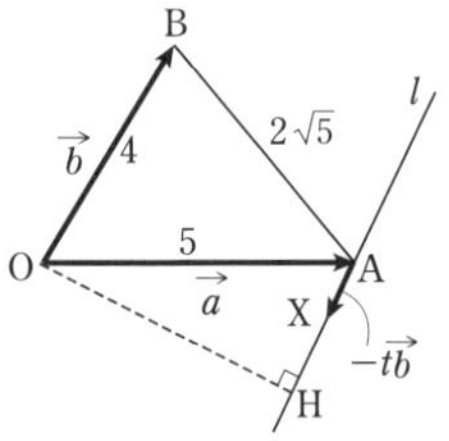

☆に数値を代入せず平方完成すると，

$$|\vec{b}|^2\left(t-\frac{\vec{a}\cdot\vec{b}}{|\vec{b}|^2}\right)^2+(\text{定数})$$

となって $t=\frac{\vec{a}\cdot\vec{b}}{|\vec{b}|^2}$ で最小．

同じ式が $\overrightarrow{OH}\cdot\vec{b}=0$ からも得られる．

⇦$(\vec{a}-t\vec{b})\cdot\vec{b}=0$ より

$$t=\frac{\vec{a}\cdot\vec{b}}{|\vec{b}|^2}\left(=\frac{21}{32}\right)$$

6 演習題 （解答は p.25）

△OAB において，OA＝2，OB＝3，AB＝4 とする．$\overrightarrow{OA}=\vec{a}$，$\overrightarrow{OB}=\vec{b}$ とおくとき，$\vec{a}$ と $\vec{b}$ の内積は $\vec{a}\cdot\vec{b}=$ [ア] となる．また，∠AOB の 2 等分線と辺 AB の交点を C とすると，$\overrightarrow{OC}=$ [イ] $\vec{a}+$ [ウ] $\vec{b}$ となり，$|\overrightarrow{OC}|=$ [エ] となる．

（大阪電通大）

アは例題(1)と同様．
エは $\overrightarrow{OC}\cdot\overrightarrow{OC}$ を計算する．

7 内積／垂直(1)

△OABの3辺OA, AB, BOを$t:1-t$に内分する点をそれぞれP, Q, Rとする.

(1) $\overrightarrow{PR}$を$\overrightarrow{OA}$, $\overrightarrow{OB}$を用いて表せ.

(2) $\overrightarrow{PQ}$を$\overrightarrow{OA}$, $\overrightarrow{OB}$を用いて表せ.

(3) $\angle AOB=90^\circ$, OA$=5$, OB$=4$とする. $\angle QPR=90^\circ$となるtの値を求めよ. ただし, $0<t<1$とする.

(大阪工大)

垂直と内積 2つのベクトル$\vec{a}$, $\vec{b}$のなす角の大きさをθとすると, $\boldsymbol{\vec{a}\cdot\vec{b}=|\vec{a}||\vec{b}|\cos\theta}$となる. 特に$\theta=90^\circ$($\vec{a}$と$\vec{b}$が垂直)であれば, $\vec{a}$, $\vec{b}$の大きさにかかわらず, $\vec{a}\cdot\vec{b}=0$である. 逆に, $|\vec{a}|\neq0$, $|\vec{b}|\neq0$のもとで$\vec{a}\cdot\vec{b}=0$であれば$\cos\theta=0$となるから$\vec{a}$と$\vec{b}$は垂直である.

つまり, $|\vec{a}|\neq0$, $|\vec{b}|\neq0$のとき　$\vec{a}$と$\vec{b}$が垂直 $\iff$ $\vec{a}\cdot\vec{b}=0$

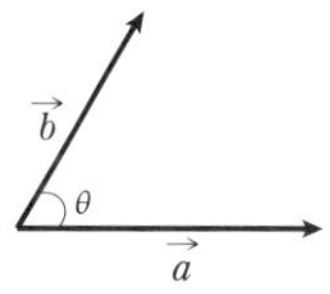

解答

(1) $\overrightarrow{PR}=\overrightarrow{PO}+\overrightarrow{OR}$

$=\boldsymbol{-t\overrightarrow{OA}+(1-t)\overrightarrow{OB}}$

⇦ベクトルはどこを中継してもよい. なお, $\overrightarrow{PR}=\overrightarrow{OR}-\overrightarrow{OP}$と同じ.

(2) $\overrightarrow{PQ}=\overrightarrow{PA}+\overrightarrow{AQ}$

$=(1-t)\overrightarrow{OA}+t\overrightarrow{AB}$

$=(1-t)\overrightarrow{OA}+t(\overrightarrow{OB}-\overrightarrow{OA})$

$=\boldsymbol{(1-2t)\overrightarrow{OA}+t\overrightarrow{OB}}$

⇦$\overrightarrow{PQ}=\overrightarrow{PO}+\overrightarrow{OQ}$
$=-t\overrightarrow{OA}+(1-t)\overrightarrow{OA}+t\overrightarrow{OB}$
としてもよい.

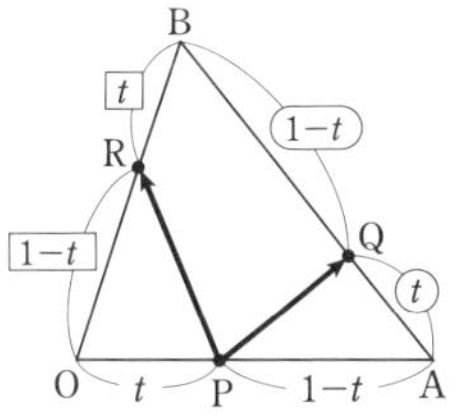

(3) $\angle AOB=90^\circ$, OA$=5$, OB$=4$より

$\overrightarrow{OA}\cdot\overrightarrow{OB}=0$, $|\overrightarrow{OA}|=5$, $|\overrightarrow{OB}|=4$

このとき,

$\overrightarrow{PQ}\cdot\overrightarrow{PR}$

$=((1-2t)\overrightarrow{OA}+t\overrightarrow{OB})\cdot(-t\overrightarrow{OA}+(1-t)\overrightarrow{OB})$

$=-(1-2t)t|\overrightarrow{OA}|^2+t(1-t)|\overrightarrow{OB}|^2$

$=-25t(1-2t)+16t(1-t)$

$=t(34t-9)$ ……………… ①

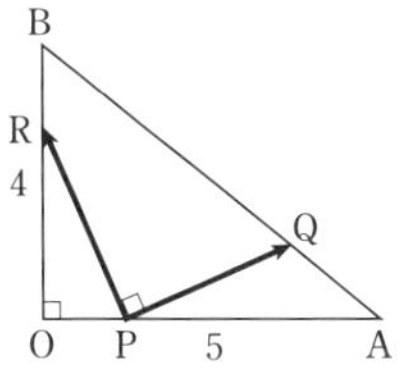

⇦$\overrightarrow{OA}\cdot\overrightarrow{OB}=0$なので, $\overrightarrow{OA}\cdot\overrightarrow{OA}$, $\overrightarrow{OB}\cdot\overrightarrow{OB}$の項だけが残る.

$\angle QPR=90^\circ$のとき①$=0$であるから, $0<t<1$より $\boldsymbol{t=\dfrac{9}{34}}$

⇦正確には, $\overrightarrow{PQ}\neq\vec{0}$, $\overrightarrow{PR}\neq\vec{0}$だから
$\angle QPR=90^\circ \iff \overrightarrow{PQ}\cdot\overrightarrow{PR}=0$
$\overrightarrow{PQ}\neq\vec{0}$, $\overrightarrow{PR}\neq\vec{0}$は図からほとんど明らかだから断らなくてよいだろう.

7 演習題 (解答はp.25)

OA$=4$, OB$=1$, $\angle AOB=60^\circ$である三角形OABにおいて, $\overrightarrow{OA}=\vec{a}$, $\overrightarrow{OB}=\vec{b}$とする. また, 辺OAを$s:(1-s)$に内分する点をC, 辺ABを$t:(1-t)$に内分する点をDとする. ただし$0<s<1$, $0<t<1$である. 以下の問いに答えよ.

(1) $\overrightarrow{CD}$をs, t, $\vec{a}$, $\vec{b}$を用いて表せ.

(2) $\overrightarrow{CD}$が$\vec{b}$と垂直のとき, sをtで表せ.

(3) (2)の条件の下で$|\overrightarrow{CD}|=\dfrac{1}{\sqrt{3}}$が成り立つとき, tの値を求めよ.

(工学院大)

(2) $\overrightarrow{CD}\cdot\vec{b}=0$.
$\vec{a}\cdot\vec{b}$を求めて$\overrightarrow{CD}\cdot\vec{b}$を計算する.

8 内積／垂直(2)

三角形OABにおいて $\overrightarrow{OA}=\vec{a}$，$\overrightarrow{OB}=\vec{b}$ とし，$|\vec{a}|=5$，$|\vec{b}|=4$，$\angle AOB=60^\circ$ とする．点Aから対辺OBに下ろした垂線をAHとし，∠AOBの2等分線が線分AHと交わる点をCとする．さらに，線分BCの延長が辺OAと交わる点をDとする．このとき，

(1) $\vec{a}\cdot\vec{b}=$ □　　(2) $\overrightarrow{OH}=$ □ $\vec{b}$

(3) $\overrightarrow{OC}=$ □ $\vec{a}+$ □ $\vec{b}$　　(4) $\overrightarrow{OD}=$ □ $\vec{a}$　（日大・生産工）

垂線の足のとらえ方　右図のように，直線OXに点Yから垂線を下ろし，その足をHとする．$\overrightarrow{OH}$ を $\overrightarrow{OX}$ と $\overrightarrow{OY}$ で表そう．$\overrightarrow{OH}=t\overrightarrow{OX}$ とおくと，$\overrightarrow{HY}=\overrightarrow{OY}-\overrightarrow{OH}$ と $\overrightarrow{OX}$ が垂直だから，$(\overrightarrow{OY}-t\overrightarrow{OX})\cdot\overrightarrow{OX}=0$　∴ $\overrightarrow{OY}\cdot\overrightarrow{OX}=t|\overrightarrow{OX}|^2$

これより $t=\dfrac{\overrightarrow{OX}\cdot\overrightarrow{OY}}{|\overrightarrow{OX}|^2}$（これは実数），$\overrightarrow{OH}=\dfrac{\overrightarrow{OX}\cdot\overrightarrow{OY}}{|\overrightarrow{OX}|^2}\overrightarrow{OX}$ となる．

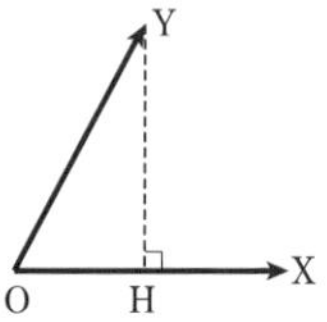

解答

$|\vec{a}|=5$，$|\vec{b}|=4$，$\angle AOB=60^\circ$

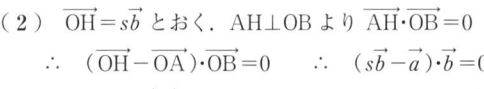

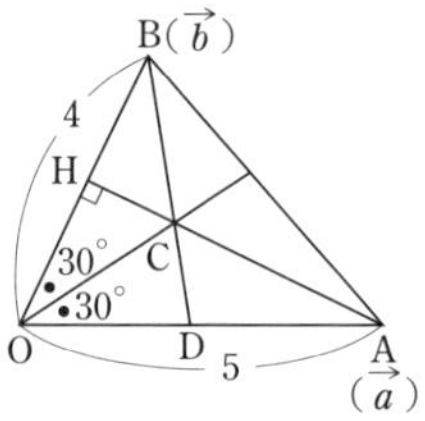

(1) $\vec{a}\cdot\vec{b}=|\vec{a}||\vec{b}|\cos 60^\circ=5\cdot4\cdot\dfrac{1}{2}=\mathbf{10}$

(2) $\overrightarrow{OH}=s\vec{b}$ とおく．AH⊥OBより $\overrightarrow{AH}\cdot\overrightarrow{OB}=0$

∴ $(\overrightarrow{OH}-\overrightarrow{OA})\cdot\overrightarrow{OB}=0$　∴ $(s\vec{b}-\vec{a})\cdot\vec{b}=0$

よって，$s=\dfrac{\vec{a}\cdot\vec{b}}{|\vec{b}|^2}=\dfrac{10}{4^2}=\dfrac{5}{8}$，$\boldsymbol{\overrightarrow{OH}=\dfrac{5}{8}\vec{b}}$

(3) OCは∠AOBの2等分線であるから AC：CH＝OA：OHであり，∠AOH＝60°よりOA：OH＝2：1である．

つまりAC：CH＝2：1で(2)より $\overrightarrow{OH}=\dfrac{5}{8}\vec{b}$ だから

$$\overrightarrow{OC}=\frac{1}{3}\overrightarrow{OA}+\frac{2}{3}\overrightarrow{OH}=\boldsymbol{\frac{1}{3}\vec{a}+\frac{5}{12}\vec{b}}$$

(4) Dは直線BC上にあるので，

$$\overrightarrow{OD}=\overrightarrow{OB}+t\overrightarrow{BC}=\overrightarrow{OB}+t(\overrightarrow{OC}-\overrightarrow{OB})=\vec{b}+t\left(\frac{1}{3}\vec{a}+\frac{5}{12}\vec{b}-\vec{b}\right)\ \cdots\cdots①$$

と表すことができる．Dは直線OA上にあるから①の $\vec{b}$ の係数は0であり，

$$1+t\left(\frac{5}{12}-1\right)=0\qquad ∴\ t=\frac{12}{7}$$

これを①に代入すると，$\boldsymbol{\overrightarrow{OD}}=\dfrac{1}{3}t\vec{a}=\boldsymbol{\dfrac{4}{7}\vec{a}}$

前文の $\overrightarrow{OH}$ の式を正確に覚えられるならそれを使ってもよいが，⇦$\overrightarrow{OH}=s\vec{b}$ とおいて（前文の式を）導くように解く方が間違えにくいだろう．なお，△AOHに着目すると $OH=OA\cos 60^\circ=\dfrac{5}{2}$ となる．これを用いて，「$\overrightarrow{OH}$ は $\overrightarrow{OB}$ と同じ向きで大きさが $\dfrac{5}{2}$ のベクトル．$\overrightarrow{OB}$ と同じ向きの単位ベクトルは $\dfrac{1}{4}\overrightarrow{OB}$ だから $\overrightarrow{OH}=\dfrac{5}{2}\cdot\dfrac{1}{4}\overrightarrow{OB}=\dfrac{5}{8}\overrightarrow{OB}$」としてもよい．

⇒**注**　解答前文の $\overrightarrow{OH}$ には名前がついていて，「$\overrightarrow{OH}$ は，$\overrightarrow{OY}$ の $\overrightarrow{OX}$ への正射影ベクトル」（$\overrightarrow{OX}$ に垂直な方向から $\overrightarrow{OY}$ に光を当てたときに $\overrightarrow{OX}$ 上にできる $\overrightarrow{OY}$ の影が $\overrightarrow{OH}$，という意味）．

8 演習題 （解答は p.26）

三角形OABについて，$OA=\sqrt{2}$，$OB=\sqrt{3}$，AB＝2とする．点Oから辺ABに下ろした垂線の足をL，辺OBに関してLと対称な点をPとする．$\vec{a}=\overrightarrow{OA}$，$\vec{b}=\overrightarrow{OB}$ とおく．

(1) $\vec{a}\cdot\vec{b}$ を求めよ．また $\overrightarrow{OL}$ を $\vec{a}$ と $\vec{b}$ で表せ．

(2) $\overrightarrow{OP}$ を $\vec{a}$ と $\vec{b}$ で表せ．　（兵庫県立大・理）

(2) LからOBに下ろした垂線の足をHとすると，HはLPの中点になる．

9 多角形

1辺の長さが1である正五角形ABCDEがある．ベクトル $\overrightarrow{AB}=\vec{a}$，$\overrightarrow{AD}=\vec{b}$ とおく．BD=AD であるから，$\vec{a}$ と $\vec{b}$ の内積 $\vec{a}\cdot\vec{b}$ は $\vec{a}\cdot\vec{b}=$ [ア] である．

ベクトル $\vec{b}$ の長さを x とおく．$\overrightarrow{AC}$ を $\vec{a}$，$\vec{b}$，x を用いて表すと，$\overrightarrow{AC}=$ [イ] である．AC=AD であるので，これから x を求めると $x=$ [ウ] である．$\vec{a}$ と $\vec{b}$ のなす角は72° であるので，$\cos 72°=$ [エ] である．

（関大・総情）

平行な辺を見つける 正多角形（正五角形，正六角形が題材になることが多い）の問題では，平行な辺や線分を見つけるのがポイントになる．正五角形では，辺に平行な対角線が1本ずつあり，例えば右図で AB∥EC，BC∥AD などとなる（他の辺と対角線の組についても同様）．従って，AB=1 として AD=x とおけば $\overrightarrow{AD}=x\overrightarrow{BC}$ であり，他の頂点についても $\overrightarrow{AC}=\overrightarrow{AB}+\overrightarrow{BC}$，$\overrightarrow{AE}=\overrightarrow{AC}+\overrightarrow{CE}=\overrightarrow{AB}+\overrightarrow{BC}+x\overrightarrow{BA}=(1-x)\overrightarrow{AB}+\overrightarrow{BC}$ ［CE=AD=x に注意］と，2つのベクトル $\overrightarrow{AB}$，$\overrightarrow{BC}$ で表される．例題では，$\overrightarrow{AC}$ を $\overrightarrow{AB}$ と $\overrightarrow{AD}$ で表し，AC=AD を利用して対角線の長さを求める．

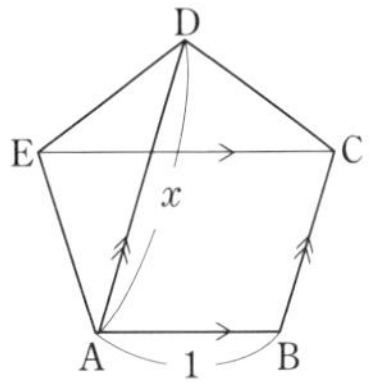

解答

ア： $|\overrightarrow{BD}|=|\overrightarrow{AD}|$ より，$|\vec{b}-\vec{a}|=|\vec{b}|$

$\therefore\ |\vec{b}-\vec{a}|^2=|\vec{b}|^2$

$\therefore\ |\vec{b}|^2-2\vec{a}\cdot\vec{b}+|\vec{a}|^2=|\vec{b}|^2$

$\therefore\ -2\vec{a}\cdot\vec{b}+1=0 \quad \therefore\ \boldsymbol{\vec{a}\cdot\vec{b}=\frac{1}{2}}$

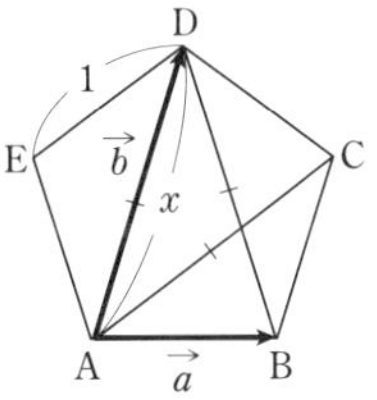

⇦［別解］
BD=AD であるから，D から AB に下ろした垂線の足 M は AB の中点．

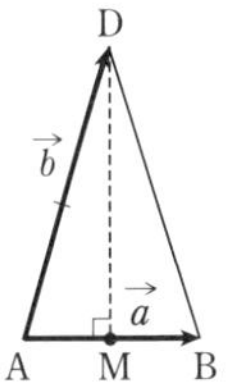

AD cos∠A=AM なので，

$\vec{a}\cdot\vec{b}=\text{AB}\cdot\text{AD}\cos\angle A$

$=\text{AB}\cdot\text{AM}=1\cdot\frac{1}{2}=\frac{1}{2}$

イ： $\overrightarrow{AC}=\overrightarrow{AB}+\overrightarrow{BC}$ である．BC∥AD，BC：AD=1：x であるから，

$\overrightarrow{BC}=\frac{1}{x}\overrightarrow{AD} \quad \therefore\ \boldsymbol{\overrightarrow{AC}=\vec{a}+\frac{1}{x}\vec{b}}$

ウ： $|\overrightarrow{AC}|=|\overrightarrow{AD}|$ より，$\left|\vec{a}+\frac{1}{x}\vec{b}\right|=|\vec{b}| \quad \therefore\ \left|\vec{a}+\frac{1}{x}\vec{b}\right|^2=|\vec{b}|^2$

$\therefore\ |\vec{a}|^2+\frac{2}{x}\vec{a}\cdot\vec{b}+\frac{1}{x^2}|\vec{b}|^2=|\vec{b}|^2$

$\therefore\ 1+\frac{2}{x}\cdot\frac{1}{2}+\frac{1}{x^2}\cdot x^2=x^2 \quad \therefore\ 2+\frac{1}{x}=x^2$

$\therefore\ x^3-2x-1=0 \quad \therefore\ (x+1)(x^2-x-1)=0$

⇦ $(-1)^3-2(-1)-1=0$ なので $x=-1$ が解の一つ．

$x>1$ より，$x^2-x-1=0$，$x>1$ の解が求めるもので，$\boldsymbol{x=\frac{1+\sqrt{5}}{2}}$

エ： $\cos 72°=\frac{\vec{a}\cdot\vec{b}}{|\vec{a}||\vec{b}|}=\frac{1}{2x}=\frac{1}{\sqrt{5}+1}=\boldsymbol{\frac{\sqrt{5}-1}{4}}$

⇦対角線 AC，AD が ∠BAE=108° を3等分するから，$\vec{a}$ と $\vec{b}$ のなす角の大きさは 72°

9 演習題（解答は p.26）

図のような1辺の長さが2の正六角形ABCDEFの2辺BC，CDの中点をそれぞれM，Nとし，線分MFとANの交点をPとする．また，$\overrightarrow{AB}=\vec{a}$，$\overrightarrow{AF}=\vec{b}$ とする．

（1） $\overrightarrow{AM}$，$\overrightarrow{AN}$，$\overrightarrow{AP}$ をそれぞれ $\vec{a}$，$\vec{b}$ を用いて表せ．

（2） ∠NAE=θ とする．$\cos\theta$ の値を求めよ．

（静岡文化芸術大）

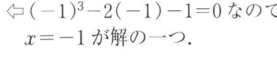

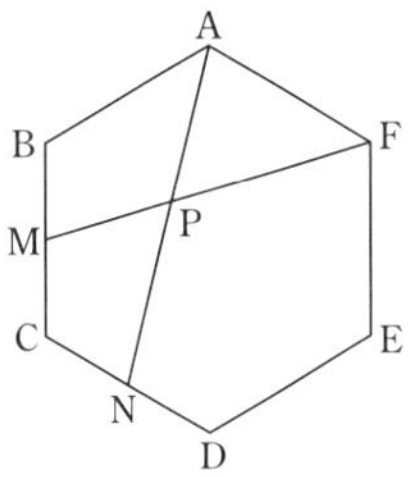

（1） FC∥AB，FC=2AB である．
（2） $\overrightarrow{AE}$ を求める．

10 外心

三角形ABCの3辺の長さを AB=4, BC=3, CA=2とする．この三角形の外心をOとおく．

（1） ベクトル $\overrightarrow{CA}$ と $\overrightarrow{CB}$ の内積 $\overrightarrow{CA}\cdot\overrightarrow{CB}$ を求めよ．

（2） $\overrightarrow{CO}=a\overrightarrow{CA}+b\overrightarrow{CB}$ をみたす実数 a, b を求めよ．（信州大・理－後）

外心の求め方 外心の定義（OA=OB=OC）を用いて求めてみよう．例題では $|\overrightarrow{OA}|^2=|\overrightarrow{OB}|^2=|\overrightarrow{OC}|^2$ を $\overrightarrow{CA}$, $\overrightarrow{CB}$, a, b で表して a, b を求めればよいのであるが，素直に $\overrightarrow{OA}=\overrightarrow{CA}-\overrightarrow{CO}=(1-a)\overrightarrow{CA}-b\overrightarrow{CB}$ として計算すると式が膨れてしまう．

$|\overrightarrow{OA}|^2=|\overrightarrow{CA}-\overrightarrow{CO}|^2=|\overrightarrow{CA}|^2-2\overrightarrow{CA}\cdot\overrightarrow{CO}+|\overrightarrow{CO}|^2$ としておくことがポイントで，これが $|\overrightarrow{CO}|^2$ に等しいことから $2\overrightarrow{CA}\cdot\overrightarrow{CO}=|\overrightarrow{CA}|^2$ となる．これに $\overrightarrow{CO}=a\overrightarrow{CA}+b\overrightarrow{CB}$ を代入する（a と b の関係式が得られる）．

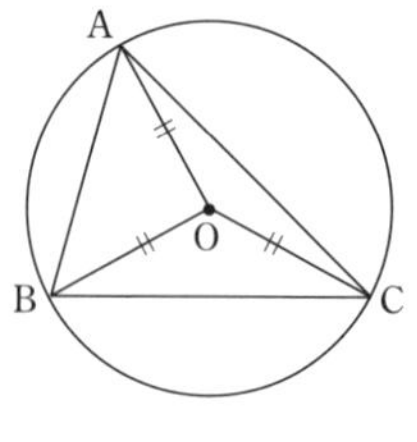

同様に $|\overrightarrow{OB}|^2=|\overrightarrow{OC}|^2$ からも a と b の関係式が得られ，この連立方程式を解けばよい．

解答

（1） $|\overrightarrow{CA}-\overrightarrow{CB}|^2=|\overrightarrow{BA}|^2$ であるから，

$|\overrightarrow{CA}|^2-2\overrightarrow{CA}\cdot\overrightarrow{CB}+|\overrightarrow{CB}|^2=|\overrightarrow{BA}|^2$

$\therefore\ 2^2-2\overrightarrow{CA}\cdot\overrightarrow{CB}+3^2=4^2$

$\therefore\ \overrightarrow{CA}\cdot\overrightarrow{CB}=\dfrac{2^2+3^2-4^2}{2}=\mathbf{-\dfrac{3}{2}}$

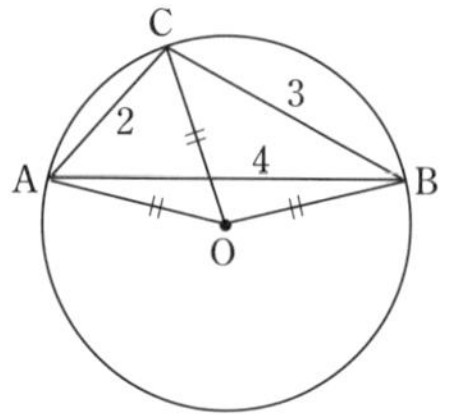

（2） OからA, B, Cまでの距離が等しいので，

$|\overrightarrow{OA}|^2=|\overrightarrow{OB}|^2=|\overrightarrow{OC}|^2$

$\therefore\ |\overrightarrow{CA}-\overrightarrow{CO}|^2=|\overrightarrow{CB}-\overrightarrow{CO}|^2=|\overrightarrow{CO}|^2$

⇦問題文の $\overrightarrow{CA}$, $\overrightarrow{CB}$ を見て，Cを始点に書き直す．

$\therefore\ |\overrightarrow{CA}|^2-2\overrightarrow{CA}\cdot\overrightarrow{CO}+|\overrightarrow{CO}|^2=|\overrightarrow{CB}|^2-2\overrightarrow{CB}\cdot\overrightarrow{CO}+|\overrightarrow{CO}|^2=|\overrightarrow{CO}|^2$

最左辺=最右辺，中辺=最右辺 より，

$2\overrightarrow{CA}\cdot\overrightarrow{CO}=|\overrightarrow{CA}|^2$, $2\overrightarrow{CB}\cdot\overrightarrow{CO}=|\overrightarrow{CB}|^2$

⇦この式は次のようにして導くこともできる．

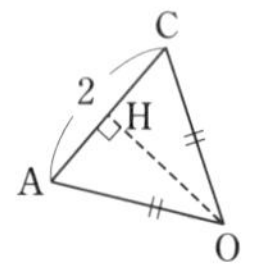

$\overrightarrow{CA}\cdot\overrightarrow{CO}=\mathrm{CA}\cdot\mathrm{CO}\cdot\cos\angle\mathrm{C}$ である．

OからCAに下ろした垂線の足をHとすると，HはCAの中点で

$\mathrm{CO}\cos\angle\mathrm{C}=\mathrm{CH}=\mathrm{CA}/2$

よって，

$\overrightarrow{CA}\cdot\overrightarrow{CO}=\mathrm{CA}\cdot\mathrm{CH}=\mathrm{CA}^2/2$

$\overrightarrow{CB}\cdot\overrightarrow{CO}$ も同様．

これらに $\overrightarrow{CO}=a\overrightarrow{CA}+b\overrightarrow{CB}$ を代入すると，

$2(a|\overrightarrow{CA}|^2+b\overrightarrow{CA}\cdot\overrightarrow{CB})=|\overrightarrow{CA}|^2$, $2(a\overrightarrow{CA}\cdot\overrightarrow{CB}+b|\overrightarrow{CB}|^2)=|\overrightarrow{CB}|^2$

（1）で求めた値などを代入して，

$2\left\{a\cdot4+b\cdot\left(-\dfrac{3}{2}\right)\right\}=4$, $2\left\{a\cdot\left(-\dfrac{3}{2}\right)+b\cdot9\right\}=9$

$\therefore\ 8a-3b=4$ ……①, $-3a+18b=9$ ……②

②÷3より $a=6b-3$ ……③ で，これを①に代入すると

$8(6b-3)-3b=4\quad\therefore\ 45b=28\quad\therefore\ \boldsymbol{b=\dfrac{28}{45}}$

これを③に代入して，$\boldsymbol{a}=6\cdot\dfrac{28}{45}-3=\mathbf{\dfrac{11}{15}}$

10 演習題（解答はp.27）

△ABCにおいて AB=1, AC=2とし，∠BAC=θ とおく．また，辺BCを3:2に内分する点をD，△ABCの外心をEとする．

（1） $\overrightarrow{AD}$ を $\overrightarrow{AB}$ と $\overrightarrow{AC}$ を用いて表せ．

（2） $\overrightarrow{AE}=x\overrightarrow{AB}+y\overrightarrow{AC}$（$x$, y は実数）と表したとき，x, y を $\cos\theta$ を用いて表せ．

（3） 外心Eが線分AD上にあるとき，$\cos\theta$ の値を求めよ．（広島市立大－後）

（2）は例題と同様．内積 $\overrightarrow{AB}\cdot\overrightarrow{AC}$ が $\cos\theta$ で表される．（3）は，$\overrightarrow{AE}$ が $\overrightarrow{AD}$ の実数倍．

◆11 $a\overrightarrow{\mathrm{OA}}+b\overrightarrow{\mathrm{OB}}+c\overrightarrow{\mathrm{OC}}=\vec{0}$

原点 O を中心とする半径 1 の円周上にある 3 点 A, B, C が条件 $7\overrightarrow{\mathrm{OA}}+5\overrightarrow{\mathrm{OB}}+3\overrightarrow{\mathrm{OC}}=\vec{0}$ を満たすとき，次の問いに答えよ．

(1) ∠BOC を求めよ．

(2) 直線 CO と直線 AB の交点を H とするとき，$\overrightarrow{\mathrm{OH}}$ を $\overrightarrow{\mathrm{OC}}$ を用いて表せ．

(3) △OHB の面積を求めよ．　　（島根大・総合理工－後／一部略）

$a\overrightarrow{\mathrm{OA}}+b\overrightarrow{\mathrm{OB}}+c\overrightarrow{\mathrm{OC}}=\vec{0}$ の使い方　○3 の $a\overrightarrow{\mathrm{PA}}+b\overrightarrow{\mathrm{PB}}+c\overrightarrow{\mathrm{PC}}=\vec{0}$ と同じ形であるが，この例題では，O を中心とする半径 1 の円周上に A, B, C がある……☆　という条件が効いてきて △ABC の形状が決まる（○3 では △ABC の形状は決まらない）．☆，すなわち OA＝OB＝OC＝1 を使うために $7\overrightarrow{\mathrm{OA}}+5\overrightarrow{\mathrm{OB}}=-3\overrightarrow{\mathrm{OC}}$ などと変形（どれか一つを右辺に移項）して各辺の大きさの 2 乗を考える：

$|7\overrightarrow{\mathrm{OA}}+5\overrightarrow{\mathrm{OB}}|^2=|-3\overrightarrow{\mathrm{OC}}|^2$　　$\therefore\ 49|\overrightarrow{\mathrm{OA}}|^2+70\overrightarrow{\mathrm{OA}}\cdot\overrightarrow{\mathrm{OB}}+25|\overrightarrow{\mathrm{OB}}|^2=9|\overrightarrow{\mathrm{OC}}|^2$

$\therefore\ 49+70\overrightarrow{\mathrm{OA}}\cdot\overrightarrow{\mathrm{OB}}+25=9$　　$\therefore\ 70\overrightarrow{\mathrm{OA}}\cdot\overrightarrow{\mathrm{OB}}=-65$　　$\therefore\ \overrightarrow{\mathrm{OA}}\cdot\overrightarrow{\mathrm{OB}}=-13/14$

これより $\overrightarrow{\mathrm{OA}}$ と $\overrightarrow{\mathrm{OB}}$ のなす角の大きさ（cos∠AOB＝−13/14；OA＝OB＝1 に注意）が求められる．

(1)では，∠BOC を求めるので $5\overrightarrow{\mathrm{OB}}+3\overrightarrow{\mathrm{OC}}=-7\overrightarrow{\mathrm{OA}}$ として各辺の大きさの 2 乗を計算する．

解答

$7\overrightarrow{\mathrm{OA}}+5\overrightarrow{\mathrm{OB}}+3\overrightarrow{\mathrm{OC}}=\vec{0}$ ……………………①

(1) ①より，$5\overrightarrow{\mathrm{OB}}+3\overrightarrow{\mathrm{OC}}=-7\overrightarrow{\mathrm{OA}}$

$\therefore\ |5\overrightarrow{\mathrm{OB}}+3\overrightarrow{\mathrm{OC}}|^2=|-7\overrightarrow{\mathrm{OA}}|^2$

$\therefore\ 25|\overrightarrow{\mathrm{OB}}|^2+30\overrightarrow{\mathrm{OB}}\cdot\overrightarrow{\mathrm{OC}}+9|\overrightarrow{\mathrm{OC}}|^2=49|\overrightarrow{\mathrm{OA}}|^2$

$|\overrightarrow{\mathrm{OA}}|=|\overrightarrow{\mathrm{OB}}|=|\overrightarrow{\mathrm{OC}}|=1$ だから，

$25+30\overrightarrow{\mathrm{OB}}\cdot\overrightarrow{\mathrm{OC}}+9=49$　　$\therefore\ \overrightarrow{\mathrm{OB}}\cdot\overrightarrow{\mathrm{OC}}=\dfrac{1}{2}$

よって $\cos\angle\mathrm{BOC}=\dfrac{\overrightarrow{\mathrm{OB}}\cdot\overrightarrow{\mathrm{OC}}}{|\overrightarrow{\mathrm{OB}}||\overrightarrow{\mathrm{OC}}|}=\dfrac{1}{2}$，$\boldsymbol{\angle\mathrm{BOC}=60^\circ}$

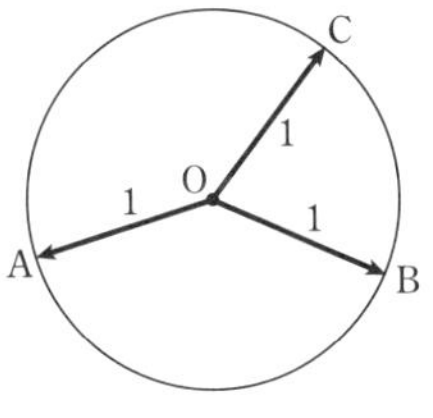

(2) ①より，

$\overrightarrow{\mathrm{OC}}=-\dfrac{1}{3}(7\overrightarrow{\mathrm{OA}}+5\overrightarrow{\mathrm{OB}})=-4\cdot\dfrac{1}{12}(7\overrightarrow{\mathrm{OA}}+5\overrightarrow{\mathrm{OB}})$

〰〰 が $\overrightarrow{\mathrm{OH}}$ だから，$\overrightarrow{\mathrm{OC}}=-4\overrightarrow{\mathrm{OH}}$

$\therefore\ \boldsymbol{\overrightarrow{\mathrm{OH}}=-\dfrac{1}{4}\overrightarrow{\mathrm{OC}}}$

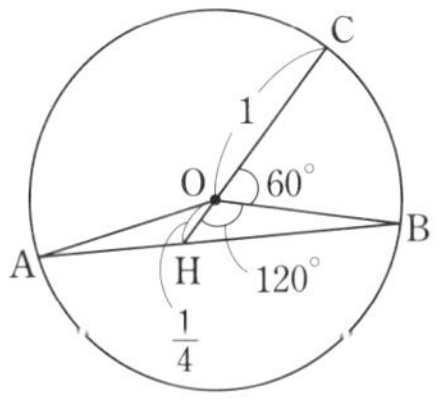

［○3 と同じとらえ方をすると］
①の始点を C に書き直して，

$\overrightarrow{\mathrm{CO}}=\dfrac{7}{15}\overrightarrow{\mathrm{CA}}+\dfrac{5}{15}\overrightarrow{\mathrm{CB}}$

$=\dfrac{4}{5}\left(\dfrac{7}{12}\overrightarrow{\mathrm{CA}}+\dfrac{5}{12}\overrightarrow{\mathrm{CB}}\right)$

⇦ これのカッコ内が $\overrightarrow{\mathrm{CH}}$

つまり，$\overrightarrow{\mathrm{CO}}=\dfrac{4}{5}\overrightarrow{\mathrm{CH}}$．この式の始点を O にすると $\overrightarrow{\mathrm{OH}}=-\dfrac{1}{4}\overrightarrow{\mathrm{OC}}$ が得られる．

(3) (1)より ∠BOH＝120°，(2)より $\mathrm{OH}=\dfrac{1}{4}\mathrm{OC}=\dfrac{1}{4}$ となるので，

$\triangle\mathrm{OHB}=\dfrac{1}{2}\mathrm{OH}\cdot\mathrm{OB}\cdot\sin120^\circ=\dfrac{1}{2}\cdot\dfrac{1}{4}\cdot1\cdot\dfrac{\sqrt{3}}{2}=\boldsymbol{\dfrac{\sqrt{3}}{16}}$

○11 演習題（解答は p.28）

原点 O を中心とする半径 1 の円について，円周上の 3 点 A, B, C が，$\overrightarrow{\mathrm{OA}}+\sqrt{3}\ \overrightarrow{\mathrm{OB}}-\overrightarrow{\mathrm{OC}}=\vec{0}$ を満たすとき，次の問に答えよ．

(1) 内積 $\overrightarrow{\mathrm{OB}}\cdot\overrightarrow{\mathrm{OC}}$ を求めよ．

(2) $\overrightarrow{\mathrm{OB}}$ と $\overrightarrow{\mathrm{OC}}$ のなす角を求めよ．

(3) $\overrightarrow{\mathrm{OA}}$ と $\overrightarrow{\mathrm{OC}}$ のなす角を求めよ．

(4) 線分 AC の長さと △ABC の面積を求めよ．　　（青山学院大・経営）

(1)〜(3)は例題と同様 (4)の後半は，O, A, B, C の位置関係に注意しよう．

12 座標とベクトル

平面上に3点 A(1, 1), B(2, −1), C(−2, 2) がある.

(1) $\overrightarrow{AB}$ と $\overrightarrow{AC}$ の内積を求めよ.

(2) ∠BAC の大きさを求めよ.

(3) 線分 BC を $s:(1-s)$ $(0<s<1)$ に内分する点を P とする. $\overrightarrow{AP}$ を s で表せ.

(4) $\overrightarrow{AP}\perp\overrightarrow{BC}$ であるとき, 点 P の座標を求めよ. (福岡工大)

ベクトルの成分表示 xy 平面において, 点 A の座標を $(a,\ b)$ とする. このとき $\overrightarrow{OA}=\begin{pmatrix}a\\b\end{pmatrix}$ と表し, これをベクトルの成分表示という. 成分表示されたベクトルどうしの和・差・実数倍を計算するときは, 成分ごとに和・差・実数倍を計算すればよい. 例えば, $\overrightarrow{OA}=\begin{pmatrix}a\\b\end{pmatrix}$, $\overrightarrow{OB}=\begin{pmatrix}c\\d\end{pmatrix}$, 実数 k について

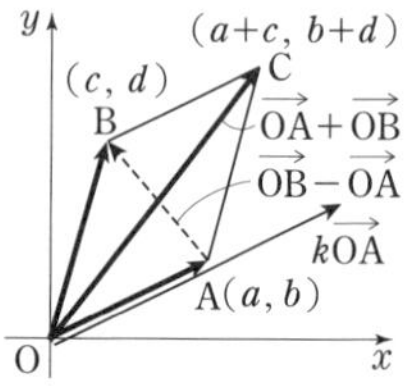

$\overrightarrow{OA}+\overrightarrow{OB}=\begin{pmatrix}a\\b\end{pmatrix}+\begin{pmatrix}c\\d\end{pmatrix}=\begin{pmatrix}a+c\\b+d\end{pmatrix}$, $\overrightarrow{AB}=\overrightarrow{OB}-\overrightarrow{OA}=\begin{pmatrix}c-a\\d-b\end{pmatrix}$, $k\overrightarrow{OA}=k\begin{pmatrix}a\\b\end{pmatrix}=\begin{pmatrix}ka\\kb\end{pmatrix}$ となる.

成分表示されたベクトルの内積と大きさ $\vec{x}=\begin{pmatrix}a\\b\end{pmatrix}$, $\vec{y}=\begin{pmatrix}c\\d\end{pmatrix}$ とする. $\vec{x}$ と $\vec{y}$ の内積は

$\vec{x}\cdot\vec{y}=\begin{pmatrix}a\\b\end{pmatrix}\cdot\begin{pmatrix}c\\d\end{pmatrix}=ac+bd$ [成分ごとの積の和], 大きさは $|\vec{x}|=\left|\begin{pmatrix}a\\b\end{pmatrix}\right|=\sqrt{a^2+b^2}$ である.

解 答

(1) $\overrightarrow{AB}\cdot\overrightarrow{AC}=\begin{pmatrix}1\\-2\end{pmatrix}\cdot\begin{pmatrix}-3\\1\end{pmatrix}=1\cdot(-3)+(-2)\cdot 1$

$=\mathbf{-5}$

⇦ $\overrightarrow{AB}=\begin{pmatrix}2\\-1\end{pmatrix}-\begin{pmatrix}1\\1\end{pmatrix}=\begin{pmatrix}1\\-2\end{pmatrix}$

$\overrightarrow{AC}=\begin{pmatrix}-2\\2\end{pmatrix}-\begin{pmatrix}1\\1\end{pmatrix}=\begin{pmatrix}-3\\1\end{pmatrix}$

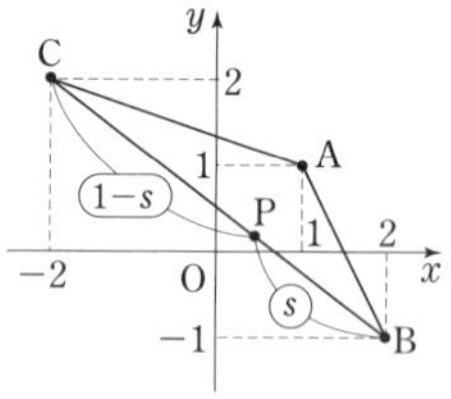

(2) $\cos\angle BAC=\dfrac{\overrightarrow{AB}\cdot\overrightarrow{AC}}{|\overrightarrow{AB}||\overrightarrow{AC}|}$

$=\dfrac{-5}{\sqrt{1^2+(-2)^2}\sqrt{(-3)^2+1^2}}=\dfrac{-5}{\sqrt{5}\cdot\sqrt{10}}=-\dfrac{1}{\sqrt{2}}$

よって, $\angle\mathbf{BAC=135^\circ}$

(3) $\overrightarrow{AP}=(1-s)\overrightarrow{AB}+s\overrightarrow{AC}=(1-s)\begin{pmatrix}1\\-2\end{pmatrix}+s\begin{pmatrix}-3\\1\end{pmatrix}=\begin{pmatrix}\mathbf{1-4s}\\\mathbf{3s-2}\end{pmatrix}$

(4) $\overrightarrow{AP}\cdot\overrightarrow{BC}=\begin{pmatrix}1-4s\\3s-2\end{pmatrix}\cdot\begin{pmatrix}-4\\3\end{pmatrix}=-4(1-4s)+3(3s-2)=25s-10$

⇦ $\overrightarrow{BC}=\begin{pmatrix}-2\\2\end{pmatrix}-\begin{pmatrix}2\\-1\end{pmatrix}=\begin{pmatrix}-4\\3\end{pmatrix}$

$\overrightarrow{AP}\perp\overrightarrow{BC}$ のとき $\overrightarrow{AP}\cdot\overrightarrow{BC}=0$ だから, $25s-10=0$ $\therefore\ s=\dfrac{2}{5}$

このとき $\overrightarrow{OP}=\overrightarrow{OA}+\overrightarrow{AP}=\begin{pmatrix}1\\1\end{pmatrix}+\begin{pmatrix}-3/5\\-4/5\end{pmatrix}=\begin{pmatrix}2/5\\1/5\end{pmatrix}$ だから $\mathbf{P}\left(\mathbf{\dfrac{2}{5},\ \dfrac{1}{5}}\right)$

⇦ $1-4\cdot\dfrac{2}{5}=-\dfrac{3}{5}$, $3\cdot\dfrac{2}{5}-2=-\dfrac{4}{5}$

12 演習題 (解答は p.28)

原点を O として, 座標平面上に2点 A(7, 1) と B(2, 6) をとる. 線分 OB の中点を C として, 線分 OA を $t:1-t$ $(0<t<1)$ に内分する点を D とする. また, 直線 BD と AC の交点を E とする. 直線 BD と OA が直交するとき, 次の各問いに答えよ.

(1) ベクトル $\overrightarrow{OA}$ とベクトル $\overrightarrow{OB}$ の内積を求めよ.

(2) t の値を求めよ.

(3) 点 E の座標を求めよ. (宮崎大・教育文化−後)

(2) ○8 の手法を使うとよい. 成分計算はなるべく後回しにする.

13 証明問題／図形とベクトル

△OABがあり，3点P，Q，Rを $\overrightarrow{\mathrm{OP}}=k\overrightarrow{\mathrm{BA}}$，$\overrightarrow{\mathrm{AQ}}=k\overrightarrow{\mathrm{OB}}$，$\overrightarrow{\mathrm{BR}}=k\overrightarrow{\mathrm{AO}}$ となるように定める．ただし，k は $0<k<1$ を満たす実数である．$\overrightarrow{\mathrm{OA}}=\vec{a}$，$\overrightarrow{\mathrm{OB}}=\vec{b}$ とおくとき，

（1） $\overrightarrow{\mathrm{OP}}$，$\overrightarrow{\mathrm{OQ}}$，$\overrightarrow{\mathrm{OR}}$ をそれぞれ $\vec{a}$，$\vec{b}$，k を用いて表せ．

（2） △OABの重心と△PQRの重心が一致することを示せ．

（3） 辺ABと辺QRの交点をMとする．点Mは，k の値によらずに辺QRを一定の比に内分することを示せ．

（茨城大・工）

重心を表すベクトル 図1の△OABの重心をGとすると，$\overrightarrow{\mathrm{OG}}=\dfrac{1}{3}(\overrightarrow{\mathrm{OA}}+\overrightarrow{\mathrm{OB}})$ と表される．図2の△PQRの重心をG′とすると，$\overrightarrow{\mathrm{OG'}}=\dfrac{1}{3}(\overrightarrow{\mathrm{OP}}+\overrightarrow{\mathrm{OQ}}+\overrightarrow{\mathrm{OR}})$ である．図2のOはどこにあってもよい．例えばOがPであってもよく，その場合は $\overrightarrow{\mathrm{PG'}}=\dfrac{1}{3}(\overrightarrow{\mathrm{PP}}+\overrightarrow{\mathrm{PQ}}+\overrightarrow{\mathrm{PR}})=\dfrac{1}{3}(\overrightarrow{\mathrm{PQ}}+\overrightarrow{\mathrm{PR}})$ だから図1の場合と同じ形になる．

図 1

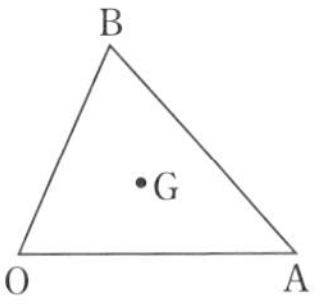

図 2

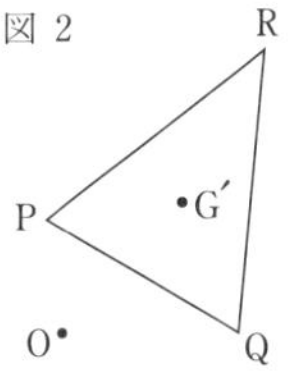

2つの点が同じであることを示すには 例題(2)では，$\overrightarrow{\mathrm{OG}}$ と $\overrightarrow{\mathrm{OG'}}$ を計算して（$\vec{a}$，$\vec{b}$，k で表して）両者が一致することを言えばよい．

解 答

（1） $\overrightarrow{\mathrm{OP}}=k\overrightarrow{\mathrm{BA}}=k(\overrightarrow{\mathrm{OA}}-\overrightarrow{\mathrm{OB}})=\boldsymbol{k\vec{a}-k\vec{b}}$

$\overrightarrow{\mathrm{OQ}}=\overrightarrow{\mathrm{OA}}+\overrightarrow{\mathrm{AQ}}=\vec{a}+k\overrightarrow{\mathrm{OB}}=\boldsymbol{\vec{a}+k\vec{b}}$

$\overrightarrow{\mathrm{OR}}=\overrightarrow{\mathrm{OB}}+\overrightarrow{\mathrm{BR}}=\vec{b}+k\overrightarrow{\mathrm{AO}}=\boldsymbol{\vec{b}-k\vec{a}}$

⇦ $\overrightarrow{\mathrm{AO}}=-\overrightarrow{\mathrm{OA}}=-\vec{a}$

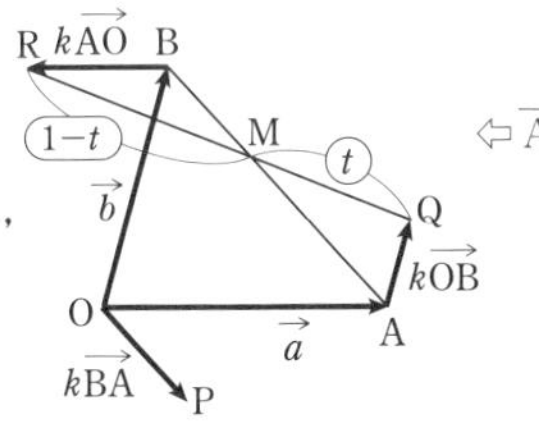

（2） △OAB，△PQRの重心をそれぞれG，G′とすると，

$\overrightarrow{\mathrm{OG}}=\dfrac{1}{3}(\vec{a}+\vec{b})$，$\overrightarrow{\mathrm{OG'}}=\dfrac{1}{3}(\overrightarrow{\mathrm{OP}}+\overrightarrow{\mathrm{OQ}}+\overrightarrow{\mathrm{OR}})$

（1）より

$\overrightarrow{\mathrm{OP}}+\overrightarrow{\mathrm{OQ}}+\overrightarrow{\mathrm{OR}}=(k\vec{a}-k\vec{b})+(\vec{a}+k\vec{b})+(\vec{b}-k\vec{a})=\vec{a}+\vec{b}$

となるから，$\overrightarrow{\mathrm{OG}}=\overrightarrow{\mathrm{OG'}}=\dfrac{1}{3}(\vec{a}+\vec{b})$ である．よって，G=G′.

（3） QM：MR$=t:(1-t)$ とおくと，

⇦ MがQRを一定の比に内分することを示したいので，このようにおいて t が一定である（k によらない）ことを示す．

$\overrightarrow{\mathrm{OM}}=(1-t)\overrightarrow{\mathrm{OQ}}+t\overrightarrow{\mathrm{OR}}=(1-t)(\vec{a}+k\vec{b})+t(\vec{b}-k\vec{a})$

$=(1-t-kt)\vec{a}+\{k(1-t)+t\}\vec{b}$

Mは直線AB上の点でもあるから，上式の $\vec{a}$ と $\vec{b}$ の係数の和は1である．

$1-t-kt+k(1-t)+t=1 \qquad \therefore \quad k-2kt=0$

$k\neq0$ より $t=\dfrac{1}{2}$ となり，Mは k の値によらず辺QRを1：1に内分する点（中点）であることが示された．

このとき

$\overrightarrow{\mathrm{OM}}=\underbrace{\dfrac{1}{2}(1-k)}_{①}\vec{a}+\underbrace{\dfrac{1}{2}(1+k)}_{②}\vec{b}$

⇦ $0<k<1$ ならば $0<①<1$，$0<②<1$ だからMは辺AB上にある．

---

13 演習題（解答は p.29）

四角形ABCDにおいて，$\overrightarrow{\mathrm{AB}}\cdot\overrightarrow{\mathrm{BC}}=\overrightarrow{\mathrm{BC}}\cdot\overrightarrow{\mathrm{CD}}=\overrightarrow{\mathrm{CD}}\cdot\overrightarrow{\mathrm{DA}}=\overrightarrow{\mathrm{DA}}\cdot\overrightarrow{\mathrm{AB}}$ とする．

（1） $|\overrightarrow{\mathrm{AB}}|^2+|\overrightarrow{\mathrm{BC}}|^2=|\overrightarrow{\mathrm{CD}}|^2+|\overrightarrow{\mathrm{DA}}|^2$ を示せ．

（2） $|\overrightarrow{\mathrm{AB}}|=|\overrightarrow{\mathrm{CD}}|$ を示せ．

（3） $\overrightarrow{\mathrm{AB}}\perp\overrightarrow{\mathrm{BC}}$ を示せ．

（秋田大・教）

（1） $|\overrightarrow{\mathrm{AB}}+\overrightarrow{\mathrm{BC}}|^2$ と左辺を比べると，…
（2）（1）と同様の式を作る．

平面のベクトル 演習題の解答

1…B**∘　**2**…B**∘　**3**…B**∘
4…B***　**5**…B*∘B***　**6**…A*∘
7…A*∘　**8**…B**　**9**…B***
10…B***　**11**…B***　**12**…B**
13…B***

1　アイは，$\overrightarrow{\mathrm{AI}}$ を $\vec{a}(=\overrightarrow{\mathrm{AB}})$ に平行なベクトルと $\vec{b}(=\overrightarrow{\mathrm{AH}})$ に平行なベクトルに“分解”して $\overrightarrow{\mathrm{AI}}=\overrightarrow{\mathrm{AH}}+\overrightarrow{\mathrm{HI}}$ とする．ウエは，$\overrightarrow{\mathrm{AD}}=\overrightarrow{\mathrm{AH}}+\overrightarrow{\mathrm{HC}}+\overrightarrow{\mathrm{CD}}$ として $\overrightarrow{\mathrm{CD}}$ については AI：CD を計算して $\overrightarrow{\mathrm{CD}}/\!/\overrightarrow{\mathrm{AI}}$ から求める．オカは，J が HD 上にあることと $\overrightarrow{\mathrm{AJ}}/\!/\overrightarrow{\mathrm{AI}}$ であることから求める．

解　**アイ**：　$\overrightarrow{\mathrm{AI}}=\overrightarrow{\mathrm{AH}}+\overrightarrow{\mathrm{HI}}$ である．△AHI は直角二等辺三角形だから

$\mathrm{HI}=\dfrac{1}{\sqrt{2}}\mathrm{AH}$ で，AH=AB

と合わせて $\overrightarrow{\mathrm{HI}}=\dfrac{1}{\sqrt{2}}\overrightarrow{\mathrm{AB}}$

となる．よって，

$$\overrightarrow{\mathbf{AI}}=\frac{1}{\sqrt{2}}\vec{a}+\vec{b}$$

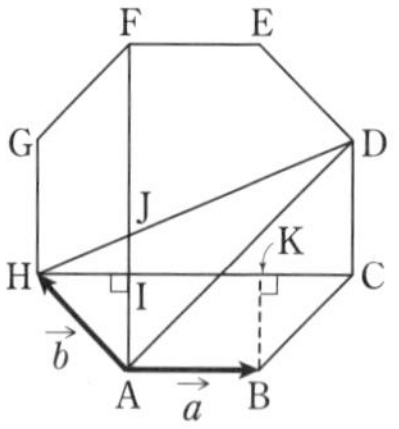

ウエ：　$\overrightarrow{\mathrm{AD}}=\overrightarrow{\mathrm{AH}}+\overrightarrow{\mathrm{HC}}+\overrightarrow{\mathrm{CD}}$ である．B から HC に下ろした垂線の足を K とすると

$$\mathrm{HC}=\mathrm{HI}+\mathrm{IK}+\mathrm{KC}=\frac{1}{\sqrt{2}}\mathrm{AB}+\mathrm{AB}+\frac{1}{\sqrt{2}}\mathrm{AB}$$
$$=(1+\sqrt{2})\mathrm{AB}$$

であり，また

$$\mathrm{AI}:\mathrm{CD}=\mathrm{AI}:\mathrm{AH}=\frac{1}{\sqrt{2}}:1=1:\sqrt{2}$$

であるから，

$$\overrightarrow{\mathrm{AD}}=\vec{b}+(1+\sqrt{2})\vec{a}+\sqrt{2}\left(\frac{1}{\sqrt{2}}\vec{a}+\vec{b}\right)$$
$$=\boldsymbol{(2+\sqrt{2})\vec{a}+(1+\sqrt{2})\vec{b}}$$

オカキ：　HJ：JD$=s:(1-s)$ とおくと，

$$\overrightarrow{\mathrm{AJ}}=(1-s)\overrightarrow{\mathrm{AH}}+s\overrightarrow{\mathrm{AD}}\ \cdots\cdots①$$
$$=(1-s)\vec{b}+s\{(2+\sqrt{2})\vec{a}+(1+\sqrt{2})\vec{b}\}$$
$$=(2+\sqrt{2})s\vec{a}+(\sqrt{2}s+1)\vec{b}\ \cdots\cdots②$$

と書ける．

一方，$\overrightarrow{\mathrm{AJ}}/\!/\overrightarrow{\mathrm{AI}}$ だから，実数 k を用いて

$$\overrightarrow{\mathrm{AJ}}=k\overrightarrow{\mathrm{AI}}=k\left(\frac{1}{\sqrt{2}}\vec{a}+\vec{b}\right)=\frac{k}{\sqrt{2}}\vec{a}+k\vec{b}$$

と表すことができる．よって，

$$\therefore\ \frac{k}{\sqrt{2}}=(2+\sqrt{2})s,\ k=\sqrt{2}s+1$$

$$\therefore\ (k=)\sqrt{2}(2+\sqrt{2})s=\sqrt{2}s+1$$

これより，

$$(\sqrt{2}+2)s=1,\ s=\frac{1}{2+\sqrt{2}}=\frac{1}{2}(2-\sqrt{2})$$

①に代入して，

$$\overrightarrow{\mathrm{AJ}}=\boldsymbol{\frac{\sqrt{2}}{2}}\overrightarrow{\mathbf{AH}}+\boldsymbol{\frac{1}{2}(2-\sqrt{2})}\overrightarrow{\mathbf{AD}}$$

また，

$$\mathrm{HJ}:\mathrm{JD}=\frac{1}{2}(2-\sqrt{2}):\frac{\sqrt{2}}{2}=\boldsymbol{(\sqrt{2}-1):1}$$

⇨**注**　オカ：「$\overrightarrow{\mathrm{AJ}}/\!/\overrightarrow{\mathrm{AI}}$ だから②の $\vec{a}$ と $\vec{b}$ の係数の比は $\overrightarrow{\mathrm{AI}}$ のそれに等しく $1:\sqrt{2}$」とすると少し早い．
キ：　JI$/\!/$DC より HJ：JD=HI：IC となることを用いてもよい．ウエの経過から，
$\mathrm{HI}:\mathrm{IC}=\dfrac{1}{\sqrt{2}}:\left(1+\dfrac{1}{\sqrt{2}}\right)$ である．

2　（1）　$\overrightarrow{\mathrm{AP}}=s\overrightarrow{\mathrm{AF}}$ と $\overrightarrow{\mathrm{AP}}=(1-t)\overrightarrow{\mathrm{AD}}+t\overrightarrow{\mathrm{AE}}$ を $\overrightarrow{\mathrm{AB}}$，$\overrightarrow{\mathrm{AD}}$ で表す．注も参照．
（2）　$\overrightarrow{\mathrm{AQ}}=u\overrightarrow{\mathrm{AC}}$ と $\overrightarrow{\mathrm{AQ}}=(1-v)\overrightarrow{\mathrm{AD}}+v\overrightarrow{\mathrm{AF}}$ を $\overrightarrow{\mathrm{AB}}$，$\overrightarrow{\mathrm{AD}}$ で表す．
（3）　（1）の s が 1/2.
（4）　$\overrightarrow{\mathrm{PQ}}/\!/\overrightarrow{\mathrm{AD}}$ だから $\overrightarrow{\mathrm{PQ}}=x\overrightarrow{\mathrm{AB}}+y\overrightarrow{\mathrm{AD}}$ と表すと $x=0$.

解　（1）　P は AF 上の点だから，

$$\overrightarrow{\mathrm{AP}}=s\overrightarrow{\mathrm{AF}}$$
$$=s\left(\overrightarrow{\mathrm{AB}}+\frac{3}{8}\overrightarrow{\mathrm{AD}}\right)$$

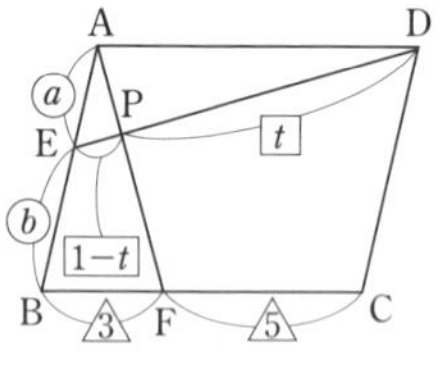

と書ける．P は DE 上の点でもあるから，DP：PE$=t:(1-t)$ として

$$\overrightarrow{\mathrm{AP}}=(1-t)\overrightarrow{\mathrm{AD}}+t\overrightarrow{\mathrm{AE}}$$
$$=\frac{a}{a+b}t\overrightarrow{\mathrm{AB}}+(1-t)\overrightarrow{\mathrm{AD}}$$

と表せる．よって，

$$s=\frac{at}{a+b},\ \frac{3}{8}s=1-t$$

t を消去して，$\dfrac{3}{8}s+\dfrac{a+b}{a}s=1$

$\therefore\quad \dfrac{11a+8b}{8a}s=1,\ s=\dfrac{8a}{11a+8b}$

従って，$\overrightarrow{\mathbf{AP}}=\dfrac{\boldsymbol{8a}}{\boldsymbol{11a+8b}}\overrightarrow{\mathbf{AB}}+\dfrac{\boldsymbol{3a}}{\boldsymbol{11a+8b}}\overrightarrow{\mathbf{AD}}$

（２） 実数 u，v を用いて

$\overrightarrow{AQ}=u\overrightarrow{AC}$

$=u(\overrightarrow{AB}+\overrightarrow{AD})$

$\overrightarrow{AQ}=(1-v)\overrightarrow{AD}+v\overrightarrow{AF}$

$=(1-v)\overrightarrow{AD}$

$+v\left(\overrightarrow{AB}+\dfrac{3}{8}\overrightarrow{AD}\right)$

$=v\overrightarrow{AB}+\left(1-\dfrac{5}{8}v\right)\overrightarrow{AD}$

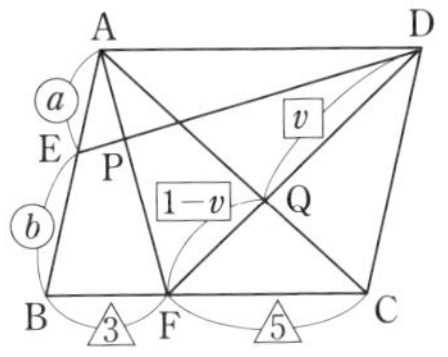

と書けるので，$u=v$，$u=1-\dfrac{5}{8}v$

$\therefore\quad v=1-\dfrac{5}{8}v,\ v=\dfrac{8}{13}(=u)$

よって，$\overrightarrow{\mathbf{AQ}}=\dfrac{\mathbf{8}}{\mathbf{13}}\overrightarrow{\mathbf{AB}}+\dfrac{\mathbf{8}}{\mathbf{13}}\overrightarrow{\mathbf{AD}}$

（３） （１）の s が $\dfrac{1}{2}$ となる場合だから，

$\dfrac{8a}{11a+8b}=\dfrac{1}{2}\qquad\therefore\quad 16a=11a+8b$

よって $5a=8b$ となり，$\boldsymbol{a}:\boldsymbol{b}=\mathbf{8}:\mathbf{5}$

（４） （１），（２）より

$\overrightarrow{PQ}=\left(\dfrac{8}{13}-\dfrac{8a}{11a+8b}\right)\overrightarrow{AB}+\left(\dfrac{8}{13}-\dfrac{3a}{11a+8b}\right)\overrightarrow{AD}$

これが $\overrightarrow{AD}$ に平行のとき，$\overrightarrow{AB}$ の係数は 0 だから

$\dfrac{8}{13}=\dfrac{8a}{11a+8b}\qquad\therefore\quad 13a=11a+8b$

よって $2a=8b$ となり，$\boldsymbol{a}:\boldsymbol{b}=\mathbf{4}:\mathbf{1}$

⇨**注** （１） $\overrightarrow{AP}=s\overrightarrow{AF}$ を $\overrightarrow{AE}$ と $\overrightarrow{AD}$ で表すと

$\overrightarrow{AP}=s\left(\overrightarrow{AB}+\dfrac{3}{8}\overrightarrow{AD}\right)=s\left(\dfrac{a+b}{a}\overrightarrow{AE}+\dfrac{3}{8}\overrightarrow{AD}\right)$

P は DE 上にあるから，$\overrightarrow{AE}$ と $\overrightarrow{AD}$ の係数の和は 1．

よって，$s\left(\dfrac{a+b}{a}+\dfrac{3}{8}\right)=1$ （以下略）

３ （１） A を始点に書き直す．

（２） 例題と同様，AP を延長して考えてみる．なお，$\overrightarrow{AP}=$●$\overrightarrow{AB}+$▲$\overrightarrow{AC}$ の▲から，AB を底辺とみたときの △ABP の高さ（△ABC との高さの比）を求めることもできる（☞別解）．

解 （１） $l\overrightarrow{AP}+m\overrightarrow{BP}+n\overrightarrow{CP}=\vec{0}$ より

$l\overrightarrow{AP}+m(\overrightarrow{AP}-\overrightarrow{AB})+n(\overrightarrow{AP}-\overrightarrow{AC})=\vec{0}$

$\therefore\quad (l+m+n)\overrightarrow{AP}=m\overrightarrow{AB}+n\overrightarrow{AC}$

$\therefore\quad \overrightarrow{\mathbf{AP}}=\dfrac{\boldsymbol{m}}{\boldsymbol{l+m+n}}\overrightarrow{\mathbf{AB}}+\dfrac{\boldsymbol{n}}{\boldsymbol{l+m+n}}\overrightarrow{\mathbf{AC}}$

（２） 直線 AP と辺 BC の交点を D とする．

$\overrightarrow{AP}=\dfrac{m+n}{l+m+n}\left(\dfrac{m}{m+n}\overrightarrow{AB}+\dfrac{n}{m+n}\overrightarrow{AC}\right)$

［例題と同様，カッコ内の係数の和が 1 になるように変形した］と書けるから，

$\overrightarrow{AD}=\dfrac{m}{m+n}\overrightarrow{AB}+\dfrac{n}{m+n}\overrightarrow{AC}$，

$\overrightarrow{AP}=\dfrac{m+n}{l+m+n}\overrightarrow{AD}$

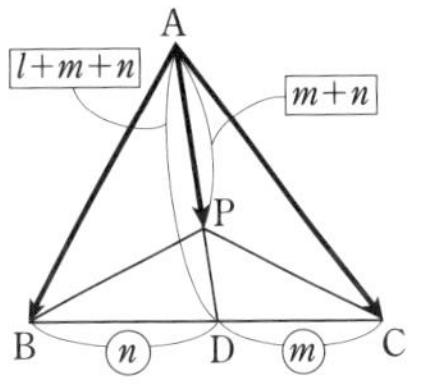

である．よって

CD：DB$=m:n$

AD：AP$=(l+m+n):(m+n)$

となり，

$\triangle\mathbf{CAP}=\dfrac{AP}{AD}\triangle CAD=\dfrac{AP}{AD}\cdot\dfrac{CD}{CB}\triangle CAB$

$=\dfrac{m+n}{l+m+n}\cdot\dfrac{m}{m+n}\cdot 1=\dfrac{\boldsymbol{m}}{\boldsymbol{l+m+n}}$

$\triangle\mathbf{ABP}=\dfrac{AP}{AD}\cdot\dfrac{BD}{BC}\triangle ABC=\dfrac{\boldsymbol{n}}{\boldsymbol{l+m+n}}$

$\triangle\mathbf{BCP}=\triangle ABC-\triangle CAP-\triangle ABP$

$=1-\dfrac{m}{l+m+n}-\dfrac{n}{l+m+n}=\dfrac{\boldsymbol{l}}{\boldsymbol{l+m+n}}$

［△CAP を求めたあと，△CAP：△ABP=DC：DB（$=m:n$）に着目して △ABP を求めてもよい．また，$\triangle BCP=\dfrac{PD}{AD}\triangle ABC$（BC を底辺とみる）とすることもできる］

別解 P を通り AC に平行な直線と AB との交点を Q，P を通り AB に平行な直線と AC の交点を R とすると，（１）より

$\overrightarrow{AQ}=\dfrac{m}{l+m+n}\overrightarrow{AB}$ ……①

$\overrightarrow{AR}=\dfrac{n}{l+m+n}\overrightarrow{AC}$ ……②

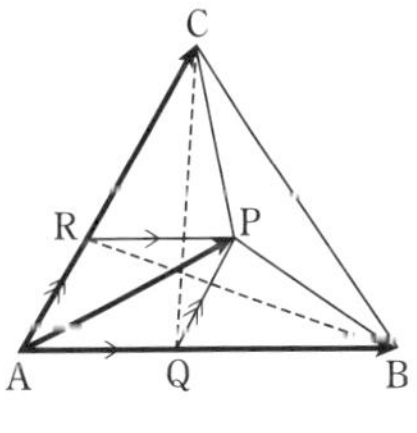

である．

△CAP について．

CA∥PQ より（CA を底辺とみて）△CAP=△CAQ である．また，①より AB：AQ$=1:\dfrac{m}{l+m+n}$ であるから，

$\triangle CAB:\triangle CAQ=AB:AQ=1:\dfrac{m}{l+m+n}$

△CAB=1 なので，$\triangle\mathbf{CAP}=\triangle CAQ=\dfrac{\boldsymbol{m}}{\boldsymbol{l+m+n}}$

△ABP について．同様に △ABP＝△ABR であり，

②から AC：AR＝1：$\dfrac{n}{l+m+n}$ なので

$$\triangle \mathbf{ABP}=\triangle \mathrm{ABR}=\frac{\boldsymbol{n}}{\boldsymbol{l+m+n}}$$

$$\triangle \mathbf{BCP}=\triangle \mathrm{ABC}-\triangle \mathrm{CAP}-\triangle \mathrm{ABP}=\frac{\boldsymbol{l}}{\boldsymbol{l+m+n}}$$

⇨注　△BCP：△CAP：△ABP＝l：m：n となっていて，一般にこの面積比は条件式 $l\overrightarrow{\mathrm{AP}}+m\overrightarrow{\mathrm{BP}}+n\overrightarrow{\mathrm{CP}}=\vec{0}$ の係数の比になる．

4　（1） 角の二等分線の定理を用いて例題と同様に求める．

（3） $\overrightarrow{\mathrm{AP}}=p\vec{b}$，$\overrightarrow{\mathrm{AQ}}=q\vec{c}$，PI：IQ＝$t$：$(1-t)$ とおき，（1）で求めた $\overrightarrow{\mathrm{AI}}$ と比較して p, q, t の関係式を導く．S は t だけで書ける．t の範囲に注意．

解　（1） 直線 AI と BC の交点を D とする．AD は ∠A の二等分線だから，

BD：DC＝3：5

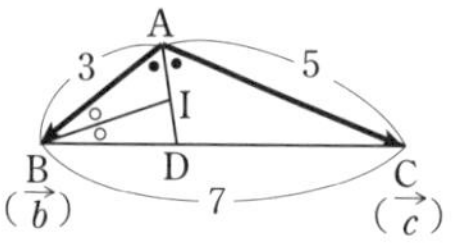

$$\overrightarrow{\mathrm{AD}}=\frac{5}{8}\vec{b}+\frac{3}{8}\vec{c},$$

$$\mathrm{BD}=7\times\frac{3}{3+5}=\frac{3\cdot 7}{8}$$

BI は ∠B の二等分線だから，

$$\mathrm{DI}:\mathrm{IA}=\mathrm{BD}:\mathrm{BA}=\frac{3\cdot 7}{8}:3=7:8$$

よって，

$$\overrightarrow{\mathrm{AI}}=\frac{8}{7+8}\overrightarrow{\mathrm{AD}}=\frac{8}{15}\left(\frac{5}{8}\vec{b}+\frac{3}{8}\vec{c}\right)$$

$$=\frac{\mathbf{1}}{\mathbf{3}}\vec{\boldsymbol{b}}+\frac{\mathbf{1}}{\mathbf{5}}\vec{\boldsymbol{c}}\ \cdots\cdots\cdots\cdots ①$$

（2） 余弦定理より，

$$\cos A=\frac{3^2+5^2-7^2}{2\cdot 3\cdot 5}=\frac{9+25-49}{2\cdot 3\cdot 5}=\frac{-15}{2\cdot 3\cdot 5}=-\frac{1}{2}$$

よって，$\sin A=\sqrt{1-\cos^2 A}=\dfrac{\sqrt{3}}{2}$

$$\therefore\quad \triangle\mathrm{ABC}=\frac{1}{2}\cdot 3\cdot 5\cdot\frac{\sqrt{3}}{2}=\frac{\mathbf{15}}{\mathbf{4}}\sqrt{\mathbf{3}}$$

（3） $\overrightarrow{\mathrm{AP}}=p\vec{b}$，$\overrightarrow{\mathrm{AQ}}=q\vec{c}$ とおくと，

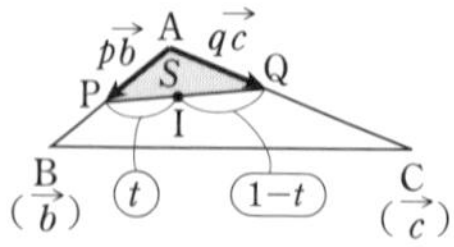

$$S=pq\triangle\mathrm{ABC}$$

$$=\frac{15}{4}\sqrt{3}\,pq\cdots\cdots ②$$

PI：IQ＝t：$(1-t)$ とおくと，

$$\overrightarrow{\mathrm{AI}}=(1-t)\overrightarrow{\mathrm{AP}}+t\overrightarrow{\mathrm{AQ}}=(1-t)p\vec{b}+tq\vec{c}$$

これが①と等しいから，

$$(1-t)p=\frac{1}{3}\cdots\cdots ③,\quad tq=\frac{1}{5}\cdots\cdots\cdots\cdots ④$$

よって $pq=\dfrac{1}{15t(1-t)}$ で，②に代入して

$$S=\frac{\sqrt{3}}{4t(1-t)}\ \cdots\cdots\cdots\cdots\cdots\cdots ⑤$$

t の範囲を求めよう．③，④により $p\neq 0$，$q\neq 0$ である．

③より $1-t=\dfrac{1}{3p}$ で，$0<p\leqq 1$ だから $1-t\geqq\dfrac{1}{3}$

④より $t=\dfrac{1}{5q}$ で，$0<q\leqq 1$ だから $t\geqq\dfrac{1}{5}$

従って，$\dfrac{1}{5}\leqq t\leqq\dfrac{2}{3}$

このとき，$t(1-t)$ のとりうる値の範囲は，右図より

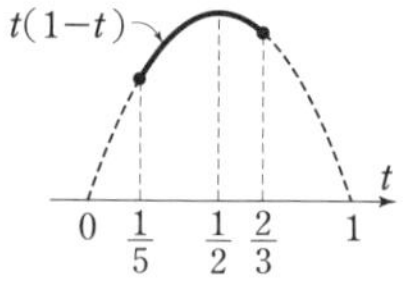

$$\frac{1}{5}\cdot\frac{4}{5}\leqq t(1-t)\leqq\frac{1}{2}\cdot\frac{1}{2}$$

$$\therefore\quad \frac{4}{25}\leqq t(1-t)\leqq\frac{1}{4}$$

よって $4\leqq\dfrac{1}{t(1-t)}\leqq\dfrac{25}{4}$ となり，⑤より

$$\sqrt{\mathbf{3}}\leqq \boldsymbol{S}=\frac{\sqrt{3}}{4t(1-t)}\leqq\frac{\mathbf{25}}{\mathbf{16}}\sqrt{\mathbf{3}}$$

⇨注　前問の注との関連を考えてみよう．

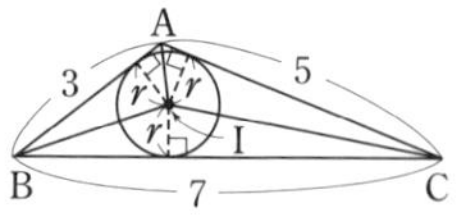

①：$\overrightarrow{\mathrm{AI}}=\dfrac{1}{3}\overrightarrow{\mathrm{AB}}+\dfrac{1}{5}\overrightarrow{\mathrm{AC}}$

を，始点を I に書き直すと

$7\overrightarrow{\mathrm{IA}}+5\overrightarrow{\mathrm{IB}}+3\overrightarrow{\mathrm{IC}}=\vec{0}$ となる．係数に辺の長さがあらわれるのは，△IBC：△ICA：△IAB＝7：5：3［高さがいずれも内接円の半径 r になるので面積比は △ABC の辺の長さの比］となるからである．

5　（ア） $t=s$ のとき $\overrightarrow{\mathrm{OP}}=s(\overrightarrow{\mathrm{OA}}+\overrightarrow{\mathrm{OB}})$ となる．まず，この P を図示しよう．

（イ） （1）は例題と同様．（2）は s, t の符号で場合わけ（4 通り）すればよい．（1）が利用できる．

解　（ア） $t\leqq s$ について：　$\overrightarrow{\mathrm{OC}}=\overrightarrow{\mathrm{OA}}+\overrightarrow{\mathrm{OB}}$ とおく．

$t=s$ のとき，

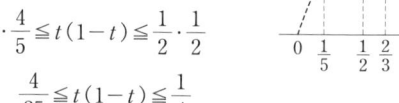

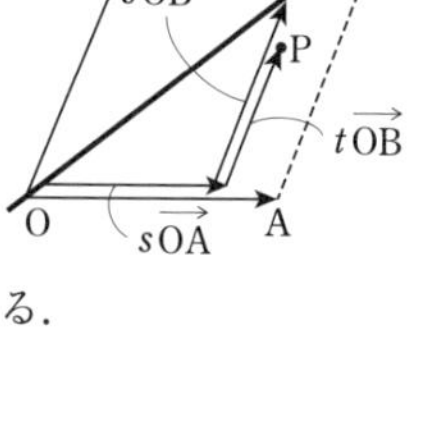

$$\overrightarrow{\mathrm{OP}}=s\overrightarrow{\mathrm{OA}}+s\overrightarrow{\mathrm{OB}}$$

$$=s(\overrightarrow{\mathrm{OA}}+\overrightarrow{\mathrm{OB}})=s\overrightarrow{\mathrm{OC}}$$

であるから，このとき P が描く図形は直線 OC となる．よって，$t\leqq s$ のとき P が動く範囲は直線 OC の下側（A と同じ側）である．

$s \leqq 3$ について： $\overrightarrow{OD}=3\overrightarrow{OA}$ でDを定めると，$s \leqq 3$ のときPが動く範囲はDを通ってOBに平行な直線の左側（Bと同じ側）である．

これらと $0 \leqq t$ を合わせて，Pが動く部分は右図網目部となる．$\overrightarrow{OE}=3\overrightarrow{OA}+3\overrightarrow{OB}$ でEを定めると，

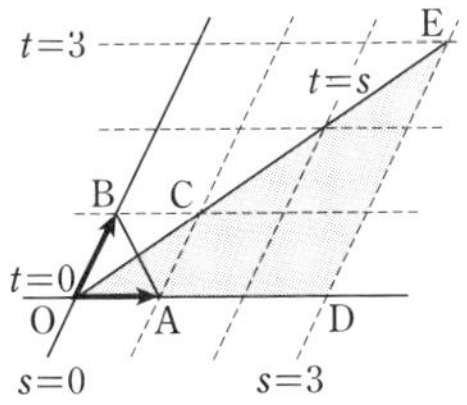

$\triangle OAC \backsim \triangle ODE$ で相似比は $1:3$，

$\triangle OAC=\triangle OAB=S$

となるから，網目部の面積は $3^2S=\boldsymbol{9S}$.

（イ）（１） $1 \leqq s+t \leqq 2$ について：

$\overrightarrow{AD}=2\overrightarrow{AB}$，$\overrightarrow{AE}=2\overrightarrow{AC}$ とすると，$1 \leqq s+t \leqq 2$ のときにPが動く範囲は直線BCと直線DEではさまれた領域になる．

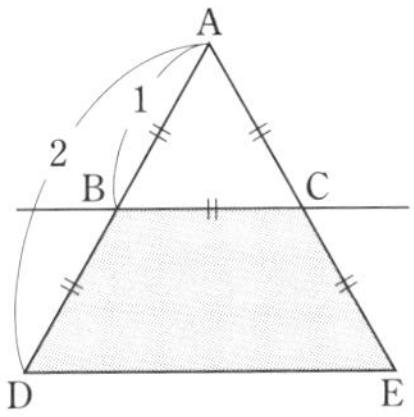

$s \geqq 0$，$t \geqq 0$ と合わせるとPが動く部分は右図網目部になり，求める面積は

$$\frac{\sqrt{3}}{4}\cdot 2^2-\frac{\sqrt{3}}{4}\cdot 1^2=\frac{\sqrt{3}}{4}(4-1)=\boldsymbol{\frac{3}{4}\sqrt{3}}$$

（２） • $s \geqq 0$，$t \geqq 0$ のとき，$1 \leqq s+t \leqq 2$ だから（１）と同じである（下図の領域 F_1）．

• $s \leqq 0$，$t \geqq 0$ のとき，

$\overrightarrow{AP}=(-s)(-\overrightarrow{AB})+t\overrightarrow{AC}$

$-s \geqq 0$，$t \geqq 0$，$1 \leqq (-s)+t \leqq 2$

であるから，$s'=-s$，$\overrightarrow{AB'}=-\overrightarrow{AB}$ とすれば

$\overrightarrow{AP}=s'\overrightarrow{AB'}+t\overrightarrow{AC}$，

$s' \geqq 0$，$t \geqq 0$，$1 \leqq s'+t \leqq 2$

となるので，Pの存在領域は右図斜線部（F_2）である．

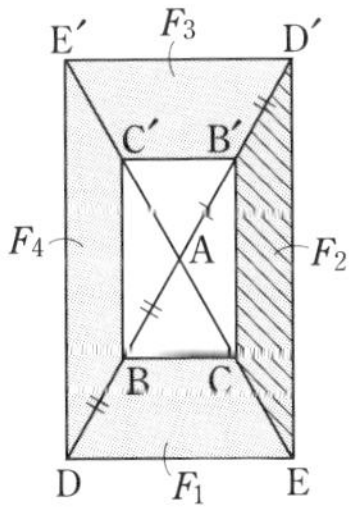

• $s \leqq 0$，$t \leqq 0$ のとき，

$s'=-s$，$t'=-t$，

$\overrightarrow{AB'}=-\overrightarrow{AB}$，$\overrightarrow{AC'}=-\overrightarrow{AC}$ として

$\overrightarrow{AP}=s'\overrightarrow{AB'}+t'\overrightarrow{AC'}$，

$s' \geqq 0$，$t' \geqq 0$，$1 \leqq s'+t' \leqq 2$

だからPの存在領域は図の F_3.

• $s \geqq 0$，$t \leqq 0$ のとき，同様に F_4.

以上から，点Pの存在領域は右図の網目部全体（境界含む）．

$\triangle ABC=\triangle AB'C$ だから $F_1 \sim F_4$ の面積はすべて等しく，合計で

$$\frac{3}{4}\sqrt{3}\times 4=\boldsymbol{3\sqrt{3}}$$

６ ア： $|\vec{a}|=2$，$|\vec{b}|=3$，$|\vec{a}-\vec{b}|=4$ なので例題（１）と同様に求められる．

イウ： 角の二等分線の定理を用いる．

エ： $|\overrightarrow{OC}|^2=\overrightarrow{OC}\cdot\overrightarrow{OC}$ を計算する．

解 ア： $|\vec{a}-\vec{b}|=|\overrightarrow{BA}|=4$ すなわち $|\vec{a}-\vec{b}|^2=16$ より，

$|\vec{a}|^2-2\vec{a}\cdot\vec{b}+|\vec{b}|^2=16$

$|\vec{a}|=2$，$|\vec{b}|=3$ だから

$4-2\vec{a}\cdot\vec{b}+9=16$

よって，$\boldsymbol{\vec{a}\cdot\vec{b}=-\frac{3}{2}}$

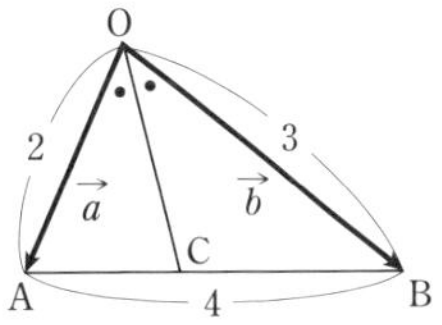

イウ： 角の二等分線の定理より

AC：CB＝OA：OB＝2：3

であるから，$\boldsymbol{\overrightarrow{OC}=\frac{3}{5}\vec{a}+\frac{2}{5}\vec{b}}$

エ： $|\overrightarrow{OC}|^2=\left|\frac{3}{5}\vec{a}+\frac{2}{5}\vec{b}\right|^2$

$$=\frac{9}{25}|\vec{a}|^2+2\cdot\frac{3}{5}\cdot\frac{2}{5}\vec{a}\cdot\vec{b}+\frac{4}{25}|\vec{b}|^2$$

$$=\frac{9}{25}\cdot 4+\frac{12}{25}\cdot\left(-\frac{3}{2}\right)+\frac{4}{25}\cdot 9$$

$$=\frac{1}{25}(36-18+36)=\frac{54}{25}$$

よって，$|\overrightarrow{OC}|=\sqrt{\frac{54}{25}}=\boldsymbol{\frac{3\sqrt{6}}{5}}$

７ （２） $\vec{a}\cdot\vec{b}$ を求めて $\overrightarrow{CD}\cdot\vec{b}$ を計算し，$=0$ とする．

（３）（２）を用いて s を消去し，$|\overrightarrow{CD}|$ を t で表す．

解 （１） $\overrightarrow{OC}=s\vec{a}$，

$\overrightarrow{OD}=(1-t)\vec{a}+t\vec{b}$

より

$\overrightarrow{CD}=\overrightarrow{OD}-\overrightarrow{OC}$

$=(1-t)\vec{a}+t\vec{b}-s\vec{a}$

$=\boldsymbol{(1-s-t)\vec{a}+t\vec{b}}$

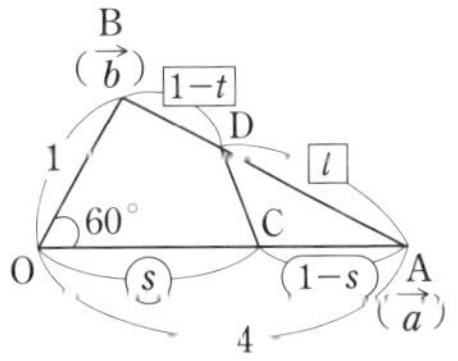

（２） $\overrightarrow{CD}$ が $\vec{b}$ と垂直なので $\overrightarrow{CD}\cdot\vec{b}=0$ である．

$|\vec{a}|=4$，$|\vec{b}|=1$，$\vec{a}\cdot\vec{b}=|\vec{a}||\vec{b}|\cos 60^\circ=2$ より

$\overrightarrow{CD}\cdot\vec{b}=\{(1-s-t)\vec{a}+t\vec{b}\}\cdot\vec{b}$

$=(1-s-t)\vec{a}\cdot\vec{b}+t|\vec{b}|^2$

$=2(1-s-t)+t$

$=2-2s-t$

これが0なので，$\boldsymbol{s=\frac{2-t}{2}}$

(3)（2）を用いて（1）の答えから s を消去すると，

$$\overrightarrow{\mathrm{CD}}=\left(1-\frac{2-t}{2}-t\right)\vec{a}+t\vec{b}$$

$$=-\frac{t}{2}\vec{a}+t\vec{b}=\frac{t}{2}(-\vec{a}+2\vec{b})$$

ここで，

$$|-\vec{a}+2\vec{b}|^2=|\vec{a}|^2-4\vec{a}\cdot\vec{b}+4|\vec{b}|^2$$

$$=16-8+4=12$$

であることから，

$$|\overrightarrow{\mathrm{CD}}|=\left|\frac{t}{2}(-\vec{a}+2\vec{b})\right|=\frac{t}{2}|-\vec{a}+2\vec{b}|\quad(t>0)$$

$$=\frac{t}{2}\cdot\sqrt{12}=\sqrt{3}\,t$$

これが $\frac{1}{\sqrt{3}}$ なので，$\sqrt{3}\,t=\frac{1}{\sqrt{3}}$　　∴ $\boldsymbol{t=\frac{1}{3}}$

⇨注　一般に，実数 k とベクトル $\vec{c}$ に対して

$|k\vec{c}|=|k||\vec{c}|$

↑実数の絶対値　↑ベクトルの大きさ

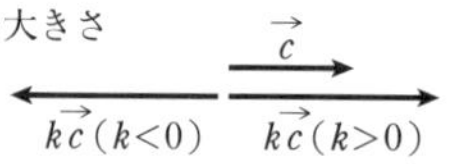

8　（1）$\vec{a}\cdot\vec{b}$ は ⑥ と同様，$\overrightarrow{\mathrm{OL}}$ については，$\overrightarrow{\mathrm{AL}}=t\overrightarrow{\mathrm{AB}}$ とおいて（$\overrightarrow{\mathrm{OL}}\perp\overrightarrow{\mathrm{AB}}\iff$）$\overrightarrow{\mathrm{OL}}\cdot\overrightarrow{\mathrm{AB}}=0$ から t を求める（☞注）．

（2）L から OB に下ろした垂線の足を H として $\overrightarrow{\mathrm{OH}}$ を求める（求め方は（1）と同じ）．$\overrightarrow{\mathrm{OP}}$ は，H が LP の中点であることから計算する．

解　（1）$|\overrightarrow{\mathrm{BA}}|^2=|\vec{a}-\vec{b}|^2=4$ より，

$$|\vec{a}|^2-2\vec{a}\cdot\vec{b}+|\vec{b}|^2=4$$

$|\vec{a}|^2=2$，$|\vec{b}|^2=3$ だから

$$2-2\vec{a}\cdot\vec{b}+3=4$$

$$\therefore\ \boldsymbol{\vec{a}\cdot\vec{b}=\frac{1}{2}}$$

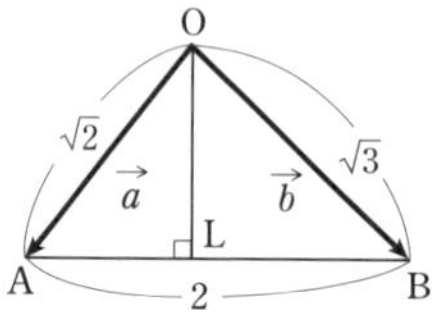

次に，$\overrightarrow{\mathrm{AL}}=t\overrightarrow{\mathrm{AB}}$ とすると，

$\overrightarrow{\mathrm{OL}}\perp\overrightarrow{\mathrm{AB}}$ すなわち $\overrightarrow{\mathrm{OL}}\cdot\overrightarrow{\mathrm{AB}}=0$ であるから，

$$(\overrightarrow{\mathrm{OA}}+\overrightarrow{\mathrm{AL}})\cdot\overrightarrow{\mathrm{AB}}=0$$

$$\therefore\ (\vec{a}+t\overrightarrow{\mathrm{AB}})\cdot\overrightarrow{\mathrm{AB}}=0\ \cdots\cdots①$$

よって，

$$t=-\frac{\vec{a}\cdot\overrightarrow{\mathrm{AB}}}{|\overrightarrow{\mathrm{AB}}|^2}=-\frac{\vec{a}\cdot(\vec{b}-\vec{a})}{|\overrightarrow{\mathrm{AB}}|^2}$$

$$=-\frac{\vec{a}\cdot(\vec{b}-\vec{a})}{4}=\frac{1}{4}\vec{a}\cdot(\vec{a}-\vec{b})$$

$$=\frac{1}{4}(|\vec{a}|^2-\vec{a}\cdot\vec{b})=\frac{1}{4}\left(2-\frac{1}{2}\right)=\frac{3}{8}$$

これより，

$$\overrightarrow{\mathrm{OL}}=\overrightarrow{\mathrm{OA}}+\overrightarrow{\mathrm{AL}}=\overrightarrow{\mathrm{OA}}+t\overrightarrow{\mathrm{AB}}=\vec{a}+\frac{3}{8}(\vec{b}-\vec{a})$$

$$=\boldsymbol{\frac{5}{8}\vec{a}+\frac{3}{8}\vec{b}}$$

⇨注　①を $\vec{a}$ と $\vec{b}$ で書くと $\{(1-t)\vec{a}+t\vec{b}\}\cdot(\vec{b}-\vec{a})=0$ となる．これを展開してもよいが，上のように $\overrightarrow{\mathrm{AB}}$ をかたまりのままにしておくと，求めたい t が1か所にしか出てこないので $t=\cdots$ の形の式がすばやく書ける．

（2）L から OB に下ろした垂線の足を H とし，$\overrightarrow{\mathrm{OH}}=u\overrightarrow{\mathrm{OB}}$ とおく．

$\overrightarrow{\mathrm{HL}}\cdot\overrightarrow{\mathrm{OB}}=0$ より，

$$(\overrightarrow{\mathrm{OL}}-u\vec{b})\cdot\vec{b}=0$$

$$\therefore\ u=\frac{\overrightarrow{\mathrm{OL}}\cdot\vec{b}}{|\vec{b}|^2}$$

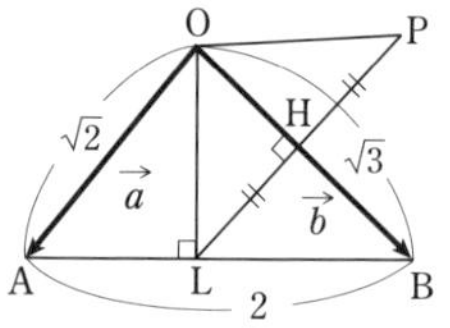

$$=\frac{1}{3}\left(\frac{5}{8}\vec{a}+\frac{3}{8}\vec{b}\right)\cdot\vec{b}$$

$$=\frac{1}{3}\left(\frac{5}{8}\vec{a}\cdot\vec{b}+\frac{3}{8}|\vec{b}|^2\right)$$

$$=\frac{1}{3}\left(\frac{5}{8}\cdot\frac{1}{2}+\frac{3}{8}\cdot3\right)=\frac{5+3\cdot3\cdot2}{3\cdot8\cdot2}=\frac{23}{48}$$

よって，$\overrightarrow{\mathrm{OH}}=\frac{23}{48}\vec{b}$

H は LP の中点だから $\overrightarrow{\mathrm{OH}}=\frac{1}{2}(\overrightarrow{\mathrm{OL}}+\overrightarrow{\mathrm{OP}})$

$$\therefore\ \overrightarrow{\mathrm{OP}}=2\overrightarrow{\mathrm{OH}}-\overrightarrow{\mathrm{OL}}=2\cdot\frac{23}{48}\vec{b}-\left(\frac{5}{8}\vec{a}+\frac{3}{8}\vec{b}\right)$$

$$=\boldsymbol{-\frac{5}{8}\vec{a}+\frac{7}{12}\vec{b}}$$

9　（1）FC∥AB，FC＝2AB より $\overrightarrow{\mathrm{FC}}=2\overrightarrow{\mathrm{AB}}$ となる．よって，$\overrightarrow{\mathrm{AC}}=\overrightarrow{\mathrm{AF}}+\overrightarrow{\mathrm{FC}}=\vec{b}+2\vec{a}$ となる．

$\overrightarrow{\mathrm{AD}}$ については $\overrightarrow{\mathrm{AD}}=\overrightarrow{\mathrm{AC}}+\overrightarrow{\mathrm{CD}}$，$\overrightarrow{\mathrm{CD}}=\overrightarrow{\mathrm{AF}}$

（2）$\overrightarrow{\mathrm{AE}}$ を $\vec{a}$ と $\vec{b}$ で表し，$\cos\theta=\dfrac{\overrightarrow{\mathrm{AN}}\cdot\overrightarrow{\mathrm{AE}}}{|\overrightarrow{\mathrm{AN}}||\overrightarrow{\mathrm{AE}}|}$ を計算する．

解　（1）FC∥AB，FC＝2AB より $\overrightarrow{\mathrm{FC}}=2\vec{a}$

よって，

$$\overrightarrow{\mathrm{AC}}=\overrightarrow{\mathrm{AF}}+\overrightarrow{\mathrm{FC}}=\vec{b}+2\vec{a}$$

$$\therefore\ \boldsymbol{\overrightarrow{\mathrm{AM}}}=\frac{1}{2}(\overrightarrow{\mathrm{AB}}+\overrightarrow{\mathrm{AC}})$$

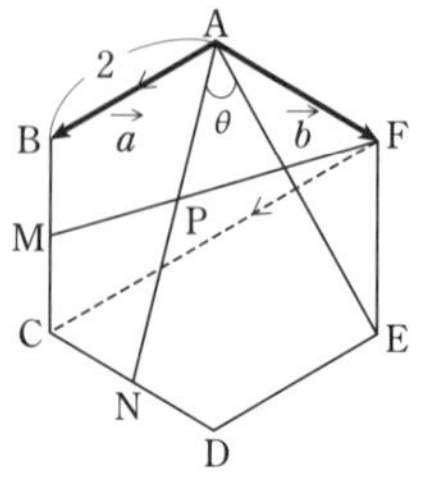

$$=\frac{1}{2}\{\vec{a}+(\vec{b}+2\vec{a})\}$$

$$=\boldsymbol{\frac{3}{2}\vec{a}+\frac{1}{2}\vec{b}}$$

また，$\overrightarrow{CD}=\overrightarrow{AF}$ だから

$$\overrightarrow{AD}=\overrightarrow{AC}+\overrightarrow{CD}=\vec{b}+2\vec{a}+\vec{b}=2\vec{a}+2\vec{b}$$

$$\therefore\quad \overrightarrow{\mathbf{AN}}=\frac{1}{2}(\overrightarrow{AC}+\overrightarrow{AD})$$

$$=\frac{1}{2}\{(\vec{b}+2\vec{a})+(2\vec{a}+2\vec{b})\}$$

$$=\mathbf{2\vec{a}+\frac{3}{2}\vec{b}}$$

PはAN上にあることから $\overrightarrow{AP}=k\overrightarrow{AN}$ と書け，FM上にあることから $\overrightarrow{AP}=(1-t)\overrightarrow{AF}+t\overrightarrow{AM}$ と書けるので，

$$k\left(2\vec{a}+\frac{3}{2}\vec{b}\right)=(1-t)\vec{b}+t\left(\frac{3}{2}\vec{a}+\frac{1}{2}\vec{b}\right)$$

$\vec{a}$ と $\vec{b}$ は1次独立だから，

$$2k=\frac{3}{2}t\cdots\cdots①,\quad \frac{3}{2}k=1-t+\frac{1}{2}t\cdots\cdots②$$

①から $t=\dfrac{4}{3}k$ で，②：$\dfrac{3}{2}k=1-\dfrac{t}{2}$ に代入すると

$$\frac{3}{2}k=1-\frac{1}{2}\cdot\frac{4}{3}k\qquad\therefore\quad\left(\frac{3}{2}+\frac{2}{3}\right)k=1$$

よって $\dfrac{13}{6}k=1$，$k=\dfrac{6}{13}$ となり，

$$\overrightarrow{\mathbf{AP}}=\frac{6}{13}\left(2\vec{a}+\frac{3}{2}\vec{b}\right)=\mathbf{\frac{12}{13}\vec{a}+\frac{9}{13}\vec{b}}$$

（2） $|\vec{a}|=|\vec{b}|=2$，$\vec{a}\cdot\vec{b}=2\cdot2\cdot\cos120^\circ=-2$ であるから，

$$|\overrightarrow{AN}|^2=\left|2\vec{a}+\frac{3}{2}\vec{b}\right|^2$$

$$=4|\vec{a}|^2+2\cdot2\cdot\frac{3}{2}\vec{a}\cdot\vec{b}+\frac{9}{4}|\vec{b}|^2$$

$$=4\cdot4+6\cdot(-2)+9=13$$

次に，［$\overrightarrow{FC}$ と同様に］$\overrightarrow{BE}=2\overrightarrow{AF}=2\vec{b}$ だから

$$\overrightarrow{AE}=\overrightarrow{AB}+\overrightarrow{BE}=\vec{a}+2\vec{b}$$

よって，

$$|\overrightarrow{AE}|^2=|\vec{a}+2\vec{b}|^2=|\vec{a}|^2+4\vec{a}\cdot\vec{b}+4|\vec{b}|^2$$

$$=4+4\cdot(-2)+4\cdot4=12$$

$$\overrightarrow{AN}\cdot\overrightarrow{AE}=\left(2\vec{a}+\frac{3}{2}\vec{b}\right)\cdot(\vec{a}+2\vec{b})$$

$$=2|\vec{a}|^2+\left(4+\frac{3}{2}\right)\vec{a}\cdot\vec{b}+3|\vec{b}|^2$$

$$=2\cdot4+\frac{11}{2}\cdot(-2)+3\cdot4=9$$

従って，

$$\cos\theta=\frac{\overrightarrow{AN}\cdot\overrightarrow{AE}}{|\overrightarrow{AN}||\overrightarrow{AE}|}=\frac{9}{\sqrt{13}\cdot\sqrt{12}}$$

$$=\frac{3\sqrt{3}}{2\sqrt{13}}=\mathbf{\frac{3\sqrt{39}}{26}}$$

⇨注 各辺を表すベクトル（$\overrightarrow{AB}$，$\overrightarrow{BC}$，$\overrightarrow{CD}$ など）を求める，というのも有力な方針である．これらが求められる（$\vec{a}$ と $\vec{b}$ で表される）と，それをつないでいけば次の $\overrightarrow{AM}$ のように周上の点が表せる．

正六角形は正三角形を6個合わせた形であることに着目しよう．中心をGとすると，$\overrightarrow{FG}=\overrightarrow{AB}=\vec{a}$ であるから，$\overrightarrow{AG}=\overrightarrow{AF}+\overrightarrow{FG}=\vec{b}+\vec{a}$ となる．これを利用すると，

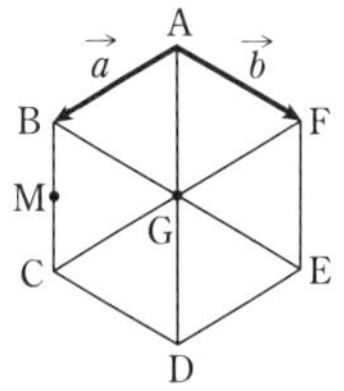

$$\overrightarrow{AM}=\overrightarrow{AB}+\overrightarrow{BM}=\overrightarrow{AB}+\frac{1}{2}\overrightarrow{BC}=\overrightarrow{AB}+\frac{1}{2}\overrightarrow{AG}$$

$$=\vec{a}+\frac{1}{2}(\vec{b}+\vec{a})=\frac{3}{2}\vec{a}+\frac{1}{2}\vec{b}$$

と計算できる．

10 （2） 例題と同様，$|\overrightarrow{AE}|^2=|\overrightarrow{BE}|^2=|\overrightarrow{CE}|^2$ を $|\overrightarrow{AE}|^2=|\overrightarrow{AE}-\overrightarrow{AB}|^2$，$|\overrightarrow{AE}|^2=|\overrightarrow{AE}-\overrightarrow{AC}|^2$ とする．

解 （1） $\overrightarrow{\mathbf{AD}}=\mathbf{\frac{2}{5}\overrightarrow{AB}+\frac{3}{5}\overrightarrow{AC}}$

（2） $|\overrightarrow{AE}|^2=|\overrightarrow{BE}|^2=|\overrightarrow{CE}|^2$ より，

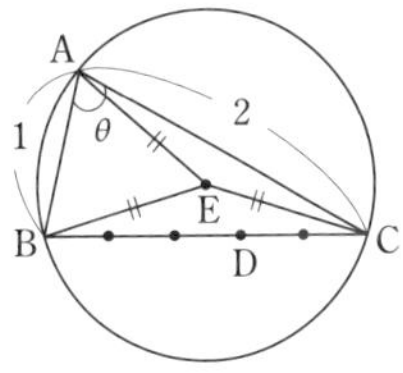

$$|\overrightarrow{AE}|^2=|\overrightarrow{AE}-\overrightarrow{AB}|^2,$$

$$|\overrightarrow{AE}|^2=|\overrightarrow{AE}-\overrightarrow{AC}|^2$$

よって，

$$|\overrightarrow{AE}|^2$$

$$=|\overrightarrow{AE}|^2-2\overrightarrow{AE}\cdot\overrightarrow{AB}+|\overrightarrow{AB}|^2\cdots\cdots①$$

$$|\overrightarrow{AE}|^2=|\overrightarrow{AE}|^2-2\overrightarrow{AE}\cdot\overrightarrow{AC}+|\overrightarrow{AC}|^2\cdots\cdots②$$

①より $2\overrightarrow{AE}\cdot\overrightarrow{AB}=|\overrightarrow{AB}|^2$

$$\therefore\quad 2(x\overrightarrow{AB}+y\overrightarrow{AC})\cdot\overrightarrow{AB}=1$$

$\overrightarrow{AB}\cdot\overrightarrow{AC}=1\cdot2\cdot\cos\theta=2\cos\theta$ だから，

$$2(x\cdot1+y\cdot2\cos\theta)=1$$

$$\therefore\quad 2x+4\cos\theta\cdot y=1\cdots\cdots③$$

②より $2\overrightarrow{AE}\cdot\overrightarrow{AC}=|\overrightarrow{AC}|^2=4$ だから，2で割って

$$\therefore\quad (x\overrightarrow{AB}+y\overrightarrow{AC})\cdot\overrightarrow{AC}=2$$

$$\therefore\quad 2\cos\theta\cdot x+4y=2\cdots\cdots④$$

③−④×$\cos\theta$ より $(2-2\cos^2\theta)x=1-2\cos\theta$

$$\therefore\quad \boldsymbol{x}=\mathbf{\frac{1-2\cos\theta}{2(1-\cos^2\theta)}}$$

④−③×$\cos\theta$ より $(4-4\cos^2\theta)y=2-\cos\theta$

$$\therefore\quad \boldsymbol{y}=\mathbf{\frac{2-\cos\theta}{4(1-\cos^2\theta)}}$$

（3） EがAD上にあるのは $\overrightarrow{AE}$ が $\overrightarrow{AD}$ の実数倍になるとき，すなわち

$$x\overrightarrow{AB}+y\overrightarrow{AC}=k\left(\frac{2}{5}\overrightarrow{AB}+\frac{3}{5}\overrightarrow{AC}\right)$$

（k は実数）と書けるときである．

よって，$x:y=2:3$　　∴　$3x=2y$

（2）の結果を代入して，

$$3\cdot\frac{1-2\cos\theta}{2(1-\cos^2\theta)}=2\cdot\frac{2-\cos\theta}{4(1-\cos^2\theta)}$$

$$\therefore\quad 3(1-2\cos\theta)=2-\cos\theta$$

$$\therefore\quad \boldsymbol{\cos\theta=\frac{1}{5}}$$

11　（1）（2）は $|\sqrt{3}\ \overrightarrow{OB}-\overrightarrow{OC}|^2=|-\overrightarrow{OA}|^2$，（3）は $|\overrightarrow{OA}-\overrightarrow{OC}|^2=|-\sqrt{3}\ \overrightarrow{OB}|^2$ から求める．

（4）（2）（3）から，△OBC，△OCA の面積はすぐに求められる．O が △ABC の内部にあれば

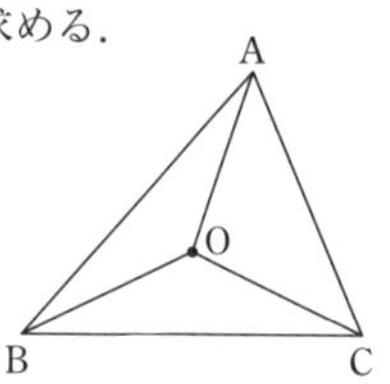

△ABC

＝△OBC＋△OCA＋△OAB

となるが，この問題では外部にある．O，A，B，C の位置関係をとらえるために ∠AOB を求めてみる．

解　$|\overrightarrow{OA}|=|\overrightarrow{OB}|=|\overrightarrow{OC}|=1$ ……………………………①

$\overrightarrow{OA}+\sqrt{3}\ \overrightarrow{OB}-\overrightarrow{OC}=\vec{0}$ ……………………………②

（1）　②より $\sqrt{3}\ \overrightarrow{OB}-\overrightarrow{OC}=-\overrightarrow{OA}$ であるから，

$$|\sqrt{3}\ \overrightarrow{OB}-\overrightarrow{OC}|^2=|-\overrightarrow{OA}|^2$$

$$\therefore\quad 3|\overrightarrow{OB}|^2-2\sqrt{3}\ \overrightarrow{OB}\cdot\overrightarrow{OC}+|\overrightarrow{OC}|^2=|\overrightarrow{OA}|^2$$

①より，$3-2\sqrt{3}\ \overrightarrow{OB}\cdot\overrightarrow{OC}+1=1$

$$\therefore\quad \overrightarrow{OB}\cdot\overrightarrow{OC}=\frac{3}{2\sqrt{3}}=\boldsymbol{\frac{\sqrt{3}}{2}}$$

（2）　$\overrightarrow{OB}$ と $\overrightarrow{OC}$ のなす角の大きさを θ_1 とする．（1）と①より，

$$\cos\theta_1=\frac{\overrightarrow{OB}\cdot\overrightarrow{OC}}{|\overrightarrow{OB}||\overrightarrow{OC}|}=\frac{\sqrt{3}}{2}$$

$$\therefore\quad \boldsymbol{\theta_1=30^\circ}$$

（3）　$|\overrightarrow{OA}-\overrightarrow{OC}|^2=|-\sqrt{3}\ \overrightarrow{OB}|^2$ だから

$$|\overrightarrow{OA}|^2-2\overrightarrow{OA}\cdot\overrightarrow{OC}+|\overrightarrow{OC}|^2=3|\overrightarrow{OB}|^2$$

$$\therefore\quad 1-2\overrightarrow{OA}\cdot\overrightarrow{OC}+1=3$$

よって，$\overrightarrow{OA}\cdot\overrightarrow{OC}=-\dfrac{1}{2}$

$\overrightarrow{OA}$ と $\overrightarrow{OC}$ のなす角の大きさを θ_2 とすると，

$$\cos\theta_2=\frac{\overrightarrow{OA}\cdot\overrightarrow{OC}}{|\overrightarrow{OA}||\overrightarrow{OC}|}=-\frac{1}{2}$$

$$\therefore\quad \boldsymbol{\theta_2=120^\circ}$$

（4）　$|\overrightarrow{AC}|=|\overrightarrow{OC}-\overrightarrow{OA}|=|\sqrt{3}\ \overrightarrow{OB}|=\sqrt{3}$ より，AC の長さは $\boldsymbol{\sqrt{3}}$ である．

次に，$|\overrightarrow{OA}+\sqrt{3}\ \overrightarrow{OB}|^2=|\overrightarrow{OC}|^2$ より，

$$|\overrightarrow{OA}|^2+2\sqrt{3}\ \overrightarrow{OA}\cdot\overrightarrow{OB}+3|\overrightarrow{OB}|^2=|\overrightarrow{OC}|^2$$

$$\therefore\quad 1+2\sqrt{3}\ \overrightarrow{OA}\cdot\overrightarrow{OB}+3=1$$

$$\therefore\quad \overrightarrow{OA}\cdot\overrightarrow{OB}=-\frac{\sqrt{3}}{2}$$

$\overrightarrow{OA}$ と $\overrightarrow{OB}$ のなす角の大きさを θ_3 とすると，

$$\cos\theta_3=\frac{\overrightarrow{OA}\cdot\overrightarrow{OB}}{|\overrightarrow{OA}||\overrightarrow{OB}|}=-\frac{\sqrt{3}}{2}\qquad\therefore\quad \theta_3=150^\circ$$

∠BOC＝30°，∠COA＝120°，∠AOB＝150° であるから，O，A，B，C の位置関係は右図のようになる．よって，

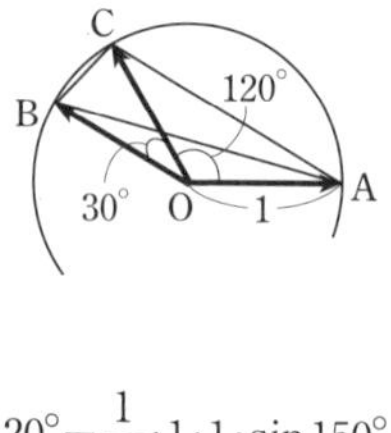

△ABC

＝△OBC＋△OCA－△OAB

$$=\frac{1}{2}\cdot1\cdot1\cdot\sin30^\circ+\frac{1}{2}\cdot1\cdot1\cdot\sin120^\circ-\frac{1}{2}\cdot1\cdot1\cdot\sin150^\circ$$

$$=\frac{1}{2}\cdot\frac{1}{2}+\frac{1}{2}\cdot\frac{\sqrt{3}}{2}-\frac{1}{2}\cdot\frac{1}{2}=\boldsymbol{\frac{\sqrt{3}}{4}}$$

⇨**注**　（4）　AC の長さは，60° 定規の形を利用してもよいし，余弦定理を用いてもよい．

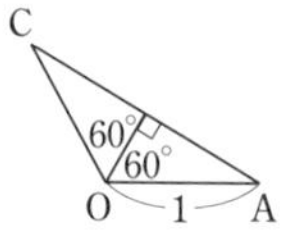

$\overrightarrow{OD}=\sqrt{3}\ \overrightarrow{OB}$ で点 D を定めると，

$$\overrightarrow{AC}=\overrightarrow{OC}-\overrightarrow{OA}=\sqrt{3}\ \overrightarrow{OB}=\overrightarrow{OD}$$

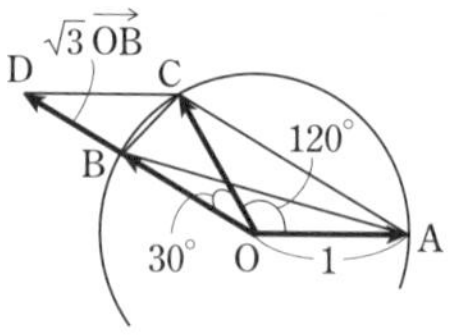

となるから，OACD は平行四辺形になる．これより AC＝OD＝$\sqrt{3}$ とすることもできる．

なお，O，A，B，C の位置関係を知るだけなら，（1）の結果：∠BOC＝30° と②：$\overrightarrow{OA}=-\sqrt{3}\ \overrightarrow{OB}+\overrightarrow{OC}$ から右図のように A を作図するのが早い．

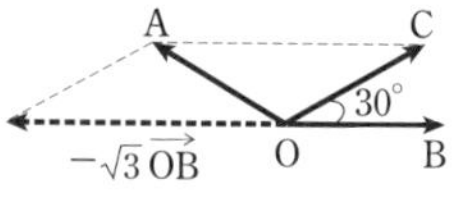

12　（2）　$\overrightarrow{OD}=t\overrightarrow{OA}$（OA：OD＝1：$t$）と書いて，○8 と同様に $\overrightarrow{OA}\cdot\overrightarrow{BD}=0$ から t を求める．成分計算はなるべく後回しにするとよい．

（3）　○1 の例題と同じ方法で AE：EC が求められるが，このタイプ（2つの辺で内分比がわかっている場合）はメネラウスの定理を使うのが早いだろう．△OAC と直線 BD に適用して AE：EC を求める．

解　（1）　$\overrightarrow{OA}\cdot\overrightarrow{OB}=\begin{pmatrix}7\\1\end{pmatrix}\cdot\begin{pmatrix}2\\6\end{pmatrix}=7\cdot2+1\cdot6=\boldsymbol{20}$

（2）　OA⊥BD より $\overrightarrow{OA}\cdot\overrightarrow{BD}=0$．これと $\overrightarrow{OD}=t\overrightarrow{OA}$ から，

$\overrightarrow{OA}\cdot(\overrightarrow{OD}-\overrightarrow{OB})=0$

$\therefore\quad \overrightarrow{OA}\cdot(t\overrightarrow{OA}-\overrightarrow{OB})=0$

よって，

$$t=\frac{\overrightarrow{OA}\cdot\overrightarrow{OB}}{|\overrightarrow{OA}|^2}=\frac{20}{7^2+1^2}$$

$$=\frac{20}{50}=\mathbf{\frac{2}{5}}$$

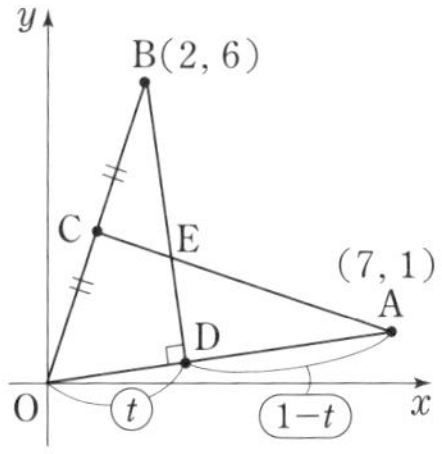

（３） △OAC と直線 BD にメネラウスの定理を適用すると，

$$\frac{OB}{BC}\cdot\frac{CE}{EA}\cdot\frac{AD}{DO}=1$$

C は OB の中点で，（２）より OD：DA＝2：3 だから

$$\frac{2}{1}\cdot\frac{CE}{EA}\cdot\frac{3}{2}=1$$

$$\therefore\quad \frac{CE}{EA}=\frac{1}{3}$$

よって，E は CA を 1：3 に内分する点となり，

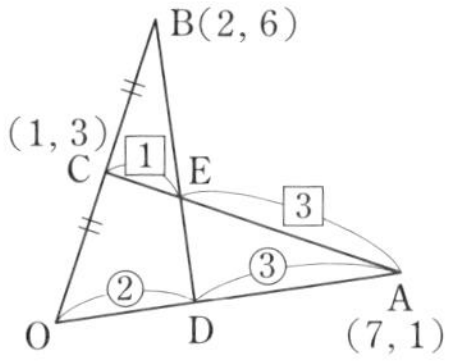

$$\overrightarrow{OE}=\frac{3}{4}\overrightarrow{OC}+\frac{1}{4}\overrightarrow{OA}=\frac{3}{4}\begin{pmatrix}1\\3\end{pmatrix}+\frac{1}{4}\begin{pmatrix}7\\1\end{pmatrix}$$

$$=\begin{pmatrix}10/4\\10/4\end{pmatrix}=\begin{pmatrix}5/2\\5/2\end{pmatrix}$$

答えは，$\mathbf{E\left(\frac{5}{2},\ \frac{5}{2}\right)}$

⇨注　（３）は，直線 BD，AC の式を求めてもよい．
BD：　(2，6) を通り傾き -7（OA に垂直）

$y=-7(x-2)+6\qquad\therefore\quad y=-7x+20$

AC：　(7，1) と (1，3) を通る

$$y=\frac{1-3}{7-1}(x-1)+3\qquad\therefore\quad y=-\frac{1}{3}x+\frac{10}{3}$$

E の x 座標は，$-7x+20=-\frac{1}{3}x+\frac{10}{3}$ より $\frac{5}{2}$

13　（１）　$\overrightarrow{AC}=\overrightarrow{AB}+\overrightarrow{BC}$，$\overrightarrow{CA}=\overrightarrow{CD}+\overrightarrow{DA}$ より $|\overrightarrow{AD}+\overrightarrow{BC}|^2=|\overrightarrow{CD}+\overrightarrow{DA}|^2$ となる

（２）　上の $\overrightarrow{AC}$ を $\overrightarrow{DB}$ にして同じことをやってみる．

（３）　（２）と同様に $|\overrightarrow{BC}|=|\overrightarrow{DA}|$ が言えて ABCD は平行四辺形となる．これより $\overrightarrow{CD}=-\overrightarrow{AB}$ で，最初の条件を見ると，…

解　$\overrightarrow{AB}\cdot\overrightarrow{BC}=\overrightarrow{BC}\cdot\overrightarrow{CD}=\overrightarrow{CD}\cdot\overrightarrow{DA}=\overrightarrow{DA}\cdot\overrightarrow{AB}$ ………①

（１）　$\overrightarrow{AC}=\overrightarrow{AB}+\overrightarrow{BC}$，$\overrightarrow{CA}=\overrightarrow{CD}+\overrightarrow{DA}$，$|\overrightarrow{AC}|=|\overrightarrow{CA}|$ より　$|\overrightarrow{AB}+\overrightarrow{BC}|^2=|\overrightarrow{CD}+\overrightarrow{DA}|^2$

$$\therefore\quad |\overrightarrow{AB}|^2+2\overrightarrow{AB}\cdot\overrightarrow{BC}+|\overrightarrow{BC}|^2$$
$$=|\overrightarrow{CD}|^2+2\overrightarrow{CD}\cdot\overrightarrow{DA}+|\overrightarrow{DA}|^2$$

①より $2\overrightarrow{AB}\cdot\overrightarrow{BC}=2\overrightarrow{CD}\cdot\overrightarrow{DA}$ だから，

$|\overrightarrow{AB}|^2+|\overrightarrow{BC}|^2=|\overrightarrow{CD}|^2+|\overrightarrow{DA}|^2$ ……………②

（２）　$\overrightarrow{DB}=\overrightarrow{DA}+\overrightarrow{AB}$，$\overrightarrow{BD}=\overrightarrow{BC}+\overrightarrow{CD}$ より

$|\overrightarrow{DA}+\overrightarrow{AB}|^2=|\overrightarrow{BC}+\overrightarrow{CD}|^2$

$$\therefore\quad |\overrightarrow{DA}|^2+2\overrightarrow{DA}\cdot\overrightarrow{AB}+|\overrightarrow{AB}|^2$$
$$=|\overrightarrow{BC}|^2+2\overrightarrow{BC}\cdot\overrightarrow{CD}+|\overrightarrow{CD}|^2$$

よって，$|\overrightarrow{DA}|^2+|\overrightarrow{AB}|^2=|\overrightarrow{BC}|^2+|\overrightarrow{CD}|^2$ …………③

②＋③より，

$2|\overrightarrow{AB}|^2+|\overrightarrow{BC}|^2+|\overrightarrow{DA}|^2=2|\overrightarrow{CD}|^2+|\overrightarrow{DA}|^2+|\overrightarrow{BC}|^2$

従って，$|\overrightarrow{AB}|=|\overrightarrow{CD}|$ ……………………………④

（３）　②－③より，

$|\overrightarrow{BC}|^2-|\overrightarrow{DA}|^2=|\overrightarrow{DA}|^2-|\overrightarrow{BC}|^2$

よって，$|\overrightarrow{BC}|=|\overrightarrow{DA}|$ ……………………………⑤

④，⑤より ABCD の向かい合う辺の長さが互いに等しいから，ABCD は平行四辺形であり，

$\overrightarrow{CD}=-\overrightarrow{AB}$

これを①の最初の等式

$\overrightarrow{AB}\cdot\overrightarrow{BC}=\overrightarrow{BC}\cdot\overrightarrow{CD}$

に代入して，

$\overrightarrow{AB}\cdot\overrightarrow{BC}=-\overrightarrow{BC}\cdot\overrightarrow{AB}$

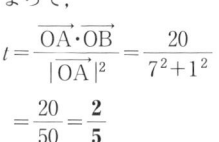

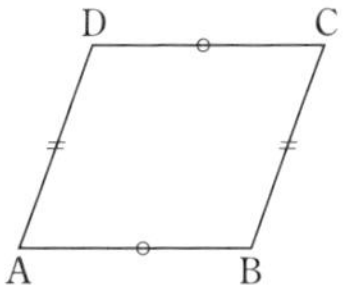

よって $\overrightarrow{AB}\cdot\overrightarrow{BC}=0$ となり，$\overrightarrow{AB}\perp\overrightarrow{BC}$

⇨注　①の条件から，「ABCD は長方形」が示されたことになる．

コラム 記号のつけ方

ここでは，図形の問題での「頂点の記号のつけ方」について，少し述べることにします．

大原則は，「辺に沿って順番につける」です．三角形の場合は問題になりませんが，四角形 ABCD と書いてあったら，辺を進んで A→B→C→D（→A）の順になるようにつけます．

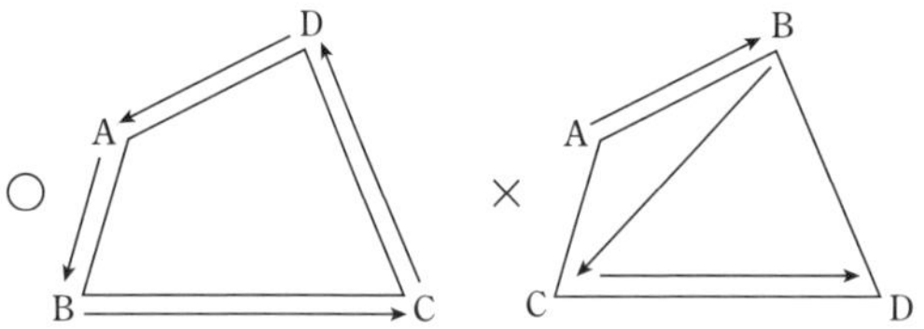

数学では反時計回り（左回り）を正の向きとしているので，左回りに A，B，C，…とするのが慣習です．ただ，逆につけても間違いではありません．正六角形などでは時計回りの方が自然だと思う人もいるでしょう．

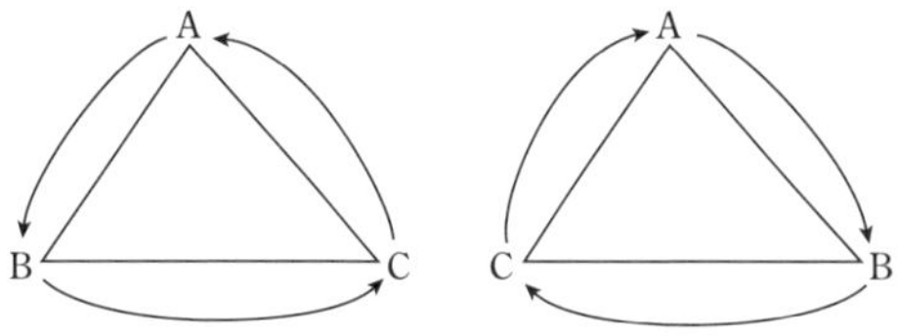

左（反時計）回り　　右（時計）回り

なお，これらは問題文に図がついていない，あるいは頂点の記号のつけ方に指示がない場合の話です．

本書では，解答の読みやすさを考え，記号のつけ方を問題によって変えています．

三角形 ABC のときは，上左図のように上を A にするのが自然でしょう．また，○9 の演習題は問題（p.17）に図がついていますが，六角形 ABCDEF で一番上が A，以下左回りに B～F ですから，これも自然な設定です．

三角形 OAB のとき，あるいは三角形 ABC でベクトルの始点を A としている（$\overrightarrow{AB}$ と $\overrightarrow{AC}$ を使う）ときは，基準となる点（OAB の O，ABC の A）を左下にすることがあります．これは，基準となる点を座標平面の原点に重ねているようなイメージからきています．

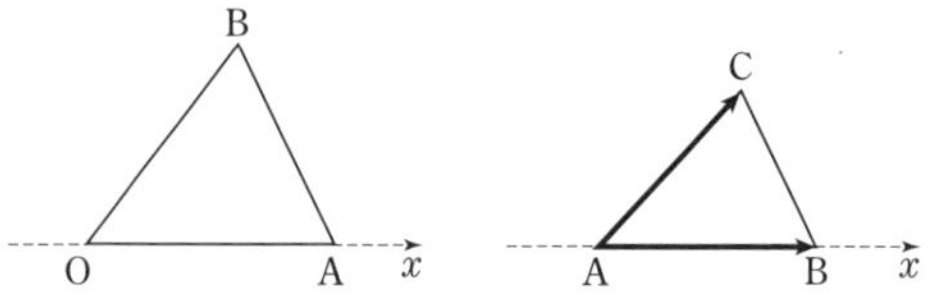

例外が ○8 の演習題（解答は p.26）です．この問題では O から AB に垂線を下ろすので，AB が“水平”になることを優先して図を描いています．

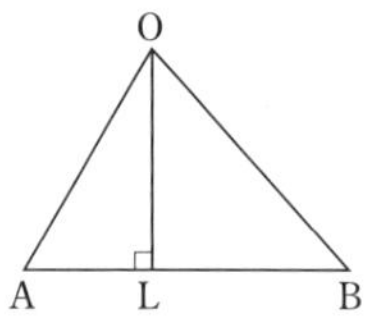

さて，さきほどの「座標のイメージ」は，単に O を重ね合わせた，という程度のものではありません．

○5 で「基準となるベクトル $\overrightarrow{OA}$，$\overrightarrow{OB}$ に対し，$\overrightarrow{OP}=s\overrightarrow{OA}+t\overrightarrow{OB}$ を満たす点は下図のように“作図”できる」と書きました．このように，ベクトルをつないで点の位置を考える（この例では $s\overrightarrow{OA}$ と $t\overrightarrow{OB}$ をつないでいます）ときは，ベクトルの始点（基準となる点）を左下にとると見やすいでしょう．

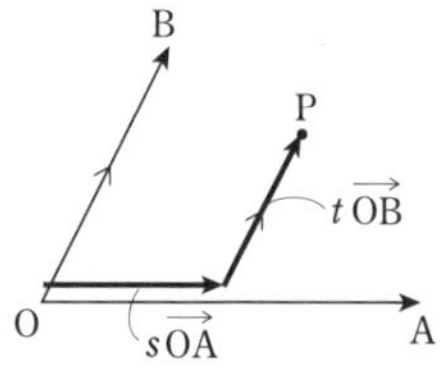

例を少し見てみましょう．

○1 の演習題では，$\overrightarrow{AB}$ と $\overrightarrow{AH}$ それぞれの実数倍をつないで $\overrightarrow{AD}$ などを表すので A を左下にしているわけですが，$\overrightarrow{AB}$ に平行・垂直なベクトルが多いので水平方向に $\overrightarrow{AB}$ をとっています（下左図）．○9 の例題もほぼ同じ理由です（下右図）．

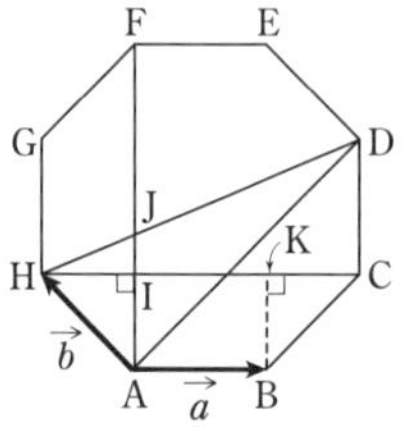

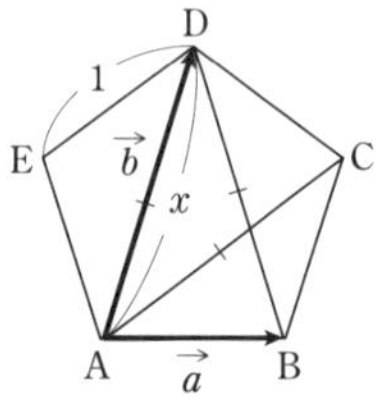

○3 の演習題の別解では，

$$\overrightarrow{AP}=\overrightarrow{AQ}+\overrightarrow{QP},\ \overrightarrow{AP}=\overrightarrow{AR}+\overrightarrow{RP}$$

を利用しています．ベクトルをつなぐことが平行線を引くことに対応している（それを使って等積変形している）のがポイントですが，A が左下なので，等積変形した後の“高さ”の比（AC：AR など）が見やすいところに出てきています．

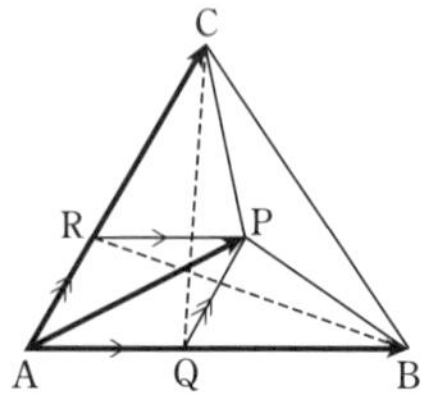

空間のベクトル

本書の前文の解説などを教科書的に詳しくまとめた本として,「教科書Next ベクトルの集中講義」(小社刊)があります. 是非ともご活用ください.

空間のベクトル
要点の整理

1. 空間における点の表現

1・1 1次独立

$\vec{a}$, $\vec{b}$, $\vec{c}$ を空間内のベクトルとし,(始点をOにそろえて) $\overrightarrow{OA}=\vec{a}$, $\overrightarrow{OB}=\vec{b}$, $\overrightarrow{OC}=\vec{c}$ とする.

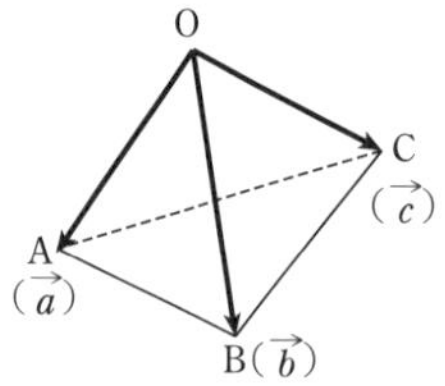

4点O, A, B, Cが四面体を作るとき,

$\vec{a}$, $\vec{b}$, $\vec{c}$ は1次独立

という. このとき, 空間内の点Pは

$\overrightarrow{OP}=s\vec{a}+t\vec{b}+u\vec{c}$

(s, t, u は実数) と表すことができるが, その表し方 (s, t, u の組) はただ1通りである.

つまり, $\vec{a}$, $\vec{b}$, $\vec{c}$ が1次独立のとき,

$$\boldsymbol{s\vec{a}+t\vec{b}+u\vec{c}=s'\vec{a}+t'\vec{b}+u'\vec{c}}$$

$$\boldsymbol{\Longleftrightarrow s=s' \text{ かつ } t=t' \text{ かつ } u=u'}$$

1・2 直線上の点の表現

平面と同様である.

1・3 平面上の点の表現

OABCを四面体とし,

$\vec{a}=\overrightarrow{OA}$, $\vec{b}=\overrightarrow{OB}$, $\vec{c}=\overrightarrow{OC}$

とする.

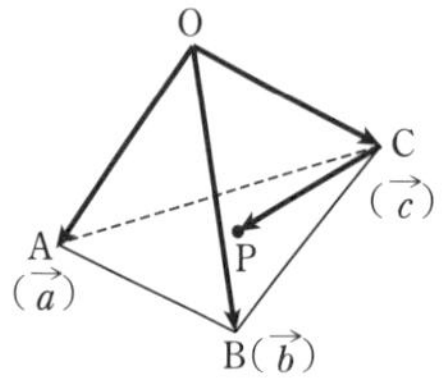

平面OAB上の点Pは,

$\overrightarrow{OP}=s\vec{a}+t\vec{b}$

と表されるが, これは

$\overrightarrow{OP}=s\vec{a}+t\vec{b}+u\vec{c}$ と表すとき $u=0$

ということである. 平面OBC, 平面OCA上の点についても同様 (それぞれ $s=0$, $t=0$) である.

次に, 平面ABC上の点Pについて考えよう.

$\overrightarrow{CP}=s\overrightarrow{CA}+t\overrightarrow{CB}$ (s, t は実数) と書けるから,

$$\begin{aligned}\overrightarrow{OP}&=\overrightarrow{OC}+\overrightarrow{CP}=\overrightarrow{OC}+s\overrightarrow{CA}+t\overrightarrow{CB}\\&=\vec{c}+s(\vec{a}-\vec{c})+t(\vec{b}-\vec{c})\\&=s\vec{a}+t\vec{b}+(1-s-t)\vec{c}\end{aligned}$$

となり, $u=1-s-t$ とおけば

$$\boldsymbol{\overrightarrow{OP}=s\vec{a}+t\vec{b}+u\vec{c},\ s+t+u=1}$$

となる. これは逆も成り立つ. まとめると

$\overrightarrow{OP}=s\vec{a}+t\vec{b}+u\vec{c}$ を満たす点Pが平面ABC上にある $\Longleftrightarrow$ $s+t+u=1$

である.

2. 平行六面体

3組の向かい合う面がそれぞれ平行であるような六面体を平行六面体という.

平行六面体の各面は平行四辺形である.

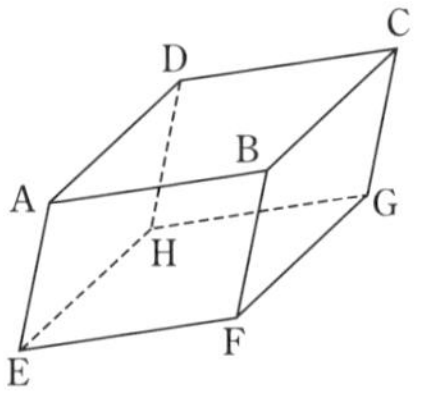

3. 空間座標

3・1 座標

空間内に定点O(原点)をとり, Oにおいて直交する3本の数直線を考え, x 軸, y 軸, z 軸 (座標軸) とする.

空間の点Xから x 軸, y 軸, z 軸に下ろした垂線の足をそれぞれA, B, Cとし, それらの各座標軸での座標が a, b, c であるとき, 実数の組 (a, b, c) を点Xの座標という.

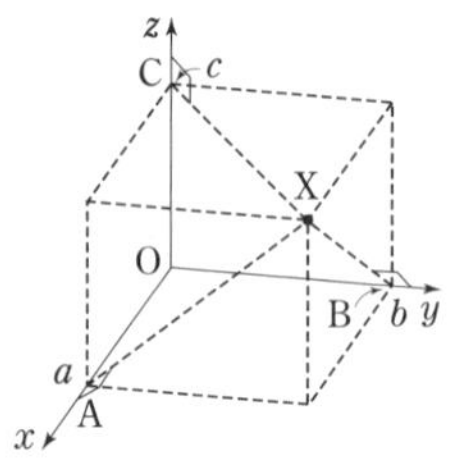

3・2 空間ベクトルの成分表示

$$\mathrm{X}(a,\ b,\ c) \text{ のとき, } \overrightarrow{OX}=\begin{pmatrix}a\\b\\c\end{pmatrix}\ [\text{または } (a,\ b,\ c)]$$

と表す. 演算 (和と実数倍) は, 平面と同様に成分ごとに行う.

3・3 2点間の距離

2点A$(x_1,\ y_1,\ z_1)$, B$(x_2,\ y_2,\ z_2)$間の距離は

$$\mathrm{AB}=\sqrt{(x_1-x_2)^2+(y_1-y_2)^2+(z_1-z_2)^2}$$

3・4 球面の方程式

点C$(a,\ b,\ c)$を中心とする半径 r の球面の方程式は

$$\boldsymbol{(x-a)^2+(y-b)^2+(z-c)^2=r^2}$$

である. 球面上の点をX$(x,\ y,\ z)$としてCX$=r$ の式の両辺を2乗すると上の式になる.

4. 内積

内積の定義と計算法則は平面と同じである．

成分表示されたベクトルの内積については，

$$\begin{pmatrix} a_1 \\ a_2 \\ a_3 \end{pmatrix} \cdot \begin{pmatrix} b_1 \\ b_2 \\ b_3 \end{pmatrix} = \boldsymbol{a_1 b_1 + a_2 b_2 + a_3 b_3}$$

となる．

5. 平面の方程式

ここでは，座標空間における平面の方程式（平面を表す x，y，z の関係式）を扱う．

5・1 標準形

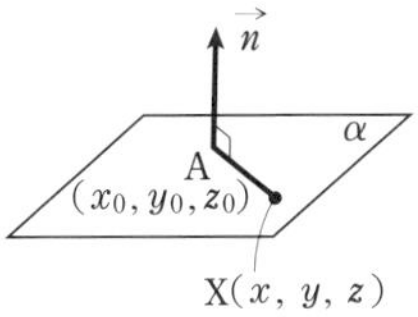

平面 α に対して，α に垂直な方向のベクトルを α の法線ベクトルという．

いま，平面 α の法線ベクトル（の一つ）$\vec{n} = \begin{pmatrix} a \\ b \\ c \end{pmatrix}$ と，

α が通る点 A$(x_0,\ y_0,\ z_0)$ が与えられたとする．

$$\text{点 X が } \alpha \text{ 上の点} \iff \vec{n} \perp \overrightarrow{\mathrm{AX}} \text{ または } \mathrm{X} = \mathrm{A}$$

$$\iff \vec{n} \cdot \overrightarrow{\mathrm{AX}} = 0 \cdots\cdots\cdots\cdots\cdots\cdots ①$$

であるから，

$$\vec{n} = \begin{pmatrix} a \\ b \\ c \end{pmatrix},\quad \overrightarrow{\mathrm{AX}} = \begin{pmatrix} x \\ y \\ z \end{pmatrix} - \begin{pmatrix} x_0 \\ y_0 \\ z_0 \end{pmatrix} = \begin{pmatrix} x - x_0 \\ y - y_0 \\ z - z_0 \end{pmatrix}$$

を①に代入して，

$$\begin{pmatrix} a \\ b \\ c \end{pmatrix} \cdot \begin{pmatrix} x - x_0 \\ y - y_0 \\ z - z_0 \end{pmatrix} = 0$$

$$\therefore\quad a(x - x_0) + b(y - y_0) + c(z - z_0) = 0 \cdots\cdots ②$$

となる．②左辺の定数項は $-ax_0 - by_0 - cz_0$ であり，これを d とおくと，②は

$$\boldsymbol{ax + by + cz + d = 0}\ (a,\ b,\ c,\ d \text{ は定数}) \cdots ③$$

と書ける．これが平面 α の方程式であり，通常，この形を標準形と呼ぶ．一般に，③の形で表される図形は

法線ベクトルの一つが $\begin{pmatrix} \boldsymbol{a} \\ \boldsymbol{b} \\ \boldsymbol{c} \end{pmatrix}$ **である平面**

である．

法線ベクトルと通る点がわかっている場合，まず②の式を書くとよい．

5・2 切片形

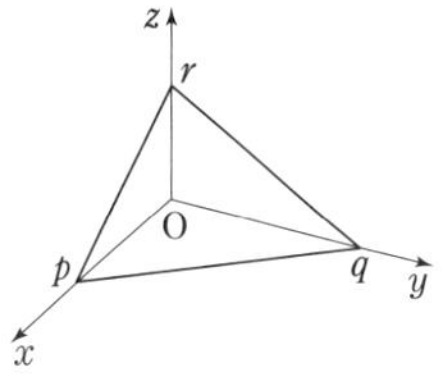

3 点 $(p,\ 0,\ 0)$，$(0,\ q,\ 0)$，$(0,\ 0,\ r)$（ただし，p，q，r はいずれも 0 でない）を通る平面の方程式は，

$$\boldsymbol{\frac{x}{p} + \frac{y}{q} + \frac{z}{r} = 1}$$

である（☞○11）．

6. 便利な公式

6・1 三角形の面積

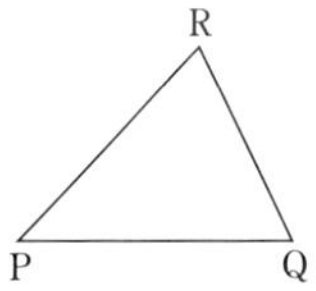

一般に，△PQR の面積は

$$\boldsymbol{\frac{1}{2}\sqrt{|\overrightarrow{\mathrm{PQ}}|^2 |\overrightarrow{\mathrm{PR}}|^2 - (\overrightarrow{\mathrm{PQ}} \cdot \overrightarrow{\mathrm{PR}})^2}}$$

で表される（証明は，○7 の例題の解答のあと）．

この式は，平面でも空間でも成り立つ．

6・2 点と平面の距離

点 P$(x_0,\ y_0,\ z_0)$ と平面 $\alpha : ax + by + cz + d = 0$ の距離は，$\boldsymbol{\dfrac{|ax_0 + by_0 + cz_0 + d|}{\sqrt{a^2 + b^2 + c^2}}}$ である．

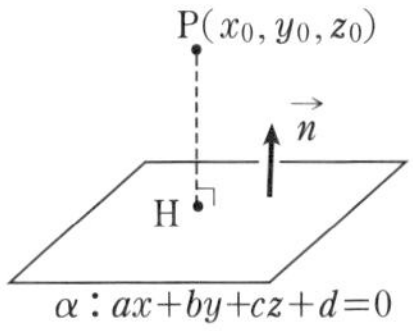

証明： P から α に下ろした垂線の足を H とすると，PH は $\vec{n}$ と平行だから

$$\overrightarrow{\mathrm{PH}} = k\vec{n}\ (k \text{ は実数})$$

とおける．このとき

$$\overrightarrow{\mathrm{OH}} = \overrightarrow{\mathrm{OP}} + \overrightarrow{\mathrm{PH}}$$

$$= \begin{pmatrix} x_0 \\ y_0 \\ z_0 \end{pmatrix} + k \begin{pmatrix} a \\ b \\ c \end{pmatrix} = \begin{pmatrix} x_0 + ka \\ y_0 + kb \\ z_0 + kc \end{pmatrix}$$

であり，H$(x_0 + ka,\ y_0 + kb,\ z_0 + kc)$ が α 上にあるから

$$a(x_0 + ka) + b(y_0 + kb) + c(z_0 + kc) + d = 0$$

$$\therefore\quad k = -\frac{ax_0 + by_0 + cz_0 + d}{a^2 + b^2 + c^2}$$

従って，点 P と平面 α の距離は，

$$\mathrm{PH} = |k\vec{n}| = |k||\vec{n}|$$

$$= \frac{|ax_0 + by_0 + cz_0 + d|}{a^2 + b^2 + c^2} \cdot \sqrt{a^2 + b^2 + c^2}$$

$$= \frac{|ax_0 + by_0 + cz_0 + d|}{\sqrt{a^2 + b^2 + c^2}}$$

1 直線と平面の交点(１)

四面体 OABC の辺 OA を 2：3 の比に内分する点を P，辺 OB を 1：2 に内分する点を Q，辺 OC を 2：1 に内分する点を R とする．三角形 PQR の重心を G とすると，
$\overrightarrow{OG}=$ ア $\overrightarrow{OA}+$ イ $\overrightarrow{OB}+$ ウ $\overrightarrow{OC}$ である．また，点 C と点 G を通る直線が面 OAB と交わる点を H とすると，$\overrightarrow{OH}=$ エ $\overrightarrow{OA}+$ オ $\overrightarrow{OB}$ であり，CG：GH＝ カ ： キ である．

（西南学院大・神，商，人科）

直線上の点の表現　平面の場合と同様である．直線 AB 上の点 P は，
$\overrightarrow{AP}=t\overrightarrow{AB}$ あるいは
$\overrightarrow{OP}=\overrightarrow{OA}+\overrightarrow{AP}=\overrightarrow{OA}+t(\overrightarrow{OB}-\overrightarrow{OA})=(1-t)\overrightarrow{OA}+t\overrightarrow{OB}$ と表される．

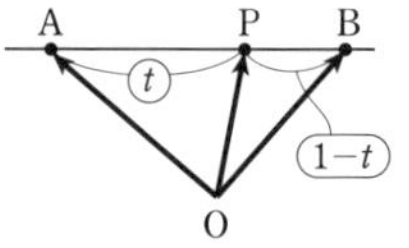

平面上の点の表現　4 点 O，A，B，C が同一平面上にない（OABC が四面体をなす）とする．このとき，$\overrightarrow{OA}$，$\overrightarrow{OB}$，$\overrightarrow{OC}$ は 1 次独立という．

すると，この空間内の点 P は $\overrightarrow{OP}=s\overrightarrow{OA}+t\overrightarrow{OB}+u\overrightarrow{OC}$（$s$，$t$，$u$ は実数）と書け，P を決めると s，t，u の組は 1 通りに決まる．点 P をこのように表すと，

P が平面 OAB 上 $\iff u=0$

である．

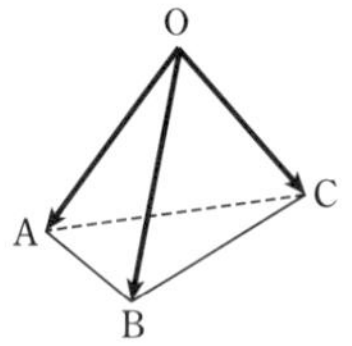

解答

アイウ：　$\overrightarrow{OP}=\frac{2}{5}\overrightarrow{OA}$，$\overrightarrow{OQ}=\frac{1}{3}\overrightarrow{OB}$，$\overrightarrow{OR}=\frac{2}{3}\overrightarrow{OC}$ より，

$$\overrightarrow{OG}=\frac{1}{3}(\overrightarrow{OP}+\overrightarrow{OQ}+\overrightarrow{OR})$$
$$=\frac{1}{3}\left(\frac{2}{5}\overrightarrow{OA}+\frac{1}{3}\overrightarrow{OB}+\frac{2}{3}\overrightarrow{OC}\right)$$
$$=\mathbf{\frac{2}{15}\overrightarrow{OA}+\frac{1}{9}\overrightarrow{OB}+\frac{2}{9}\overrightarrow{OC}}$$

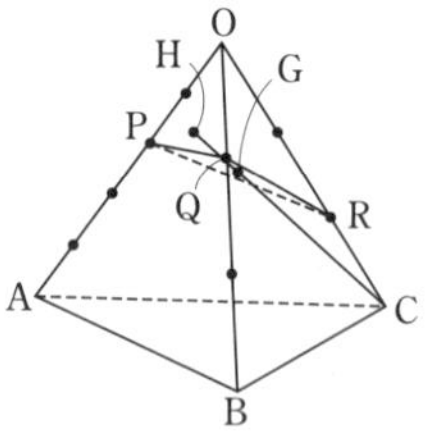

⇦G は △PQR の重心

エオ：　$\overrightarrow{CH}=k\overrightarrow{CG}$（$k$ は定数）とおくと，

$$\overrightarrow{OH}=\overrightarrow{OC}+\overrightarrow{CH}=\overrightarrow{OC}+k\overrightarrow{CG}=\overrightarrow{OC}+k(\overrightarrow{OG}-\overrightarrow{OC})$$
$$=\overrightarrow{OC}+k\left(\frac{2}{15}\overrightarrow{OA}+\frac{1}{9}\overrightarrow{OB}-\frac{7}{9}\overrightarrow{OC}\right)=k\left(\frac{2}{15}\overrightarrow{OA}+\frac{1}{9}\overrightarrow{OB}\right)+\left(1-\frac{7}{9}k\right)\overrightarrow{OC}$$

となる．H は平面 OAB 上の点だから，上式の $\overrightarrow{OC}$ の係数は 0 である．よって，

$$1-\frac{7}{9}k=0 \qquad \therefore\ k=\frac{9}{7}$$

従って，$\overrightarrow{OH}=\frac{9}{7}\left(\frac{2}{15}\overrightarrow{OA}+\frac{1}{9}\overrightarrow{OB}\right)=\mathbf{\frac{6}{35}\overrightarrow{OA}+\frac{1}{7}\overrightarrow{OB}}$

カキ：　エオの k の値より，CG：GH＝**7：2**

⇦
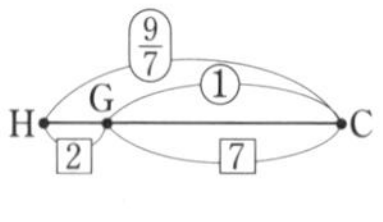

1 演習題（解答は p.46）

四面体 OABC において，辺 AB の中点を P，線分 PC の中点を Q とする．また，$0<m<1$ に対し，線分 OQ を $m：(1-m)$ に内分する点を R，直線 AR と平面 OBC の交点を S とする．ただし，$\overrightarrow{OA}=\vec{a}$，$\overrightarrow{OB}=\vec{b}$，$\overrightarrow{OC}=\vec{c}$ とする．

（１）$\overrightarrow{OP}$，$\overrightarrow{OQ}$，$\overrightarrow{OR}$ を $\vec{a}$，$\vec{b}$，$\vec{c}$ と m で表せ．
（２）AR：RS を m で表せ．
（３）辺 OA と線分 SQ が平行となるとき，m の値を求めよ．　　（南山大・数理情報）

（２）$\overrightarrow{OS}=\overrightarrow{OA}+k\overrightarrow{AR}$
これの $\vec{a}$ の係数が 0.
（３）$\overrightarrow{SQ}=l\vec{a}$

2 直線と平面の交点(2)

平行六面体 ABCD−EFGH において，辺 CG の G を越える延長上に CG=3GP となるように点 P をとり，直線 AP と平面 BDE の交点を Q とする．このとき，

$\overrightarrow{AP}=$ [ア] $\overrightarrow{AB}+$ [イ] $\overrightarrow{AD}+$ [ウ] $\overrightarrow{AE}$,

$\overrightarrow{AQ}=$ [エ] $\overrightarrow{AB}+$ [オ] $\overrightarrow{AD}+$ [カ] $\overrightarrow{AE}$

となる．（北里大・医）

平面上の点の表現　4点 O，A，B，C が同一平面上にないとする．平面 ABC 上の点 P がどのように表されるかを考えよう．まず，

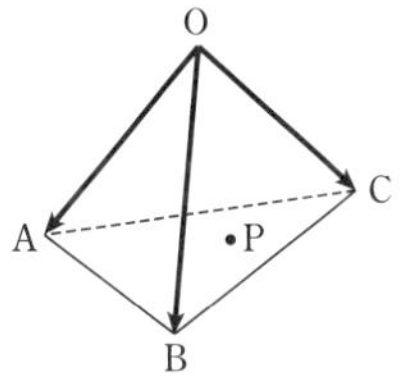

P が平面 ABC 上 $\iff$ $\overrightarrow{CP}=s\overrightarrow{CA}+t\overrightarrow{CB}$ と書ける ……………①

（s，t は実数）である．これを O を始点に書き直すと

$\overrightarrow{OP}-\overrightarrow{OC}=s(\overrightarrow{OA}-\overrightarrow{OC})+t(\overrightarrow{OB}-\overrightarrow{OC})$

$\therefore\ \overrightarrow{OP}=s\overrightarrow{OA}+t\overrightarrow{OB}+(1-s-t)\overrightarrow{OC}$

となり，$u=1-s-t$ とおけば $\overrightarrow{OP}=s\overrightarrow{OA}+t\overrightarrow{OB}+u\overrightarrow{OC}$，$s+t+u=1$ となる．つまり，

$\overrightarrow{OP}=s\overrightarrow{OA}+t\overrightarrow{OB}+u\overrightarrow{OC}$ を満たす点 P が平面 ABC 上にある $\iff$ $s+t+u=1$ ……………②

（$\Longleftarrow$ は，u を消去して上の式変形を逆にたどると①が得られて示される）

解答

アイウ：　CG：GP=3：1 より $\overrightarrow{CP}=\frac{4}{3}\overrightarrow{CG}$

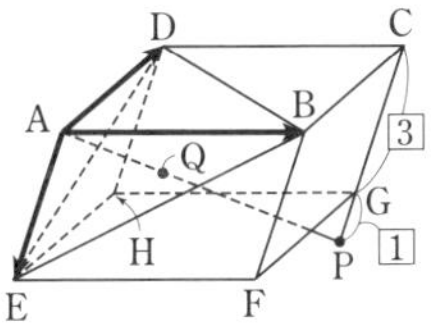

であり，$\overrightarrow{CG}=\overrightarrow{AE}$ だから　⇦平行六面体なので $\overrightarrow{CG}=\overrightarrow{AE}$

$\overrightarrow{AP}=\overrightarrow{AC}+\overrightarrow{CP}=\mathbf{\overrightarrow{AB}}+\mathbf{\overrightarrow{AD}}+\mathbf{\frac{4}{3}\overrightarrow{AE}}$

⇦ABCD は平行四辺形だから $\overrightarrow{AC}=\overrightarrow{AB}+\overrightarrow{AD}$

エオカ：　$\overrightarrow{AQ}=k\overrightarrow{AP}$（$k$ は実数）とおける．

このとき

$\overrightarrow{AQ}=k\left(\overrightarrow{AB}+\overrightarrow{AD}+\frac{4}{3}\overrightarrow{AE}\right)=k\overrightarrow{AB}+k\overrightarrow{AD}+\frac{4}{3}k\overrightarrow{AE}$ ……………☆

であり，Q は平面 BDE 上にあるから☆の係数の和は 1 である．よって，

$k+k+\frac{4}{3}k=1\quad\therefore\ \frac{10}{3}k=1\quad\therefore\ k=\frac{3}{10}$

⇦この例題では前文の②を使う方がよいだろう．演習題(2)では，(1)の計算結果が使えるので①の方がよい．

これより，

$\overrightarrow{AQ}=\frac{3}{10}\overrightarrow{AB}+\frac{3}{10}\overrightarrow{AD}+\frac{4}{3}\cdot\frac{3}{10}\overrightarrow{AE}=\mathbf{\frac{3}{10}\overrightarrow{AB}}+\mathbf{\frac{3}{10}\overrightarrow{AD}}+\mathbf{\frac{2}{5}\overrightarrow{AE}}$

2 演習題（解答は p.46）

平行六面体 OADB−CEGF において，辺 OA の中点を M，辺 AD を 2：3 に内分する点を N，辺 DG を 1：2 に内分する点を L とする．また，辺 OC を $k:1-k$ $(0<k<1)$ に内分する点を K とする．

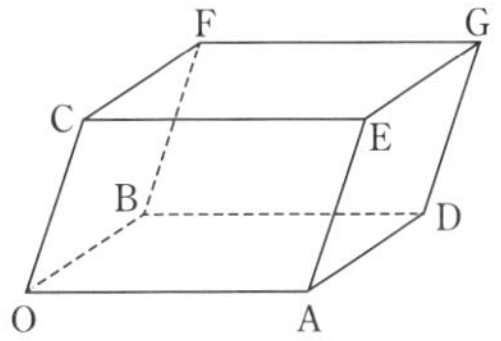

(1)　$\overrightarrow{OA}=\vec{a}$，$\overrightarrow{OB}=\vec{b}$，$\overrightarrow{OC}=\vec{c}$ とするとき，$\overrightarrow{MN}$，$\overrightarrow{ML}$，$\overrightarrow{MK}$ を $\vec{a}$，$\vec{b}$，$\vec{c}$ を用いて表せ．

(2)　3点 M，N，K の定める平面上に点 L があるとき，k の値を求めよ．

(3)　3点 M，N，K の定める平面が辺 GF と交点をもつような k の値の範囲を求めよ．

（熊本大・医，理，薬，工）

(2)　(1)を利用して，$\overrightarrow{ML}=s\overrightarrow{MN}+t\overrightarrow{MK}$ と表せる，と考える．
(3)　直線 GF 上の点 P は $\overrightarrow{OP}=\overrightarrow{OF}+w\overrightarrow{FG}$ とおける．このとき，P が辺 FG 上にあるための条件は $0\leqq w\leqq 1$.

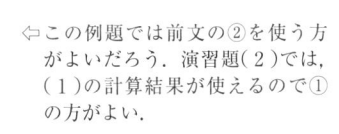

3 長さと角度

1辺の長さが1の正四面体OABCにおいて，辺OAを1:3に内分する点をP，辺BCの中点をQとする．

(1) $\overrightarrow{PQ}$ の大きさを求めよ．

(2) $\overrightarrow{AB}$ と $\overrightarrow{PQ}$ のなす角を求めよ．　　　(奈良女大・理(数)−後／前半省略)

空間における長さと角度　平面の場合と同じである．大きさについては $|\vec{a}|^2=\vec{a}\cdot\vec{a}$，内積については，$\vec{a}$ と $\vec{b}$ のなす角の大きさを θ として，$\vec{a}\cdot\vec{b}=|\vec{a}||\vec{b}|\cos\theta$，

$\cos\theta=\dfrac{\vec{a}\cdot\vec{b}}{|\vec{a}||\vec{b}|}$ である．

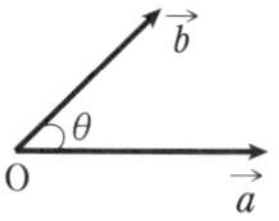

$|\vec{a}+\vec{b}+\vec{c}|$ の計算について　$|\vec{a}+\vec{b}+\vec{c}|^2=|\vec{a}|^2+|\vec{b}|^2+|\vec{c}|^2+2\vec{a}\cdot\vec{b}+2\vec{b}\cdot\vec{c}+2\vec{c}\cdot\vec{a}$

2乗の展開とよく似た式になる．係数がついた $|s\vec{a}+t\vec{b}+u\vec{c}|^2$ もほぼ同様である．空間でベクトルの大きさを計算するときは $|\vec{a}|$，$|\vec{b}|$，$|\vec{c}|$，$\vec{a}\cdot\vec{b}$，$\vec{b}\cdot\vec{c}$，$\vec{c}\cdot\vec{a}$ の6個の値が必要になる．

解答

$\overrightarrow{OA}=\vec{a}$，$\overrightarrow{OB}=\vec{b}$，$\overrightarrow{OC}=\vec{c}$ とおく．正四面体の各面は1辺の長さが1の正三角形だから，

$$|\vec{a}|=|\vec{b}|=|\vec{c}|=1,$$

$$\vec{a}\cdot\vec{b}=1\cdot1\cdot\cos60^\circ=\frac{1}{2},\ \vec{b}\cdot\vec{c}=\frac{1}{2},\ \vec{c}\cdot\vec{a}=\frac{1}{2}$$

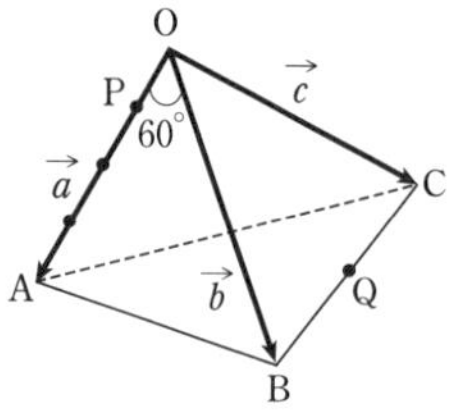

(1) $\overrightarrow{PQ}=\overrightarrow{PO}+\overrightarrow{OQ}=-\dfrac{1}{4}\vec{a}+\dfrac{1}{2}(\vec{b}+\vec{c})$ より

$|\overrightarrow{PQ}|=\left|\dfrac{1}{4}(-\vec{a}+2\vec{b}+2\vec{c})\right|=\dfrac{1}{4}|-\vec{a}+2\vec{b}+2\vec{c}|$ である．ここで，

$$|-\vec{a}+2\vec{b}+2\vec{c}|^2=|\vec{a}|^2+4|\vec{b}|^2+4|\vec{c}|^2-4\vec{a}\cdot\vec{b}+8\vec{b}\cdot\vec{c}-4\vec{c}\cdot\vec{a}$$
$$=1+4+4-2+4-2=9$$

⇦ $|\vec{a}|^2=1$，$\vec{a}\cdot\vec{b}=\dfrac{1}{2}$ などから．

となることから，$|\overrightarrow{PQ}|=\dfrac{1}{4}\sqrt{9}=\mathbf{\dfrac{3}{4}}$

(2) $\overrightarrow{AB}\cdot\overrightarrow{PQ}=(\vec{b}-\vec{a})\cdot\left(-\dfrac{1}{4}\vec{a}+\dfrac{1}{2}\vec{b}+\dfrac{1}{2}\vec{c}\right)$

$$=-\frac{1}{4}\vec{b}\cdot\vec{a}+\frac{1}{2}|\vec{b}|^2+\frac{1}{2}\vec{b}\cdot\vec{c}+\frac{1}{4}|\vec{a}|^2-\frac{1}{2}\vec{a}\cdot\vec{b}-\frac{1}{2}\vec{a}\cdot\vec{c}$$

$$=-\frac{1}{8}+\frac{1}{2}+\frac{1}{4}+\frac{1}{4}-\frac{1}{4}-\frac{1}{4}=\frac{3}{8}$$

よって，$\overrightarrow{AB}$ と $\overrightarrow{PQ}$ のなす角の大きさを θ とすると，

$$\cos\theta=\frac{\overrightarrow{AB}\cdot\overrightarrow{PQ}}{|\overrightarrow{AB}||\overrightarrow{PQ}|}=\frac{3/8}{1\cdot3/4}=\frac{1}{2}\qquad\therefore\ \boldsymbol{\theta=60^\circ}$$

⇦ ABは正四面体の1辺だから $|\overrightarrow{AB}|=1$

3 演習題 (解答は p.47)

一辺の長さが $\sqrt{2}$ の正四面体OABCにおいて，辺ABの中点をM，辺BCを1:2に内分する点をN，辺OCの中点をLとする．$\vec{a}=\overrightarrow{OA}$，$\vec{b}=\overrightarrow{OB}$，$\vec{c}=\overrightarrow{OC}$ とおく．

(1) 3点L，M，Nを通る平面と直線OAの交点をDとする．$\overrightarrow{OD}$ を $\vec{a}$，$\vec{b}$，$\vec{c}$ を用いて表せ．

(2) 辺OBの中点Kから直線DN上の点Pへ垂線KPを引く．$\overrightarrow{OP}$ を $\vec{a}$，$\vec{b}$，$\vec{c}$ を用いて表せ．　　　(熊本大・医(医))

(1) 平面LMN上のDを ○2の②でとらえる．
(2) $\overrightarrow{DN}\cdot\overrightarrow{KP}=0$
$\overrightarrow{DP}=t\overrightarrow{DN}$ とおき，上の式をDを始点に書き直す．

4 空間座標／直線，平面

（ア） 座標空間において，2 点 A(1, 2, 1)，B(3, 5, 2) がある．直線 AB と平面 $y=8$ との交点の座標は［　　］である．（近大・理系）

（イ） 4 点 A(1, 2, 3)，B(2, 1, 0)，C(3, 2, 1)，D(−1, 2, z) が同一平面上にあるとき，z の値は［　　］である．（立教大）

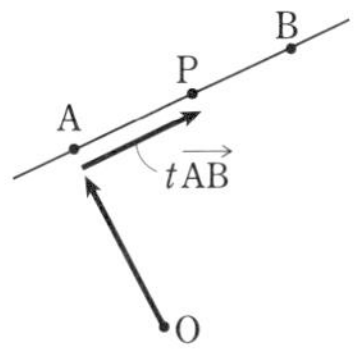

座標とベクトル 点 P の座標 $(x,\ y,\ z)$ と，O を始点とするベクトル $\overrightarrow{OP}=\begin{pmatrix}x\\y\\z\end{pmatrix}$ が対応する．成分計算のしかたは平面と同様で，和・差・実数倍は成分ごとの和・差・実数倍である．

例題(ア)は，直線 AB 上の点 P を $\overrightarrow{AP}=t\overrightarrow{AB}$（$t$ は実数）と表し，P が平面 $y=8$ 上の点になるときの t を求める，という方針で解く．P が $y=8$ 上にあるとは，P の y 座標が 8 であることだから，$\overrightarrow{OP}$ の y 成分が 8 である．

なお，上の t を求めるのであるから，$\overrightarrow{OP}=(1-t)\overrightarrow{OA}+t\overrightarrow{OB}$（$t$ が 2 か所に出てくる）よりも $\overrightarrow{OP}=\overrightarrow{OA}+t\overrightarrow{AB}$（$t$ が 1 か所のみ）とおく方がよい．

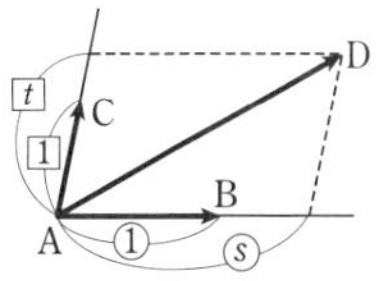

同一平面上のとらえ方 A，B，C，D が同一平面上にあることは，「$\overrightarrow{AD}=s\overrightarrow{AB}+t\overrightarrow{AC}$（$s$，$t$ は実数）と書ける」ととらえられる．各辺を成分表示して比較し，s と t を求めよう．

解答

（ア） 直線 AB 上の点を P とすると，

$$\overrightarrow{OP}=\overrightarrow{OA}+t\overrightarrow{AB}=\begin{pmatrix}1\\2\\1\end{pmatrix}+t\left\{\begin{pmatrix}3\\5\\2\end{pmatrix}-\begin{pmatrix}1\\2\\1\end{pmatrix}\right\}=\begin{pmatrix}1\\2\\1\end{pmatrix}+t\begin{pmatrix}2\\3\\1\end{pmatrix}$$

⇦ $\overrightarrow{AP}=t\overrightarrow{AB}$ と表すことができて，$\overrightarrow{OP}=\overrightarrow{OA}+\overrightarrow{AP}=\overrightarrow{OA}+t\overrightarrow{AB}$

と表せる．これの y 成分が 8 のとき，$2+3t=8$

よって $t=2$ となり，このとき P(**5**, **8**, **3**) である．

⇦ $\overrightarrow{OP}=\begin{pmatrix}1\\2\\1\end{pmatrix}+2\begin{pmatrix}2\\3\\1\end{pmatrix}=\begin{pmatrix}5\\8\\3\end{pmatrix}$

（イ） A，B，C を通る平面上に D があるとき，実数 s，t を用いて

$$\overrightarrow{AD}=s\overrightarrow{AB}+t\overrightarrow{AC}\quad \text{すなわち}\quad \begin{pmatrix}-2\\0\\z-3\end{pmatrix}=s\begin{pmatrix}1\\-1\\-3\end{pmatrix}+t\begin{pmatrix}2\\0\\-2\end{pmatrix}$$

⇦ $\overrightarrow{AB}=\begin{pmatrix}2\\1\\0\end{pmatrix}-\begin{pmatrix}1\\2\\3\end{pmatrix}=\begin{pmatrix}1\\-1\\-3\end{pmatrix}$

$\overrightarrow{AC}=\begin{pmatrix}3\\2\\1\end{pmatrix}-\begin{pmatrix}1\\2\\3\end{pmatrix}=\begin{pmatrix}2\\0\\-2\end{pmatrix}$

と書ける．x 成分，y 成分を比較して，

$$\begin{cases}-2=s+2t\\0=-s\end{cases}\quad\therefore\quad\begin{cases}s=0\\t=-1\end{cases}$$

このとき，z 成分について　$z-3=0\cdot(-3)+(-1)\cdot(-2)$

よって，$z=2+3=$**5**

4 演習題（解答は p.47）

a を定数とする．空間内の 4 点 A(1, 0, 3)，B(0, 4, −2)，C(4, −3, 0)，D($-7+5a$, $14-8a$, z) が同じ平面上にあるとき，

（1） z を a を用いて表せ．

（2） a の値を変化させたとき，点 D は直線 AB 上の点 P および直線 AC 上の点 Q を通る．P，Q の座標を求めよ．

（3） △ABC の面積を S_1，△APQ の面積を S_2 とするとき，$\dfrac{S_2}{S_1}$ の値を求めよ．

（滋賀大・教）

（1） $\overrightarrow{AD}=s\overrightarrow{AB}+t\overrightarrow{AC}$

（2） $\overrightarrow{AP}=u\overrightarrow{AB}$ とおいて u と a を求めよう．Q も同じで $\overrightarrow{AQ}=v\overrightarrow{AC}$ とおく．

（3） 上の u，v について △APQ$=uv$△ABC となる．

5 内積

t を正の実数とする．2つのベクトル $\overrightarrow{a}=(3,\ -2+4t,\ 1+4t)$ と $\overrightarrow{e_1}=(1,\ 0,\ 0)$ とのなす角が 45° であるとき，$t=$ ［ア］ であり，このとき，$\overrightarrow{a}$ と $\overrightarrow{e_2}=(0,\ 1,\ 0)$ の両方に垂直な単位ベクトルは ［イ］ である．　　（南山大・経済）

成分表示されたベクトルの内積（空間）　$\overrightarrow{x}=\begin{pmatrix}a\\b\\c\end{pmatrix}$，$\overrightarrow{y}=\begin{pmatrix}d\\e\\f\end{pmatrix}$ のとき，$\overrightarrow{x}\cdot\overrightarrow{y}=ad+be+cf$ となる．

平面の場合と同じで，成分ごとの積の和である．例題アのような問題では，内積を2通りの方法で計算して（上の成分計算と，$\overrightarrow{x}\cdot\overrightarrow{y}=|\overrightarrow{x}||\overrightarrow{y}|\cos\theta$）$\cos\theta$ を求める．

2つのベクトルに垂直な単位ベクトル　空間において，平行でない2つのベクトル $\overrightarrow{a}$，$\overrightarrow{b}$ の両方に垂直なベクトル（$\overrightarrow{u}$ とする）は無数にあるが，$\overrightarrow{u}$ の方向は一つに決まる（つまり，$\overrightarrow{u}$ はあるベクトルの実数倍すべて）．例題イでは $\overrightarrow{u}=\begin{pmatrix}x\\y\\z\end{pmatrix}$ とおいて $\overrightarrow{u}\cdot\overrightarrow{a}=\overrightarrow{u}\cdot\overrightarrow{b}=0$，$|\overrightarrow{u}|=1$ から求めればよい．なお，答えは2つある（逆向きのもの；右図参照）ことに注意．

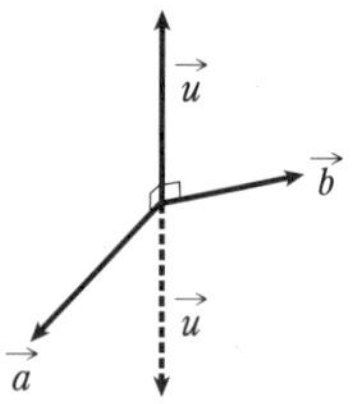

解　答

ア：　$\overrightarrow{a}=\begin{pmatrix}3\\-2+4t\\1+4t\end{pmatrix}$，$\overrightarrow{e_1}=\begin{pmatrix}1\\0\\0\end{pmatrix}$ で $\overrightarrow{a}$ と $\overrightarrow{e_1}$ のなす角が 45° だから，

$\overrightarrow{a}\cdot\overrightarrow{e_1}=|\overrightarrow{a}||\overrightarrow{e_1}|\cos 45^\circ$　　$\therefore$　$3=\sqrt{3^2+(-2+4t)^2+(1+4t)^2}\cdot 1\cdot\dfrac{1}{\sqrt{2}}$

右辺は $\sqrt{\dfrac{9+4-16t+16t^2+1+8t+16t^2}{2}}=\sqrt{16t^2-4t+7}$ だから，辺々2乗して $9=16t^2-4t+7$　　$\therefore$　$8t^2-2t-1=0$

⇦2で割った．なお，$4t$ がかたまりで出てくるので最初に $u=4t$ とおいてもよい．すると，$u^2-u-2=0$，$(u-2)(u+1)=0$

よって $(4t+1)(2t-1)=0$ で，$t>0$ だから $\boldsymbol{t=\dfrac{1}{2}}$

イ：　アのとき，$\overrightarrow{a}=\begin{pmatrix}3\\0\\3\end{pmatrix}$ である．求めるベクトルを $\overrightarrow{u}=\begin{pmatrix}x\\y\\z\end{pmatrix}$ とおくと，

$\overrightarrow{u}$ は $\overrightarrow{a}$ と $\overrightarrow{e_2}=\begin{pmatrix}0\\1\\0\end{pmatrix}$ の両方に垂直だから，$\overrightarrow{u}\cdot\overrightarrow{a}=0$，$\overrightarrow{u}\cdot\overrightarrow{e_2}=0$

⇦まず垂直の条件を処理する．

よって，$3x+3z=0$ ……①，$y=0$ ……②

①より $z=-x$ だから，②と合わせて $\overrightarrow{u}=\begin{pmatrix}x\\0\\-x\end{pmatrix}=x\begin{pmatrix}1\\0\\-1\end{pmatrix}$

⇦$\overrightarrow{u}$ は $\begin{pmatrix}1\\0\\-1\end{pmatrix}$ の実数倍，という式．次に単位ベクトル（長さが1）の条件を考え，x を決める．

このとき $|\overrightarrow{u}|=|x|\sqrt{1^2+(-1)^2}=\sqrt{2}\,|x|$ となるから，$|\overrightarrow{u}|=1$ のとき $|x|=\dfrac{1}{\sqrt{2}}$，すなわち $x=\pm\dfrac{1}{\sqrt{2}}$ となる．答えは，$\boldsymbol{\pm\dfrac{1}{\sqrt{2}}\begin{pmatrix}1\\0\\-1\end{pmatrix}}$

5 演習題（解答は p.48）

空間上の2つのベクトルを $\overrightarrow{a}=(1,\ 1,\ 0)$，$\overrightarrow{b}=(t,\ 0,\ 2)$ とする．

（1）　$\overrightarrow{a}$ と $\overrightarrow{b}$ のなす角を θ とするとき，$\cos\theta=\dfrac{1}{2}$ となる t の値を求めよ．

（2）　$t=1$ のとき，$\overrightarrow{a}$ と $\overrightarrow{b}$ の両方に垂直な単位ベクトルを求めよ．　　（成城大・経）

例題と同じだが，（1）は2乗して $\sqrt{\ }$ を解消するときに注意が必要．

6　2直線間の距離

空間内の4点O(0, 0, 0), A(1, 0, 0), B(0, 0, 2), C(2, 2, 4)を考える．点Pが直線OA上を動き，点Qが直線BC上を動くとする．

（1）　$PQ \geqq \sqrt{2}$ であることを示せ．

（2）　$PQ = \sqrt{2}$ となる点P，Qを求めよ．　　（津田塾大・数／数値変更，（2）の後半省略）

（直線の方向ベクトル）　$\overrightarrow{OP} = s\overrightarrow{OA}$，$\overrightarrow{OQ} = \overrightarrow{OB} + t\overrightarrow{BC}$ とおいて $|\overrightarrow{PQ}|^2$ を計算すればよいのであるが，$\overrightarrow{BC} = \begin{pmatrix} 2 \\ 2 \\ 2 \end{pmatrix} = 2\begin{pmatrix} 1 \\ 1 \\ 1 \end{pmatrix}$ であるから，$\vec{l} = \begin{pmatrix} 1 \\ 1 \\ 1 \end{pmatrix}$ とおいて $\overrightarrow{OQ} = \overrightarrow{OB} + t\vec{l}$ [$t\overrightarrow{BC} = 2t\vec{l}$ の $2t$ を改めて t] とする方が計算が簡単である．$\vec{l}$ を直線BCの方向ベクトルという（解答の傍注も参照）．方向ベクトルを用いて $\overrightarrow{OQ} = \overrightarrow{OB} + t\vec{l}$ とおくおき方も頭に入れておこう．

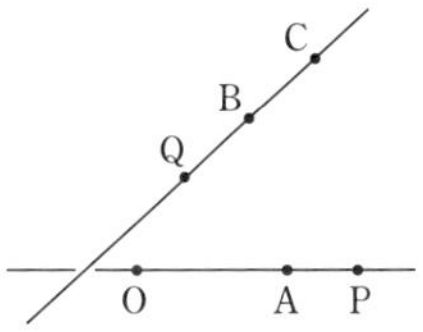

なお，$\overrightarrow{OP} = s\overrightarrow{OA}$，$\overrightarrow{OQ} = \overrightarrow{OB} + s\vec{l}$ と同じ s を使うと，PとQが連動してしまうので正しくない．

解答

（1）　$\overrightarrow{OA} = \begin{pmatrix} 1 \\ 0 \\ 0 \end{pmatrix}$ より直線OAの方向ベクトルとして $\vec{a} = \begin{pmatrix} 1 \\ 0 \\ 0 \end{pmatrix}$ がとれる．また，

$\overrightarrow{BC} = \begin{pmatrix} 2 \\ 2 \\ 2 \end{pmatrix} = 2\begin{pmatrix} 1 \\ 1 \\ 1 \end{pmatrix}$ だから直線BCの方向ベクトルとして $\vec{l} = \begin{pmatrix} 1 \\ 1 \\ 1 \end{pmatrix}$ がとれる．

⇦直線BCの方向ベクトルは $\overrightarrow{BC}$ の実数（≠0）倍．何倍でもよいが，なるべく数値が簡単になるようにする．

Pは直線OA上の点，Qは直線BC上の点であるから，

$\overrightarrow{OP} = s\vec{a}$，$\overrightarrow{OQ} = \overrightarrow{OB} + t\vec{l}$（$s$，$t$ は実数）

と表せる．このとき，[本シリーズ「数Ⅰ」，p.44（3）と同様に変形]

$$|\overrightarrow{PQ}|^2 = |\overrightarrow{OQ} - \overrightarrow{OP}|^2 = |\overrightarrow{OB} + t\vec{l} - s\vec{a}|^2$$
$$= |\overrightarrow{OB}|^2 + t^2|\vec{l}|^2 + s^2|\vec{a}|^2 + 2t\overrightarrow{OB}\cdot\vec{l} - 2s\overrightarrow{OB}\cdot\vec{a} - 2st\vec{l}\cdot\vec{a}$$
$$= 4 + t^2(1+1+1) + s^2\cdot 1 + 2t\cdot 2 - 2s\cdot 0 - 2st\cdot 1$$
$$= s^2 - 2st + 3t^2 + 4t + 4 = (s-t)^2 + 2t^2 + 4t + 4$$
$$= (s-t)^2 + 2(t+1)^2 + 2 \geqq 2 \quad \cdots\cdots ①$$

⇦この例題では0の成分が多いので $\overrightarrow{PQ} = \begin{pmatrix} -s+t \\ t \\ 2+t \end{pmatrix}$ としてもよいがこのように計算するのがうまい．

⇦$\overrightarrow{OB} = \begin{pmatrix} 0 \\ 0 \\ 2 \end{pmatrix}$ を用いて計算．

となるから $PQ \geqq \sqrt{2}$ が示された．

（2）　①の等号は $s = t$ かつ $t = -1$，すなわち $s = t = -1$ のときに成立する．

そのとき $\overrightarrow{OP} = -\vec{a} = -\begin{pmatrix} 1 \\ 0 \\ 0 \end{pmatrix}$，$\overrightarrow{OQ} = \overrightarrow{OB} - \vec{l} = \begin{pmatrix} 0 \\ 0 \\ 2 \end{pmatrix} - \begin{pmatrix} 1 \\ 1 \\ 1 \end{pmatrix}$ だから，求める座標は

P(−1, 0, 0)，Q(−1, −1, 1)

⇦原題には「このP，Qに対して直線PQは直線OAおよび直線BCに直交することを示せ．」という問題がついていた（示してみよう）．この性質については，演習題の解答のあとの注を参照．

6　演習題（解答は p.49）

原点をOとする座標空間において，点(0, −1, 4)を通りベクトル $\vec{a} = \left(1,\ 0,\ -\frac{1}{2}\right)$ に平行な直線 l と点(−1, −1, 0)を通りベクトル $\vec{b} = (2,\ -2,\ 1)$ に平行な直線 m がある．点Pは l 上にあり，点Qは m 上にある．

（1）　点Pの x 座標が s のとき，Pの y 座標と z 座標を求めよ．また，Qの z 座標が t のとき，Qの x 座標と y 座標を求めよ．

（2）　l と m は交わらないことを示せ．

（3）　2点P，Qを通る直線が l，m のどちらにも垂直に交わるとき，PとQの座標と $|\overrightarrow{PQ}|$ を求めよ．　　（南山大・情報理工）

（2）P=Qとなる s，t が存在しないことを示す．
（3）$\overrightarrow{PQ}$ が $\vec{l}$ と $\vec{m}$ の両方に垂直．

7 三角形の面積

空間に4点O(0, 0, 0), A(0, −2, 1), B(1, 3, 0), C(3, 2, 5)がある．

(1) 内積 $\overrightarrow{OA}\cdot\overrightarrow{OB}$ の値は□である．

(2) 三角形OABの面積は□である．　(東洋大・理工／右ページに続く)

空間内の三角形の面積　3頂点P, Q, Rの座標が与えられたときに△PQRの面積を求める問題を考えよう．3辺の長さが計算できるから，

余弦定理で cos∠P を求める ⇨ sin∠P を求める

$$⇨\ \triangle PQR=\frac{1}{2}PQ\cdot PR\cdot\sin\angle P\ \cdots\cdots\cdots\cdots☆$$

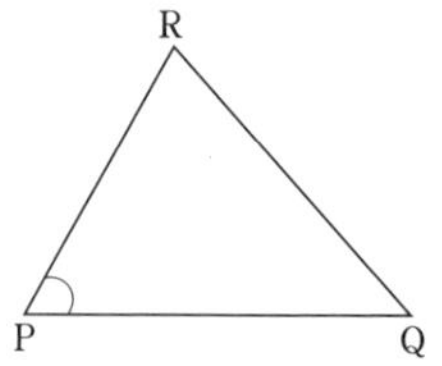

とすれば求められる（平面の場合と同じ！）．☆を"ベクトル表示"すると

$$\boldsymbol{\triangle PQR=\frac{1}{2}\sqrt{|\overrightarrow{PQ}|^2|\overrightarrow{PR}|^2-(\overrightarrow{PQ}\cdot\overrightarrow{PR})^2}}\quad（公式）$$

となる（導き方は例題の解答のあと）．座標が与えられている場合，内積の計算が容易であり，面積がすばやく求められる．便利な公式なので覚えるようにしたい．

解 答

$\overrightarrow{OA}=\begin{pmatrix}0\\-2\\1\end{pmatrix}$, $\overrightarrow{OB}=\begin{pmatrix}1\\3\\0\end{pmatrix}$ である．

(1) $\overrightarrow{OA}\cdot\overrightarrow{OB}=0\cdot1+(-2)\cdot3+1\cdot0=\boldsymbol{-6}$

(2) 公式より

$$\triangle OAB=\frac{1}{2}\sqrt{|\overrightarrow{OA}|^2|\overrightarrow{OB}|^2-(\overrightarrow{OA}\cdot\overrightarrow{OB})^2}$$

$$=\frac{1}{2}\sqrt{(4+1)(1+9)-6^2}=\frac{1}{2}\sqrt{5\cdot10-36}=\boldsymbol{\frac{1}{2}\sqrt{14}}$$

⇦前文のPをO, QをA, RをBにして公式を使った．

【公式の導き方】

$$\triangle PQR=\frac{1}{2}PQ\cdot PR\cdot\sin\angle P=\frac{1}{2}PQ\cdot PR\sqrt{1-(\cos\angle P)^2}$$

$$=\frac{1}{2}PQ\cdot PR\sqrt{1-\left(\frac{\overrightarrow{PQ}\cdot\overrightarrow{PR}}{|\overrightarrow{PQ}||\overrightarrow{PR}|}\right)^2}$$

$$=\frac{1}{2}\sqrt{PQ^2\cdot PR^2-PQ^2\cdot PR^2\cdot\frac{(\overrightarrow{PQ}\cdot\overrightarrow{PR})^2}{|\overrightarrow{PQ}|^2|\overrightarrow{PR}|^2}}$$

$$=\frac{1}{2}\sqrt{|\overrightarrow{PQ}|^2|\overrightarrow{PR}|^2-(\overrightarrow{PQ}\cdot\overrightarrow{PR})^2}$$

⇦ $PQ\cdot PR\,(=\sqrt{PQ^2\cdot PR^2})$ をルートの中に入れた．

➡注　導き方からわかるように，この式は平面でも空間でも成り立つ．

7 演習題 (解答は p.50)

空間ベクトル $\overrightarrow{OP}=(2, 1, 2)$, $\overrightarrow{OQ}=(2, 3, 6)$, $\overrightarrow{OR}=(3, 6, 2)$ がある．△OPQの面積は□である．

(同志社大・文，経／右ページに続く)

公式を使う．

8 四面体の体積

○7の例題の O，A，B，C について，

（３） 三角形 OAB を含む平面に垂直で大きさが１のベクトルを $\vec{n}$ とおく．$\vec{n}$ を成分で表すと，$\vec{n}=\pm$ [　　] となる．

（４） 四面体 OABC の体積は [　　] である．

（東洋大・理工）

高さの求め方 （３）は ○5 のイと同じである．この $\vec{n}$ を用いて四面体の高さ（底面は △OAB）を求める．$\overrightarrow{\mathrm{OC}}$ と $\vec{n}$ だけを用いて求めるうまい解き方があるので紹介しよう．O を通り方向ベクトルが $\vec{n}$ の直線を l として，C から l に下ろした垂線の足を H とする．このとき，高さは OH になる（右図参照）．$\overrightarrow{\mathrm{OH}}=k\vec{n}$ とおいて $\overrightarrow{\mathrm{OH}}\cdot\overrightarrow{\mathrm{CH}}=0$ から k を求めればよい（求め方は「平面のベクトル」の章の ○8 と同じ．なお，$\overrightarrow{\mathrm{OH}}$ は $\overrightarrow{\mathrm{OC}}$ の $\vec{n}$ への正射影ベクトルである．正射影ベクトルの公式を覚えている人は使ってもよい）．$|\vec{n}|=1$ だから $|\overrightarrow{\mathrm{OH}}|=|k\vec{n}|=|k||\vec{n}|=|k|$ となる．

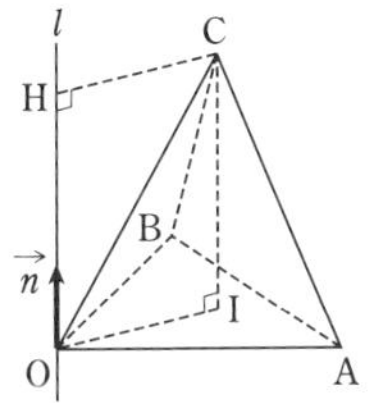

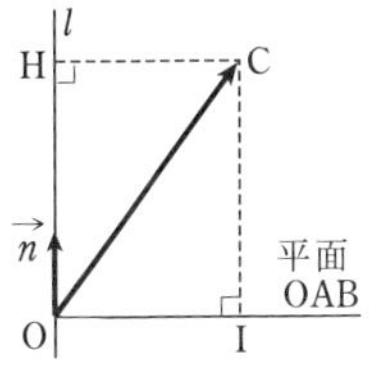

解 答

（３） $\vec{n}=\begin{pmatrix}a\\b\\c\end{pmatrix}$ とおく．$\vec{n}\cdot\overrightarrow{\mathrm{OA}}=\begin{pmatrix}a\\b\\c\end{pmatrix}\cdot\begin{pmatrix}0\\-2\\1\end{pmatrix}=0$，$\vec{n}\cdot\overrightarrow{\mathrm{OB}}=\begin{pmatrix}a\\b\\c\end{pmatrix}\cdot\begin{pmatrix}1\\3\\0\end{pmatrix}=0$ より

$-2b+c=0$，$a+3b=0$　　$\therefore$　$a=-3b$，$c=2b$

よって $\vec{n}=\begin{pmatrix}-3b\\b\\2b\end{pmatrix}=b\begin{pmatrix}-3\\1\\2\end{pmatrix}$ と書けて，このとき

$|\vec{n}|=|b|\sqrt{(-3)^2+1^2+2^2}=\sqrt{14}\,|b|$

となる．$|\vec{n}|=1$ のとき $\sqrt{14}\,|b|=1$ だから $b=\pm\dfrac{1}{\sqrt{14}}$ で $\boldsymbol{\vec{n}=\pm\dfrac{1}{\sqrt{14}}\begin{pmatrix}-3\\1\\2\end{pmatrix}}$

（４） 改めて $\vec{n}=\dfrac{1}{\sqrt{14}}\begin{pmatrix}-3\\1\\2\end{pmatrix}$ とする．O を通り方向ベクトルが $\vec{n}$ の直線 l とし，C から l に下ろした垂線の足を H とおく．$\overrightarrow{\mathrm{OH}}=k\vec{n}$ とおくと，$\overrightarrow{\mathrm{OH}}\cdot\overrightarrow{\mathrm{CH}}=0$ より

⇦（３）の答えのうち，＋の方．

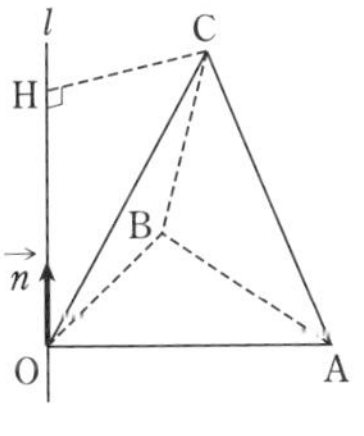

$\overrightarrow{\mathrm{OH}}\cdot(\overrightarrow{\mathrm{OH}}-\overrightarrow{\mathrm{OC}})=0$　　$\therefore$　$k\vec{n}\cdot(k\vec{n}-\overrightarrow{\mathrm{OC}})=0$

⇦全体を k で割ってから $k=\cdots$ とする．

従って，［$\vec{n}\cdot(k\vec{n}-\overrightarrow{\mathrm{OC}})=0$ より］

$$k=\frac{\vec{n}\cdot\overrightarrow{\mathrm{OC}}}{\vec{n}\cdot\vec{n}}=\vec{n}\cdot\overrightarrow{\mathrm{OC}}=\frac{1}{\sqrt{14}}\begin{pmatrix}-3\\1\\2\end{pmatrix}\cdot\begin{pmatrix}3\\2\\5\end{pmatrix}=\frac{1}{\sqrt{14}}(-9+2+10)=\frac{3}{\sqrt{14}}$$

⇦分母は $|\vec{n}|^2$ で，$|\vec{n}|=1$ より $|\vec{n}|^2=1$

四面体の高さは $|\overrightarrow{\mathrm{OH}}|=|k\vec{n}|=|k||\vec{n}|=|k|$ となるから，体積は

$$\frac{1}{3}\triangle\mathrm{OAB}\cdot\mathrm{OH}=\frac{1}{3}\cdot\frac{1}{2}\sqrt{14}\cdot\frac{3}{\sqrt{14}}=\boldsymbol{\frac{1}{2}}$$

⇦△OAB は左ページ．

8 演習題（解答は p.50）

○7 の演習題の $\overrightarrow{\mathrm{OP}}$，$\overrightarrow{\mathrm{OQ}}$，$\overrightarrow{\mathrm{OR}}$ について，

$\left(\boxed{ア},\ \boxed{イ},\ -\dfrac{1}{\sqrt{5}}\right)$ はベクトル $\overrightarrow{\mathrm{OP}}$，$\overrightarrow{\mathrm{OQ}}$ に垂直な長さ１のベクトルである．したがって，四面体 OPQR の体積は $\boxed{ウ}$ である．

（同志社大・文，経）

例題と同様，アイで求めるベクトルと $\overrightarrow{\mathrm{OR}}$ から高さを求める．

9 球面と直線

座標空間の3点O(0, 0, 0), A(1, 1, 1), P(1, 1, a)を考える.

(1) 直線OA上の点で，Pにもっとも近いものをQとする．Qのx座標は［　　］であり，PとQの距離は［　　］である.

(2) Pを中心とする半径rの球が，x軸，y軸および直線OAのすべてに接する（つまり各直線とただ1つの共有点を持つ）のは，$(a,\ r)=$［　　］，［　　］の場合である.　（近大・理工）

球面と直線が接する　点Pを中心とする球面Sと直線OAが接するとき，接点は「OA上でPにもっとも近い点Q」であり，半径rはPQの長さになる．ここでは$|\overrightarrow{PQ}|^2$を計算してQの座標と半径を求めるが，OA⊥PQに着目して求めてもよい（$\overrightarrow{OQ}$は$\overrightarrow{OP}$の$\overrightarrow{OA}$への正射影ベクトルである．公式を覚えている人は使ってもよい).

球面と座標軸が接する場合の接点の座標は計算せずに求められる．解答のように，図形的に考えよう.

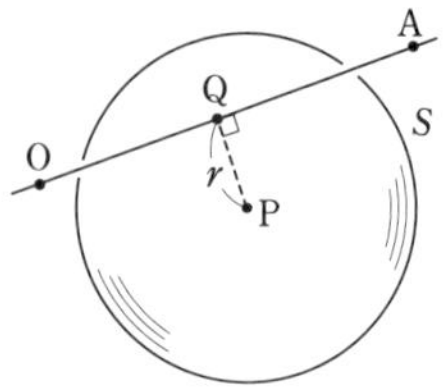

解答

(1) Qは直線OA上の点なので$\overrightarrow{OQ}=t\overrightarrow{OA}$（$t$は実数）と表せる．このとき，

$$|\overrightarrow{PQ}|^2=|\overrightarrow{OQ}-\overrightarrow{OP}|^2=|t\overrightarrow{OA}-\overrightarrow{OP}|^2=t^2|\overrightarrow{OA}|^2-2t\overrightarrow{OA}\cdot\overrightarrow{OP}+|\overrightarrow{OP}|^2$$
$$=3t^2-2(2+a)t+(2+a^2)$$
$$=3\left(t-\frac{2+a}{3}\right)^2-\frac{(2+a)^2}{3}+(2+a^2)=3\left(t-\frac{2+a}{3}\right)^2+\frac{2a^2-4a+2}{3}$$

PQは$t=\dfrac{2+a}{3}$のとき最小になる．$\overrightarrow{OQ}=t\overrightarrow{OA}$の$x$成分は$t$だから，

Qのx座標は $\boldsymbol{\dfrac{2+a}{3}}$ で，$PQ=\sqrt{\dfrac{2a^2-4a+2}{3}}=\dfrac{\sqrt{2(a-1)^2}}{\sqrt{3}}=\boldsymbol{\dfrac{\sqrt{2}}{\sqrt{3}}|a-1|}$

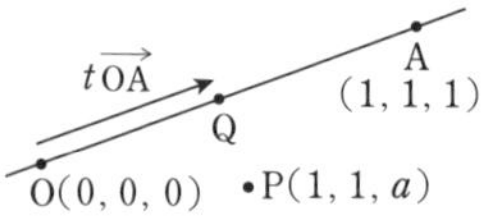

⇦ tを求めたいので，tの次数ごとに整理するのがよい．$t\overrightarrow{OA}-\overrightarrow{OP}$の成分を書くのは損.

(2) Pを中心とする球がx軸，y軸に接するから，xy平面での断面は図2になる．よって，接点はH(1, 0, 0), I(0, 1, 0)となり，r^2について

$PQ^2=PH^2(=PI^2)$

図 1

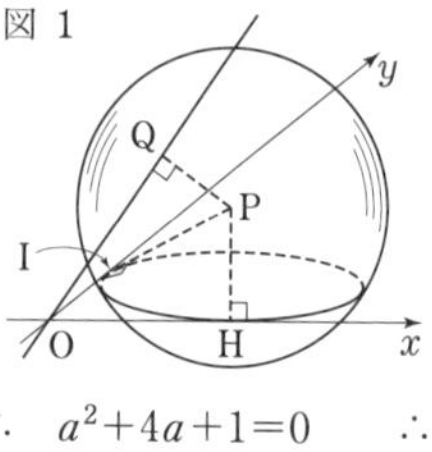

図 2

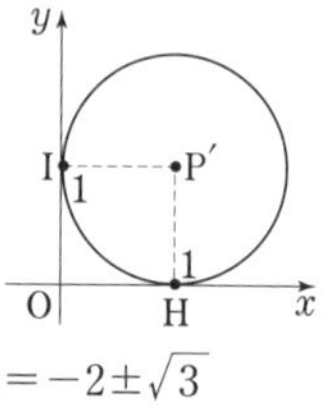

P′はPの真下（or 真上）の点

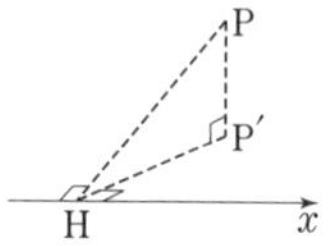

$\therefore\ \dfrac{2a^2-4a+2}{3}=\underline{1+a^2}$　$\therefore\ a^2+4a+1=0$　$\therefore\ a=-2\pm\sqrt{3}$　⇦ $\overrightarrow{PH}=\begin{pmatrix}0\\-1\\-a\end{pmatrix}$

(1)より $r=\dfrac{\sqrt{2}}{\sqrt{3}}|a-1|=\dfrac{\sqrt{2}}{\sqrt{3}}|-3\pm\sqrt{3}|=\dfrac{\sqrt{2}}{\sqrt{3}}(3\mp\sqrt{3})=\sqrt{6}\mp\sqrt{2}$ だから　⇦複号同順

答えは $\boldsymbol{(a,\ r)=(-2+\sqrt{3},\ \sqrt{6}-\sqrt{2}),\ (-2-\sqrt{3},\ \sqrt{6}+\sqrt{2})}$

9 演習題（解答は p.50）

xyz空間に点C(0, 2, 2)を中心とする球面$x^2+(y-2)^2+(z-2)^2=1$と点A(0, 0, 3)がある．球面上の点Pと点Aとを通る直線がxy平面と交わるとき，その交点をQ(a, b, 0)とする.

(1) 点Cを通る直線が直線AQと垂直に交わるとき，その交点をHとする．$\overrightarrow{AH}=k\overrightarrow{AQ}$を満たす実数$k$を$a$, bで表せ.

(2) (1)で求めた点Hについて，線分CHの長さをa, bで表せ.

(3) 点Pが球面上を動くとき，点Qの存在範囲を式で表し，xy平面上に図示せよ.

（秋田大・医）

(1) CH⊥AQ
(3) CH≦1

10 平面の方程式

xyz 空間に，点 A(1, 0, 0) を通り方向ベクトルが $\begin{pmatrix}1\\3\\2\end{pmatrix}$ の直線 l と，点 P(1, 2, 1) がある．直線 l を含み，点 P を通る平面を α とするとき，α と y 軸，z 軸との交点の座標をそれぞれ求めよ．

（愛媛大／表現変更）

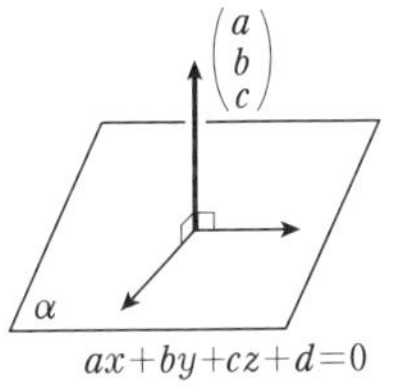

平面の方程式　xyz 空間で，$ax+by+cz+d=0$（a〜d は定数）は平面を表す．この平面の法線ベクトルは，$\begin{pmatrix}a\\b\\c\end{pmatrix}$［係数を並べたもの］である．

例題では，平面の方程式を求めて，座標軸との交点を計算するのがよいだろう．ここでは，法線ベクトルと平面上の１点（平面が通る点）から方程式を書いてみよう．

法線ベクトルは，α 上の平行でない２つのベクトルに垂直であることを用いて求める（☞○5）．また，一般に，法線ベクトルが $\begin{pmatrix}a\\b\\c\end{pmatrix}$ で点 $(x_0,\ y_0,\ z_0)$ を通る平面の方程式は $a(x-x_0)+b(y-y_0)+c(z-z_0)=0$ である［整理すると $ax+by+cz+d=0$ の形になり，$x=x_0$，$y=y_0$，$z=z_0$ を代入すると成り立つから，$(x_0,\ y_0,\ z_0)$ を通る．よってこれが求める方程式］．

解答

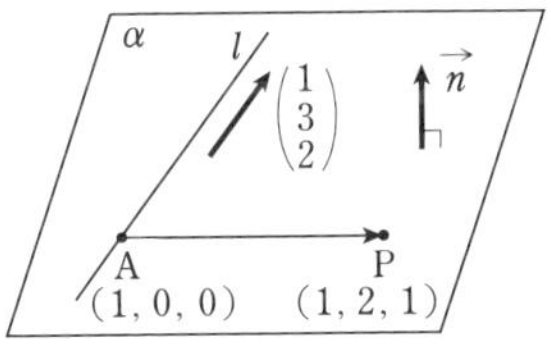

α の法線ベクトルを $\vec{n}=\begin{pmatrix}a\\b\\c\end{pmatrix}$ とすると，$\vec{n}$ は l の方向ベクトル $\begin{pmatrix}1\\3\\2\end{pmatrix}$ と $\overrightarrow{\mathrm{AP}}=\begin{pmatrix}0\\2\\1\end{pmatrix}$ の両方に垂直だから，

$a+3b+2c=0$ ……①，$2b+c=0$ ……②

②より $c=-2b$ で，これを①に代入すると $a+3b-4b=0$ だから $a=b$

従って，$\vec{n}=\begin{pmatrix}b\\b\\-2b\end{pmatrix}=b\begin{pmatrix}1\\1\\-2\end{pmatrix}$

平面 α は A(1, 0, 0) を通るから，α の方程式は，

$1\cdot(x-1)+1\cdot(y-0)+(-2)(z-0)=0$　　$\therefore\ x+y-2z-1=0$

y 軸との交点：　$x=z=0$ を代入し，$y-1=0$ より **(0, 1, 0)**　　⇦ y 軸は $x=z=0$

z 軸との交点：　$-2z-1=0$ より $\left(\mathbf{0,\ 0,\ -\frac{1}{2}}\right)$　　⇦ z 軸は $x=y=0$

⇨注　平面の方程式の求め方について：　方程式を $ax+by+cz+d=0$ とおいて，通る３点［例題では A(1, 0, 0)，点 P(1, 2, 1) と l 上の１点，例えば (0, −3, −2)］の座標を代入する，という方法でもよい．　　⇦比 $a:b:c:d$ を求める．

10 演習題（解答は p.51）

xyz 空間に３点 A(2, 3, −1)，B(1, 1, 1)，P$(2t,\ 3t+3,\ -2t+1)$ がある．原点を O として，点 P を通り２つのベクトル $\overrightarrow{\mathrm{OA}}$，$\overrightarrow{\mathrm{OB}}$ に垂直な直線を l とする．

（１）直線 l の方向ベクトルを一つ求めよ．

（２）t がすべての実数を動くとき，直線 l が動いてできる平面を α とする．α の法線ベクトルを一つ求めよ．

（３）xy 平面，yz 平面，zx 平面および平面 α で囲まれる立体の体積を求めよ．

（類　大阪府立大・工）

（２）P はある直線の上を動く．α はこの直線と l を含む．
（３）α の方程式を求めよう．

11 平面の方程式／垂線の足

xyz 空間において，A$(1,\ -2,\ -1)$を中心とする半径2の球面をS，3点$(1,\ 0,\ 0)$，$(0,\ 1,\ 0)$，$(0,\ 0,\ 1)$を通る平面をαとする．

（1） 平面αの法線ベクトルを一つ求めよ．

（2） 球面Sと平面αの交わりとして得られる円の，中心の座標と半径を求めよ．

（立教大・法／一部変更）

切片がわかっている平面の方程式 座標軸との交点（切片）が$(p,\ 0,\ 0)$，$(0,\ q,\ 0)$，$(0,\ 0,\ r)$（$p,\ q,\ r$はいずれも0でない）の平面の方程式は $\boldsymbol{\frac{x}{p}+\frac{y}{q}+\frac{z}{r}=1}$ ……☆ である．分母を払うと$ax+by+cz+d=0$の形になるからこれは平面であり，上の3点の座標を代入すると成り立つからこれらを通る．よって，☆が求めたい方程式である．

球面と平面の交わり 球面と平面が交わる（接する場合を除く）とき，その交わりは円になる．この円の中心は，球面の中心Aから平面に下ろした垂線の足Hとなる（解答の図参照）．ここでは，平面の方程式を用いてHの座標を求めよう．αの法線ベクトルの一つを$\vec{n}$とすると$\overrightarrow{\mathrm{OH}}=\overrightarrow{\mathrm{OA}}+k\vec{n}$と表せるから，この座標を$\alpha$の方程式に代入すれば$k$が決まる．

解 答

（1） 平面αの方程式は$x+y+z=1$だから，法線ベクトルの一つは$\boldsymbol{\begin{pmatrix}1\\1\\1\end{pmatrix}}$

⇦αの切片から，$\alpha：\frac{x}{1}+\frac{y}{1}+\frac{z}{1}=1$

（2） Sとαの交わりの円をCとすると，Cの中心はSの中心Aからαに下ろした垂線の足（Hとする）である．$\vec{n}=\begin{pmatrix}1\\1\\1\end{pmatrix}$とおくと，$k$を実数として$\overrightarrow{\mathrm{AH}}=k\vec{n}$と書けるから，

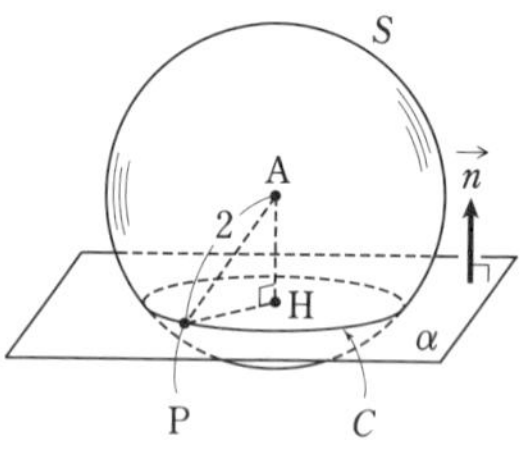

⇦$\vec{n}$は平面αの法線ベクトル．

⇦$\overrightarrow{\mathrm{AH}}$は平面$\alpha$の法線ベクトルと同じ方向．

$$\overrightarrow{\mathrm{OH}}=\overrightarrow{\mathrm{OA}}+\overrightarrow{\mathrm{AH}}=\overrightarrow{\mathrm{OA}}+k\vec{n}=\begin{pmatrix}1\\-2\\-1\end{pmatrix}+k\begin{pmatrix}1\\1\\1\end{pmatrix}$$

となる．よってH$(1+k,\ -2+k,\ -1+k)$であり，これが$\alpha：x+y+z=1$上にあるから，

$$(1+k)+(-2+k)+(-1+k)=1 \quad \therefore\ k=1$$

このとき，$\mathrm{AH}=|k\vec{n}|=\left|1\cdot\begin{pmatrix}1\\1\\1\end{pmatrix}\right|=\sqrt{3}$ であるから，

C上の点Pに対して$\mathrm{PH}=\sqrt{2^2-(\sqrt{3})^2}=1$

答えは，中心Hの座標が$\boldsymbol{(2,\ -1,\ 0)}$，**半径が1**

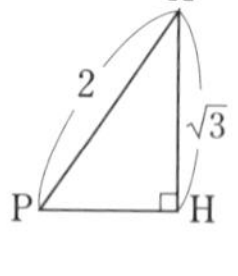

⇦APはSの半径，PHがCの半径．

11 演習題（解答は p.51）

点A$(1,\ 2,\ 4)$を通り，ベクトル$\vec{n}=(-3,\ 1,\ 2)$に垂直な平面をαとする．αに関して同じ側に2点P$(-2,\ 1,\ 7)$，Q$(1,\ 3,\ 7)$がある．

（1） αに関して点Pと対称な点Rの座標を求めよ．

（2） α上の点で，PS+QSを最小にする点Sの座標とそのときの最小値を求めよ．

（鳥取大）

αの方程式を活用しよう．
（1） Pからαに下ろした垂線の足HがPRの中点になる．
（2） PS=RS

12 点と平面の距離

点 (1, 1, 1) を通り法線ベクトルが $\begin{pmatrix} t+1 \\ -t \\ -1 \end{pmatrix}$ の平面を α とする．平面 α と球面 S：$x^2+(y-3)^2+(z-1)^2=4$ が共有点をもつような t の値の範囲を求めよ．

（明治大・理工／表現変更）

（球面と平面） 球面と平面が交わる・交わらないという問題では，球の中心と平面の距離に着目して，平面と球面が共有点をもつ ⟺ 球の中心と平面の距離≦球の半径　という言いかえを用いるとよい．座標平面での円と直線の問題（両者が共有点をもつ ⟺ 円の中心と直線の距離≦円の半径）と同じであり，距離の公式もよく似ている．

（点と平面の距離の公式） 空間内の点 $\mathrm{P}(x_0,\ y_0,\ z_0)$ と平面 $ax+by+cz+d=0$ の距離は
$\dfrac{|\boldsymbol{ax_0+by_0+cz_0+d}|}{\sqrt{\boldsymbol{a^2+b^2+c^2}}}$（公式）である．証明は，☞要点の整理

解答

平面 α の方程式は

$$(t+1)(x-1)+(-t)(y-1)+(-1)(z-1)=0$$

⇦○10 を参照.

$$\therefore\quad (t+1)x-ty-z=0$$

であるから，球の中心 (0, 3, 1) と平面 α の距離 d は

$$d=\frac{|(t+1)\cdot 0-t\cdot 3-1|}{\sqrt{(t+1)^2+(-t)^2+(-1)^2}}=\frac{|3t+1|}{\sqrt{2t^2+2t+2}}$$

となる．

平面 α と球面 S が共有点をもつ条件は，d が S の半径 2 以下であることだから

$$\frac{|3t+1|}{\sqrt{2t^2+2t+2}}\leqq 2\qquad \therefore\quad (3t+1)^2\leqq 4(2t^2+2t+2)$$

⇦$|3t+1|\leqq 2\sqrt{2t^2+2t+2}$ の各辺を平方.

整理して，$t^2-2t-7\leqq 0$

よって，$\boldsymbol{1-2\sqrt{2}\leqq t\leqq 1+2\sqrt{2}}$

12 演習題（解答は p.52）

a, b を正の実数とし，座標空間内の点を $\mathrm{A}(a,\ 0,\ 0)$, $\mathrm{B}(0,\ b,\ 0)$, $\mathrm{C}(0,\ 0,\ 1)$, $\mathrm{P}(2,\ 2,\ 1)$ とする．

（1） △ABC の面積 S を a, b を用いて表せ．

（2） 四面体 PABC の体積 V を a, b を用いて表せ．

（3） $V=\dfrac{1}{3}$ であるとき b を a を用いて表せ．また，このときの △ABC の面積 S の最小値とそのときの a の値を求めよ．　（同志社大・生命医，文化情報／途中の設問を省略）

（2） 底面が △ABC，高さは P と平面 ABC の距離．
（3） 後半は b を消去して a で微分．

空間のベクトル 演習題の解答

1…B**	**2**…B**○	**3**…B***
4…B**○	**5**…A*	**6**…B***
7…A○	**8**…B**	**9**…C***
10…B***	**11**…B***	**12**…B***

1 (2) $\overrightarrow{\mathrm{OS}}=\overrightarrow{\mathrm{OA}}+k\overrightarrow{\mathrm{AR}}$ とおき，これを $\vec{a}(=\overrightarrow{\mathrm{OA}})$，$\vec{b}(=\overrightarrow{\mathrm{OB}})$，$\vec{c}(=\overrightarrow{\mathrm{OC}})$ で表す．S が平面 OBC 上にあるので $\vec{a}$ の係数は 0.

(3) $\overrightarrow{\mathrm{SQ}}=l\vec{a}$ と書ける（つまり，$\vec{b}$ と $\vec{c}$ の係数がともに 0 の）ときの m の値を求める．

解 (1) $\overrightarrow{\mathbf{OP}}=\dfrac{1}{2}(\vec{a}+\vec{b})$

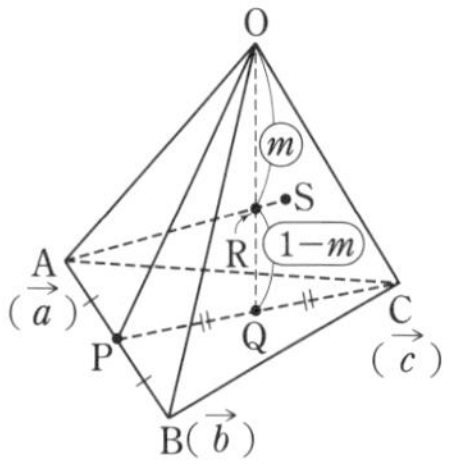

$\overrightarrow{\mathbf{OQ}}=\dfrac{1}{2}(\overrightarrow{\mathrm{OP}}+\overrightarrow{\mathrm{OC}})$

$=\dfrac{1}{4}\vec{a}+\dfrac{1}{4}\vec{b}+\dfrac{1}{2}\vec{c}$

$\overrightarrow{\mathbf{OR}}=m\overrightarrow{\mathrm{OQ}}$

$=\dfrac{m}{4}\vec{a}+\dfrac{m}{4}\vec{b}+\dfrac{m}{2}\vec{c}$

(2) $\overrightarrow{\mathrm{AS}}=k\overrightarrow{\mathrm{AR}}$（$k$ は実数）とおける．このとき，

$\overrightarrow{\mathrm{OS}}=\overrightarrow{\mathrm{OA}}+\overrightarrow{\mathrm{AS}}=\overrightarrow{\mathrm{OA}}+k\overrightarrow{\mathrm{AR}}=\overrightarrow{\mathrm{OA}}+k(\overrightarrow{\mathrm{OR}}-\overrightarrow{\mathrm{OA}})$

$=\vec{a}+k\left(\dfrac{m}{4}\vec{a}+\dfrac{m}{4}\vec{b}+\dfrac{m}{2}\vec{c}-\vec{a}\right)$

$=\left\{1+k\left(\dfrac{m}{4}-1\right)\right\}\vec{a}+\dfrac{km}{4}\vec{b}+\dfrac{km}{2}\vec{c}$

であり，S は平面 OBC 上にあるから上式の $\vec{a}$ の係数は 0 である．

$\therefore\ 1+k\left(\dfrac{m}{4}-1\right)=0\qquad\therefore\ k=\dfrac{4}{4-m}$

従って，

AR : RS$=1:(k-1)$

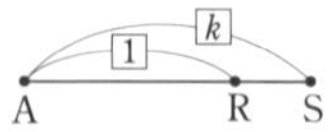

$=1:\dfrac{m}{4-m}$

$=\mathbf{(4-m):m}$

(3) $\overrightarrow{\mathrm{OS}}=\dfrac{km}{4}\vec{b}+\dfrac{km}{2}\vec{c}$

$=\dfrac{m}{4-m}\vec{b}+\dfrac{2m}{4-m}\vec{c}$

であるから，

$\overrightarrow{\mathrm{SQ}}=\overrightarrow{\mathrm{OQ}}-\overrightarrow{\mathrm{OS}}$

$=\dfrac{1}{4}\vec{a}+\left(\dfrac{1}{4}-\dfrac{m}{4-m}\right)\vec{b}+\left(\dfrac{1}{2}-\dfrac{2m}{4-m}\right)\vec{c}$

OA∥SQ のとき，上式の $\vec{b}$ と $\vec{c}$ の係数はともに 0.

$\therefore\ \dfrac{1}{4}-\dfrac{m}{4-m}=\dfrac{1}{2}-\dfrac{2m}{4-m}=0$

$\therefore\ 4m=4-m\qquad\therefore\ \boldsymbol{m=\dfrac{4}{5}}$

2 (2) $\overrightarrow{\mathrm{ML}}=s\overrightarrow{\mathrm{MN}}+t\overrightarrow{\mathrm{MK}}$ と表せる，と考える．

(3) 直線 GF 上の点 P は $\overrightarrow{\mathrm{OP}}=\overrightarrow{\mathrm{OF}}+w\overrightarrow{\mathrm{FG}}$ と表せ，これが辺 FG 上にあるための条件は $0\leqq w\leqq 1$……☆ である．この w を k で表し，☆に代入するという方針で解く．

解 (1) $\overrightarrow{\mathbf{MN}}=\overrightarrow{\mathrm{MA}}+\overrightarrow{\mathrm{AN}}=\dfrac{1}{2}\vec{a}+\dfrac{2}{5}\vec{b}$

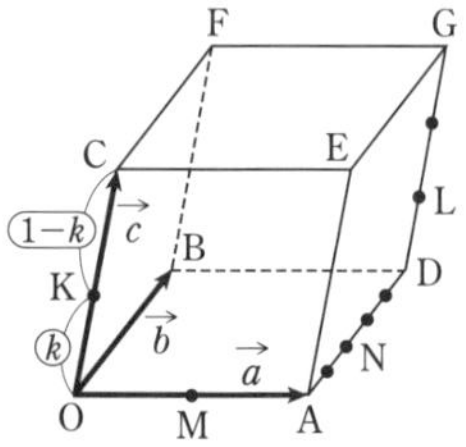

$\overrightarrow{\mathbf{ML}}=\overrightarrow{\mathrm{MA}}+\overrightarrow{\mathrm{AD}}+\overrightarrow{\mathrm{DL}}$

$=\dfrac{1}{2}\vec{a}+\vec{b}+\dfrac{1}{3}\vec{c}$

$\overrightarrow{\mathbf{MK}}=\overrightarrow{\mathrm{MO}}+\overrightarrow{\mathrm{OK}}$

$=-\dfrac{1}{2}\vec{a}+k\vec{c}$

(2) L が平面 MNK 上にあるとき，$\overrightarrow{\mathrm{ML}}=s\overrightarrow{\mathrm{MN}}+t\overrightarrow{\mathrm{MK}}$ と表せる．(1)より，右辺は

$s\left(\dfrac{1}{2}\vec{a}+\dfrac{2}{5}\vec{b}\right)+t\left(-\dfrac{1}{2}\vec{a}+k\vec{c}\right)$

$=\left(\dfrac{1}{2}s-\dfrac{1}{2}t\right)\vec{a}+\dfrac{2}{5}s\vec{b}+kt\vec{c}$

で，これが $\overrightarrow{\mathrm{ML}}=\dfrac{1}{2}\vec{a}+\vec{b}+\dfrac{1}{3}\vec{c}$ に等しい．$\vec{a}$，$\vec{b}$，$\vec{c}$ は 1 次独立だから係数を比較して，

$\dfrac{1}{2}s-\dfrac{1}{2}t=\dfrac{1}{2}$，$\dfrac{2}{5}s=1$，$kt=\dfrac{1}{3}$

第 2 式から $s=\dfrac{5}{2}$，これと第 1 式：$s-t=1$ から $t=\dfrac{3}{2}$，

第 3 式から $k=\dfrac{1}{3t}=\boldsymbol{\dfrac{2}{9}}$

(3) 平面 MNK と直線 FG の交点を P とすると，

$\overrightarrow{\mathrm{MP}}=u\overrightarrow{\mathrm{MN}}+v\overrightarrow{\mathrm{MK}}$ ……①

$\overrightarrow{\mathrm{OP}}=\overrightarrow{\mathrm{OF}}+w\overrightarrow{\mathrm{FG}}$ ……②

（u，v，w は実数）と書ける．

①より，

$\overrightarrow{\mathrm{OP}}=\overrightarrow{\mathrm{OM}}+\overrightarrow{\mathrm{MP}}=\overrightarrow{\mathrm{OM}}+u\overrightarrow{\mathrm{MN}}+v\overrightarrow{\mathrm{MK}}$

$$=\frac{1}{2}\vec{a}+u\left(\frac{1}{2}\vec{a}+\frac{2}{5}\vec{b}\right)+v\left(-\frac{1}{2}\vec{a}+k\vec{c}\right)$$
$$=\left(\frac{1}{2}+\frac{1}{2}u-\frac{1}{2}v\right)\vec{a}+\frac{2}{5}u\vec{b}+kv\vec{c}$$

②より

$$\overrightarrow{OP}=\overrightarrow{OF}+w\overrightarrow{FG}=\vec{b}+\vec{c}+w\vec{a}$$

これらの係数を比較して,

$$\frac{1}{2}+\frac{1}{2}u-\frac{1}{2}v=w,\ \frac{2}{5}u=1,\ kv=1$$

第2式, 第3式から $u=\frac{5}{2}$, $v=\frac{1}{k}$ であり, これらを第1式に代入して

$$w=\frac{1}{2}+\frac{1}{2}\cdot\frac{5}{2}-\frac{1}{2}\cdot\frac{1}{k}=\frac{7}{4}-\frac{1}{2k}$$

P が辺 FG 上にあるための条件は $0\leqq w\leqq 1$ だから,

$$0\leqq\frac{7}{4}-\frac{1}{2k}\leqq 1 \qquad \therefore\ \frac{3}{4}\leqq\frac{1}{2k}\leqq\frac{7}{4}$$

よって, $\boldsymbol{\frac{2}{7}\leqq k\leqq\frac{2}{3}}$

3 (1) 始点を O にして,「$\overrightarrow{OD}$ を $\overrightarrow{OL}$, $\overrightarrow{OM}$, $\overrightarrow{ON}$ で書いたときの係数の和が 1」と「D が OA 上」から求める.

(2) $\overrightarrow{DN}\cdot\overrightarrow{KP}=0$ ……☆ である. $\overrightarrow{DP}=t\overrightarrow{DN}$ とおき, ☆を D を始点にして書き直す. D を始点にすると t を求める計算が少しラク.

解 (1) D は平面 LMN 上の点であるから,

$$\overrightarrow{OD}=p\overrightarrow{OL}+q\overrightarrow{OM}+r\overrightarrow{ON},\ p+q+r=1$$

と表せる.

$$\overrightarrow{OL}=\frac{1}{2}\vec{c},$$
$$\overrightarrow{OM}=\frac{1}{2}\vec{a}+\frac{1}{2}\vec{b},$$
$$\overrightarrow{ON}=\frac{2}{3}\vec{b}+\frac{1}{3}\vec{c}$$

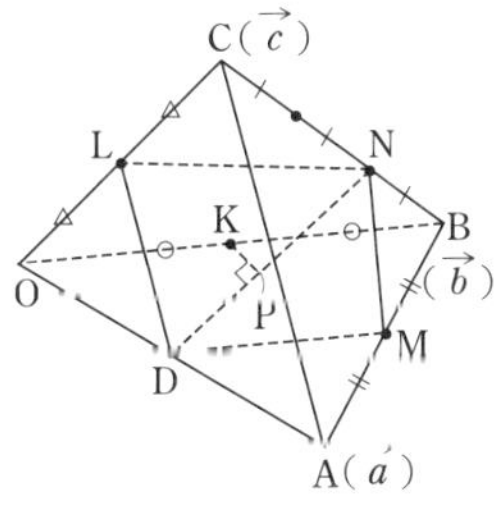

より,

$$\overrightarrow{OD}=p\cdot\frac{1}{2}\vec{c}+q\left(\frac{1}{2}\vec{a}+\frac{1}{2}\vec{b}\right)+r\left(\frac{2}{3}\vec{b}+\frac{1}{3}\vec{c}\right)$$
$$=\frac{q}{2}\vec{a}+\left(\frac{q}{2}+\frac{2}{3}r\right)\vec{b}+\left(\frac{p}{2}+\frac{r}{3}\right)\vec{c}$$

D は OA 上の点だから, 上式の $\vec{b}$, $\vec{c}$ の係数はともに 0 である. よって,

$$\frac{q}{2}+\frac{2}{3}r=0,\ \frac{p}{2}+\frac{r}{3}=0$$
$$\therefore\ q=-\frac{4}{3}r,\ p=-\frac{2}{3}r$$

これを $p+q+r=1$ に代入すると,

$$-r=1 \qquad \therefore\ r=-1$$

よって, $q=\frac{4}{3}$, $\overrightarrow{OD}=\frac{q}{2}\vec{a}=\boldsymbol{\frac{2}{3}\vec{a}}$

(2) $\overrightarrow{DN}\cdot\overrightarrow{KP}=0$ ……☆ である. $\overrightarrow{DP}=t\overrightarrow{DN}$ (t は実数) とおけるから, ☆は

$$\overrightarrow{DN}\cdot(\overrightarrow{DP}-\overrightarrow{DK})=0 \qquad \therefore\ \overrightarrow{DN}\cdot(t\overrightarrow{DN}-\overrightarrow{DK})=0$$
$$\therefore\ t=\frac{\overrightarrow{DN}\cdot\overrightarrow{DK}}{|\overrightarrow{DN}|^2} \quad\cdots\cdots ①$$

ここで,

$$\overrightarrow{DN}=\overrightarrow{ON}-\overrightarrow{OD}=\frac{1}{3}(2\vec{b}+\vec{c}-2\vec{a})$$

であり, この正四面体の 1 辺の長さは $\sqrt{2}$ なので

$$|\vec{a}|^2=|\vec{b}|^2=|\vec{c}|^2=2,$$
$$\vec{a}\cdot\vec{b}=\vec{b}\cdot\vec{c}=\vec{c}\cdot\vec{a}=\sqrt{2}\cdot\sqrt{2}\cdot\cos 60^\circ=1$$

であるから,

$$|2\vec{b}+\vec{c}-2\vec{a}|^2$$
$$=4|\vec{b}|^2+|\vec{c}|^2+4|\vec{a}|^2+4\vec{b}\cdot\vec{c}-4\vec{c}\cdot\vec{a}-8\vec{a}\cdot\vec{b}$$
$$=8+2+8+4-4-8=10$$

よって, $|\overrightarrow{DN}|^2=\frac{10}{9}$ ……②

次に,

$$\overrightarrow{DK}=\overrightarrow{OK}-\overrightarrow{OD}=\frac{1}{2}\vec{b}-\frac{2}{3}\vec{a}=\frac{1}{6}(3\vec{b}-4\vec{a})$$

より,

$$\overrightarrow{DN}\cdot\overrightarrow{DK}=\frac{1}{18}(2\vec{b}+\vec{c}-2\vec{a})\cdot(3\vec{b}-4\vec{a})$$
$$=\frac{1}{18}\left(6|\vec{b}|^2-8\vec{a}\cdot\vec{b}+3\vec{b}\cdot\vec{c}-4\vec{a}\cdot\vec{c}-6\vec{a}\cdot\vec{b}+8|\vec{a}|^2\right)$$
$$=\frac{1}{18}(12-8+3-4-6+16)=\frac{13}{18} \quad\cdots\cdots ③$$

②, ③を①に代入して,

$$t=\frac{13/18}{10/9}=\frac{13}{20}$$

従って,

$$\overrightarrow{OP}=\overrightarrow{OD}+\overrightarrow{DP}=\overrightarrow{OD}+t\overrightarrow{DN}$$
$$=\frac{2}{3}\vec{a}+\frac{13}{20}\cdot\frac{1}{3}(2\vec{b}+\vec{c}-2\vec{a})$$
$$=\boldsymbol{\frac{7}{30}\vec{a}+\frac{13}{30}\vec{b}+\frac{13}{60}\vec{c}}$$

4 (1) $\overrightarrow{AD}=s\overrightarrow{AB}+t\overrightarrow{AC}$ と表せる. 両辺の成分を比較しよう.

(2) $\overrightarrow{AP}=u\overrightarrow{AB}$ とおき, $\overrightarrow{OP}=\overrightarrow{OD}$ となるときの u と

aを求める．Qについても同様．

（3） 具体的に面積を求める必要はなく，AB：AP と AC：AQ から面積比が求められる．

解 A(1, 0, 3), B(0, 4, −2), C(4, −3, 0)

（1） $\overrightarrow{AB}=\begin{pmatrix}-1\\4\\-5\end{pmatrix}$，$\overrightarrow{AC}=\begin{pmatrix}3\\-3\\-3\end{pmatrix}$ であり，これらは1次独立である．D$(-7+5a,\ 14-8a,\ z)$が平面 ABC 上にあるとき，

$$\overrightarrow{AD}=s\overrightarrow{AB}+t\overrightarrow{AC}\ （s,\ t は実数）$$

と表せるので，

$$\begin{pmatrix}-8+5a\\14-8a\\z-3\end{pmatrix}=s\begin{pmatrix}-1\\4\\-5\end{pmatrix}+t\begin{pmatrix}3\\-3\\-3\end{pmatrix}$$

$3t=t'$ とおき，成分を比較すると

$-8+5a=-s+t'$ ……①，$14-8a=4s-t'$ ……②

$z-3=-5s-t'$ ……③

①＋②より $6-3a=3s$　　∴　$s=2-a$

これを②に代入して，

$t'=4s+8a-14=4(2-a)+8a-14=4a-6$

これらを③に代入して，

$z=-5s-t'+3=-5(2-a)-(4a-6)+3=\boldsymbol{a-1}$

（2） $\overrightarrow{AP}=u\overrightarrow{AB}$ とおくと，

$$\overrightarrow{OP}=\overrightarrow{OA}+\overrightarrow{AP}=\overrightarrow{OA}+u\overrightarrow{AB}=\begin{pmatrix}1\\0\\3\end{pmatrix}+u\begin{pmatrix}-1\\4\\-5\end{pmatrix}$$

これと $\overrightarrow{OD}=\begin{pmatrix}-7+5a\\14-8a\\a-1\end{pmatrix}$ が等しいとき，

$1-u=-7+5a$ ……④，$4u=14-8a$ ……⑤

$3-5u=a-1$ ……⑥

④×4＋⑤より，

$$4=-14+12a　　∴　a=\frac{3}{2}$$

これを④に代入すると $u=8-5a=\dfrac{1}{2}$（このとき⑥は成り立つ）

同様に，$\overrightarrow{AQ}=v\overrightarrow{AC}$ とおくと，

$$\overrightarrow{OQ}=\overrightarrow{OA}+\overrightarrow{AQ}=\overrightarrow{OA}+v\overrightarrow{AC}=\begin{pmatrix}1\\0\\3\end{pmatrix}+v\begin{pmatrix}3\\-3\\-3\end{pmatrix}$$

であり，これと $\overrightarrow{OD}$ が等しいとき，

$1+3v=-7+5a$ ……⑦，$-3v=14-8a$ ……⑧

$3-3v=a-1$ ……⑨

⑦＋⑧より $1=7-3a$　　∴　$a=2$

これを⑦に代入して $3v=2$（このとき⑨は成り立つ）

答えは，$\mathbf{P}\left(\boldsymbol{\frac{1}{2}},\ \mathbf{2},\ \boldsymbol{\frac{1}{2}}\right)$，$\mathbf{Q(3,\ -2,\ 1)}$

（3） （2）で求めた値

$$u=\frac{1}{2},\ v=\frac{2}{3}$$

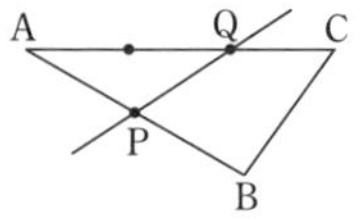

より右図のようになる．よって，

$$\frac{S_2}{S_1}=\frac{\triangle APQ}{\triangle ABC}=\frac{AP\times AQ}{AB\times AC}=\frac{AP}{AB}\times\frac{AQ}{AC}$$

$$=\frac{1}{2}\cdot\frac{2}{3}=\boldsymbol{\frac{1}{3}}$$

➡**注** （1） 平面 ABC の方程式を求めると，$3x+2y+z-6=0$ となる（求め方については☞○10）．これに D の座標を代入して

$3(-7+5a)+2(14-8a)+z-6=0$

∴　$z=a-1$

としてもよい．

5 （1） 例題と同様，$\vec{a}\cdot\vec{b}=|\vec{a}||\vec{b}|\cos\theta$ を用いる．2乗して $\sqrt{\quad}$ を解消するときに正負に注意．

解 （1） $\vec{a}=\begin{pmatrix}1\\1\\0\end{pmatrix}$ と $\vec{b}=\begin{pmatrix}t\\0\\2\end{pmatrix}$ のなす角が θ のとき

$\vec{a}\cdot\vec{b}=|\vec{a}||\vec{b}|\cos\theta$ であるから，$\cos\theta=\dfrac{1}{2}$ より

$$t=\sqrt{2}\cdot\sqrt{t^2+4}\cdot\frac{1}{2}$$

右辺は正だから $t>0$ である．各辺を2乗して分母を払うと，

$2t^2=t^2+4$　　∴　$t^2=4$

$t>0$ より，$\boldsymbol{t=2}$

（2） $\vec{u}=\begin{pmatrix}x\\y\\z\end{pmatrix}$ が $\vec{a}=\begin{pmatrix}1\\1\\0\end{pmatrix}$，$\vec{b}=\begin{pmatrix}1\\0\\2\end{pmatrix}$ の両方に垂直のとき，$\vec{u}\cdot\vec{a}=0$，$\vec{u}\cdot\vec{b}=0$ だから

$x+y=0$，$x+2z=0$

∴　$x=-2z$，$y=-x=2z$

よって $\vec{u}=\begin{pmatrix}-2z\\2z\\z\end{pmatrix}=z\begin{pmatrix}-2\\2\\1\end{pmatrix}$ と書け，このとき

$|\vec{u}|=|z|\sqrt{(-2)^2+2^2+1^2}=3|z|$

$|\vec{u}|=1$ のとき $3|z|=1$，すなわち $z=\pm\dfrac{1}{3}$ だから，求めるベクトルは $\boldsymbol{\pm\frac{1}{3}\begin{pmatrix}-2\\2\\1\end{pmatrix}}$

6 l 上の点を $\overrightarrow{OP}=\begin{pmatrix}0\\-1\\4\end{pmatrix}+p\begin{pmatrix}1\\0\\-1/2\end{pmatrix}$，$m$ 上の点を $\overrightarrow{OQ}=\begin{pmatrix}-1\\-1\\0\end{pmatrix}+q\begin{pmatrix}2\\-2\\1\end{pmatrix}$ とパラメータ表示して，

(1) p，q を s，t で表す．

(2) P=Q となる s，t が存在しないことを示す．

(3) $\overrightarrow{PQ}$ が l，m の方向ベクトル $\vec{a}$，$\vec{b}$ の両方に垂直になることから s，t を求める．

解 $\vec{a}=\begin{pmatrix}1\\0\\-1/2\end{pmatrix}$，$\vec{b}=\begin{pmatrix}2\\-2\\1\end{pmatrix}$

(1) l 上の点 P$(x,\ y,\ z)$ は，

$$\begin{pmatrix}x\\y\\z\end{pmatrix}=\begin{pmatrix}0\\-1\\4\end{pmatrix}+p\vec{a}=\begin{pmatrix}0\\-1\\4\end{pmatrix}+p\begin{pmatrix}1\\0\\-1/2\end{pmatrix}\ \cdots\cdots\text{①}$$

(p は実数）と表せる．P の x 座標が s のとき，$p=s$ であるから，①の p を s にして，

$$\mathbf{P}\left(s,\ -1,\ 4-\frac{s}{2}\right)$$

m 上の点 Q$(x,\ y,\ z)$ は，

$$\begin{pmatrix}x\\y\\z\end{pmatrix}=\begin{pmatrix}-1\\-1\\0\end{pmatrix}+q\vec{b}=\begin{pmatrix}-1\\-1\\0\end{pmatrix}+q\begin{pmatrix}2\\-2\\1\end{pmatrix}\ \cdots\cdots\text{②}$$

(q は実数）と表せる．Q の z 座標が t のとき，$q=t$ であるから，②の q を t にして，

$$\mathbf{Q}(-1+2t,\ -1-2t,\ t)$$

(2) l と m が交わるとすると，P=Q すなわち

$$s=-1+2t,\ -1=-1-2t,\ 4-\frac{s}{2}=t$$

を満たす s，t が存在する．第 2 式より $t=0$ で，これと第 1 式から $s=-1$．これらを第 3 式に代入すると $4-\dfrac{-1}{2}=0$ となって成り立たないから，P=Q となる s と t は存在しない．よって l と m は交わらない．

(3) (1)の s，t に対して，①，②より，

$$\overrightarrow{PQ}=\overrightarrow{OQ}-\overrightarrow{OP}=\begin{pmatrix}-1\\-1\\0\end{pmatrix}+t\vec{b}-\begin{pmatrix}0\\-1\\4\end{pmatrix}-s\vec{a}=\begin{pmatrix}-1\\0\\-4\end{pmatrix}-s\vec{a}+t\vec{b}\ \cdots\cdots\text{※}$$

となる．直線 PQ が l，m（方向ベクトルはそれぞれ $\vec{a}$，$\vec{b}$）の両方に垂直のとき，

$$\overrightarrow{PQ}\cdot\vec{a}=0,\ \overrightarrow{PQ}\cdot\vec{b}=0$$

であるから，

$$\begin{pmatrix}-1\\0\\-4\end{pmatrix}\cdot\vec{a}-s|\vec{a}|^2+t\vec{a}\cdot\vec{b}=0\ \cdots\cdots\text{③}$$

$$\begin{pmatrix}-1\\0\\-4\end{pmatrix}\cdot\vec{b}-s\vec{a}\cdot\vec{b}+t|\vec{b}|^2=0\ \cdots\cdots\text{④}$$

ここで，

$$\begin{pmatrix}-1\\0\\-4\end{pmatrix}\cdot\vec{a}=\begin{pmatrix}-1\\0\\-4\end{pmatrix}\cdot\begin{pmatrix}1\\0\\-1/2\end{pmatrix}=-1+2=1$$

$$\begin{pmatrix}-1\\0\\-4\end{pmatrix}\cdot\vec{b}=\begin{pmatrix}-1\\0\\-4\end{pmatrix}\cdot\begin{pmatrix}2\\-2\\1\end{pmatrix}=-2-4=-6$$

$$|\vec{a}|^2=1+\frac{1}{4}=\frac{5}{4},\ |\vec{b}|^2=4+4+1=9,$$

$$\vec{a}\cdot\vec{b}=\begin{pmatrix}1\\0\\-1/2\end{pmatrix}\cdot\begin{pmatrix}2\\-2\\1\end{pmatrix}=2-\frac{1}{2}=\frac{3}{2}$$

より，③，④は

$$1-\frac{5}{4}s+\frac{3}{2}t=0\ \cdots\text{③}',\ -6-\frac{3}{2}s+9t=0\ \cdots\cdots\text{④}'$$

③$'\times 4$，④$'\times\dfrac{2}{3}$ より

$$4-5s+6t=0\ \cdots\cdots\text{⑤},\ -4-s+6t=0\ \cdots\cdots\text{⑥}$$

⑤−⑥より $8-4s=0$ $\therefore\ s=2$

これを⑤に代入して，$t=1$

よって，**P(2, −1, 3)**，**Q(1, −3, 1)**

このとき，

$$PQ=|\overrightarrow{PQ}|=\left|\begin{pmatrix}-1\\-2\\-2\end{pmatrix}\right|=\sqrt{1+4+4}=\mathbf{3}$$

⇨注 1 (3)の※を成分表示すると

$$\overrightarrow{PQ}=\left(-1-s+2t,\ -2t,\ -4+\frac{1}{2}s+t\right)$$

となるが，これを用いて，$\overrightarrow{PQ}\cdot\vec{a}$，$\overrightarrow{PQ}\cdot\vec{b}$ を計算すると s，t について整理し直すことになって遠回り．

⇨注 2 (3)で求めた P，Q をそれぞれ P_0，Q_0 として，$\vec{n}=\overrightarrow{P_0Q_0}$ とする．また，l を含み法線ベクトルが $\vec{n}$ の平面を π_1，m を含み法線ベクトルが $\vec{n}$ の平面を π_2 とする．このとき，l 上の点 P と m 上の点 Q について

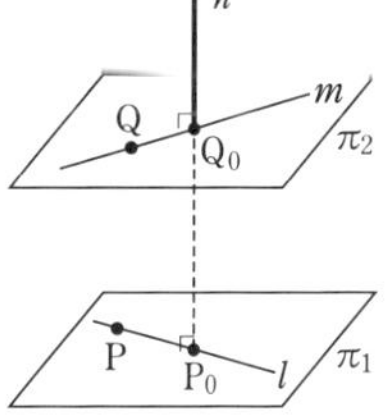

$$PQ\geqq(\pi_1 \text{ と } \pi_2 \text{ の距離})=P_0Q_0$$

であることがわかるだろう．

7 三角形の面積の公式を使う．

解 $\overrightarrow{OP}=\begin{pmatrix}2\\1\\2\end{pmatrix}$，$\overrightarrow{OQ}=\begin{pmatrix}2\\3\\6\end{pmatrix}$ より，

$$\triangle OPQ=\frac{1}{2}\sqrt{|\overrightarrow{OP}|^2|\overrightarrow{OQ}|^2-(\overrightarrow{OP}\cdot\overrightarrow{OQ})^2}$$

$$=\frac{1}{2}\sqrt{(4+1+4)(4+9+36)-(4+3+12)^2}$$

$$=\frac{1}{2}\sqrt{9\cdot 49-19^2}=\frac{1}{2}\sqrt{441-361}$$

$$=\frac{1}{2}\sqrt{80}=\frac{1}{2}\cdot 4\sqrt{5}=\mathbf{2\sqrt{5}}$$

8 △OPQを底面とみたときの高さを求める．例題と同様，高さ方向の直線（アイで求めるベクトルが方向ベクトル）に垂線を下ろす．

解 $\overrightarrow{OP}=\begin{pmatrix}2\\1\\2\end{pmatrix}$，$\overrightarrow{OQ}=\begin{pmatrix}2\\3\\6\end{pmatrix}$，$\overrightarrow{OR}=\begin{pmatrix}3\\6\\2\end{pmatrix}$

アイ：　$\vec{n}=\begin{pmatrix}a\\b\\-1/\sqrt{5}\end{pmatrix}$ が $\overrightarrow{OP}$，$\overrightarrow{OQ}$ の両方に垂直であるとすると，

$$2a+b-\frac{2}{\sqrt{5}}=0\cdots\cdots①,\quad 2a+3b-\frac{6}{\sqrt{5}}=0\cdots\cdots②$$

②−①より $2b-\dfrac{4}{\sqrt{5}}=0$　　∴　$b=\dfrac{2}{\sqrt{5}}$

このとき，①より $a=0$ だから，求めるベクトルは

$\left(\mathbf{0},\ \dfrac{\mathbf{2}}{\sqrt{\mathbf{5}}},\ -\dfrac{\mathbf{1}}{\sqrt{\mathbf{5}}}\right)$ ［大きさが1なので適する］

ウ：　Oを通り，方向ベクトルがアイで求めたベクトル $\vec{n}$ である直線を l とし，Rから l に下ろした垂線の足をHとする．$\overrightarrow{OH}=k\vec{n}$ とおくと，$\overrightarrow{OH}\cdot\overrightarrow{RH}=0$ より

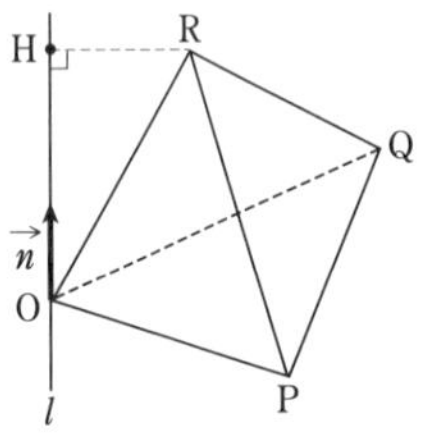

$$\overrightarrow{OH}\cdot(\overrightarrow{OH}-\overrightarrow{OR})=0$$

$$\therefore\quad k\vec{n}\cdot(k\vec{n}-\overrightarrow{OR})=0$$

従って，［$\vec{n}\cdot(k\vec{n}-\overrightarrow{OR})=0$ より］

$$k=\frac{\vec{n}\cdot\overrightarrow{OR}}{\vec{n}\cdot\vec{n}}=\vec{n}\cdot\overrightarrow{OR}=\frac{1}{\sqrt{5}}\begin{pmatrix}0\\2\\-1\end{pmatrix}\cdot\begin{pmatrix}3\\6\\2\end{pmatrix}$$

$$=\frac{1}{\sqrt{5}}(12-2)=\frac{10}{\sqrt{5}}=2\sqrt{5}$$

求める体積は，○7の演習題の解答から，

$$\frac{1}{3}\cdot\triangle OPQ\cdot OH=\frac{1}{3}\cdot 2\sqrt{5}\cdot 2\sqrt{5}=\mathbf{\frac{20}{3}}$$

9 （1） $\overrightarrow{CH}\cdot\overrightarrow{AQ}=0$ を成分で書いて k を求める．

（3）（2）のCHが1以下になることが条件（逆手流）．

解 A(0, 0, 3)，C(0, 2, 2)，Q(a, b, 0)

（1） $\overrightarrow{AH}=k\overrightarrow{AQ}$ より，$\overrightarrow{CH}=\overrightarrow{AH}-\overrightarrow{AC}=k\overrightarrow{AQ}-\overrightarrow{AC}$ である．CH⊥AQだから

$$\overrightarrow{CH}\cdot\overrightarrow{AQ}=0\qquad\therefore\quad (k\overrightarrow{AQ}-\overrightarrow{AC})\cdot\overrightarrow{AQ}=0$$

よって，$k=\dfrac{\overrightarrow{AC}\cdot\overrightarrow{AQ}}{\overrightarrow{AQ}\cdot\overrightarrow{AQ}}$

$$\overrightarrow{AC}\cdot\overrightarrow{AQ}=\begin{pmatrix}0\\2\\-1\end{pmatrix}\cdot\begin{pmatrix}a\\b\\-3\end{pmatrix}=2b+3,$$

$$\overrightarrow{AQ}\cdot\overrightarrow{AQ}=\left|\begin{pmatrix}a\\b\\-3\end{pmatrix}\right|^2$$

$$=a^2+b^2+9$$

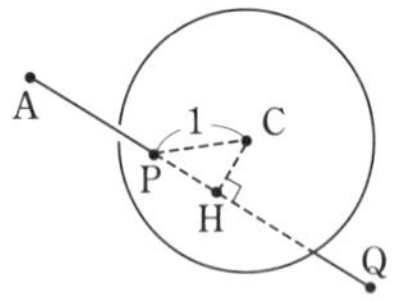

より，$\boldsymbol{k=\dfrac{2b+3}{a^2+b^2+9}}$

（2） $CH^2=AC^2-AH^2$

$$=AC^2-k^2AQ^2$$

$$=(4+1)-\left(\frac{2b+3}{a^2+b^2+9}\right)^2\cdot(a^2+b^2+9)$$

$$=5-\frac{(2b+3)^2}{a^2+b^2+9}=\frac{5a^2+b^2-12b+36}{a^2+b^2+9}\cdots\cdots\cdots\cdots①$$

よって，$\mathbf{CH}=\sqrt{\dfrac{\boldsymbol{5a^2+b^2-12b+36}}{\boldsymbol{a^2+b^2+9}}}$

（3） Pが球面上を動くとき CH≦1 であるから，Q(a, b, 0)が求める存在範囲に含まれるための条件は CH≦1 である．①≦1 より

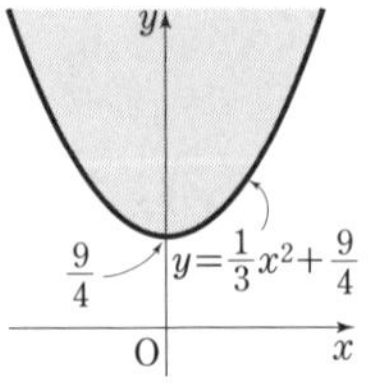

$$5a^2+b^2-12b+36$$
$$\leqq a^2+b^2+9$$

$$\therefore\quad 4a^2-12b+27\leqq 0$$

a，b を x，y に変え，

$$\boldsymbol{y\geqq\frac{1}{3}x^2+\frac{9}{4}}$$

答えは右図網目部（境界含む）．

⇒**注**　直円錐（の側面）と，その円錐に母線で接する平面に平行な平面（ただし，円錐の頂点を通らない）との交わりの曲線は放物線になることが知られている．本問で，直線AQが球面に接するときのAQが作る曲面は直円錐になる．以下，球面を S，この円錐を E とする．

球面 S［中心(0, 2, 2)，半径1］上の点で z 座標が最も大きいものはR(0, 2, 3)であるから，平面 $z=3$ は S に接する．点A(0, 0, 3)が $z=3$ 上の点であることに注意すると，直線ARは S に接する直線であり，E の母線になる．また，$z=3$ はARで S に接する．平面 $z=0$（xy 平面）は $z=3$ に平行であるから，E と $z=0$ の交わりは放物線になる（右上図）．

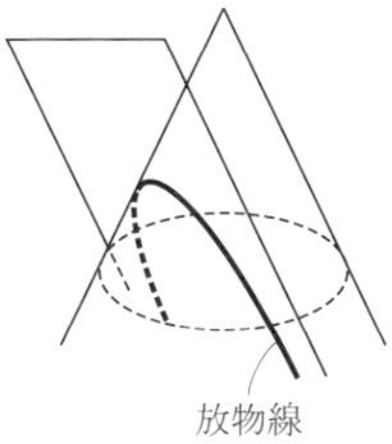

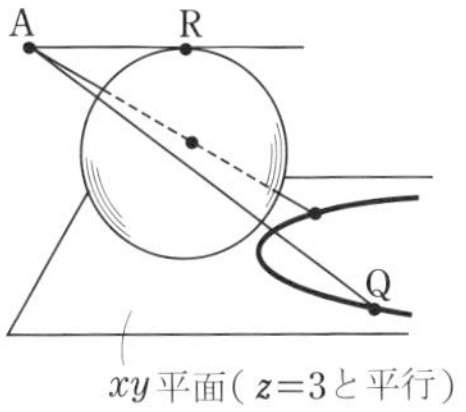

10　（2）　P は直線上を動く．α は，この直線 m と l を含む［（1）の $\vec{l}$ に平行な直線が m と交わるように動いてできる平面が α］から，α の法線ベクトルは，l と m の両方に垂直なベクトルである．

（3）　平面 α の方程式を求め，座標軸との交点を計算する．

解　A$(2,\ 3,\ -1)$，B$(1,\ 1,\ 1)$，
P$(2t,\ 3t+3,\ -2t+1)$

（1）　直線 l の方向ベクトルを $\begin{pmatrix} p \\ q \\ r \end{pmatrix}$ とすると，$\begin{pmatrix} p \\ q \\ r \end{pmatrix}$ は $\overrightarrow{\mathrm{OA}}=\begin{pmatrix} 2 \\ 3 \\ -1 \end{pmatrix}$，$\overrightarrow{\mathrm{OB}}=\begin{pmatrix} 1 \\ 1 \\ 1 \end{pmatrix}$ の両方に垂直だから

$2p+3q-r=0$ ……①，$p+q+r=0$ ……②

①−②×2 より，$q-3r=0$　　$\therefore$　$q=3r$

①−②×3 より，$-p-4r=0$　　$\therefore$　$p=-4r$

よって $\begin{pmatrix} p \\ q \\ r \end{pmatrix}=\begin{pmatrix} -4r \\ 3r \\ r \end{pmatrix}=r\begin{pmatrix} -4 \\ 3 \\ 1 \end{pmatrix}$ であり，l の方向ベクトルの一つは $\vec{l}=\begin{pmatrix} \mathbf{-4} \\ \mathbf{3} \\ \mathbf{1} \end{pmatrix}$

（2）　$\overrightarrow{\mathrm{OP}}=\begin{pmatrix} 2t \\ 3t+3 \\ -2t+1 \end{pmatrix}=\begin{pmatrix} 0 \\ 3 \\ 1 \end{pmatrix}+t\begin{pmatrix} 2 \\ 3 \\ -2 \end{pmatrix}$ であるから，P は点 $(0,\ 3,\ 1)$ を通り方向ベクトルが $\vec{m}=\begin{pmatrix} 2 \\ 3 \\ -2 \end{pmatrix}$ の直線 m の上を動く．

平面 α は 2 直線 $l,\ m$ を含む（☞注）から，α の法線ベクトル $\vec{n}$ は，$\vec{l}=\begin{pmatrix} -4 \\ 3 \\ 1 \end{pmatrix}$，$\vec{m}=\begin{pmatrix} 2 \\ 3 \\ -2 \end{pmatrix}$ の両方に垂直である．

$\vec{n}=\begin{pmatrix} a \\ b \\ c \end{pmatrix}$ とおくと，

$-4a+3b+c=0$ ……③，$2a+3b-2c=0$ ……④

③−④ より $-6a+3c=0$　　$\therefore$　$c=2a$

これを③に代入して，$-2a+3b=0$　　$\therefore$　$b=\dfrac{2}{3}a$

よって $\vec{n}=a\begin{pmatrix} 1 \\ 2/3 \\ 2 \end{pmatrix}=\dfrac{a}{3}\begin{pmatrix} 3 \\ 2 \\ 6 \end{pmatrix}$ であり，α の法線ベクトルの一つは $\begin{pmatrix} \mathbf{3} \\ \mathbf{2} \\ \mathbf{6} \end{pmatrix}$

（3）　$t=0$ のときの P は $(0,\ 3,\ 1)$ であり，平面 α はこの点を通る．これと（2）から，α の方程式は

$3x+2(y-3)+6(z-1)=0$

$\therefore$　$3x+2y+6z=12$

α と x 軸との交点は，$y=z=0$ として $x=4$，同様に y 軸との交点は $y=6$，z 軸との交点は $z=2$．

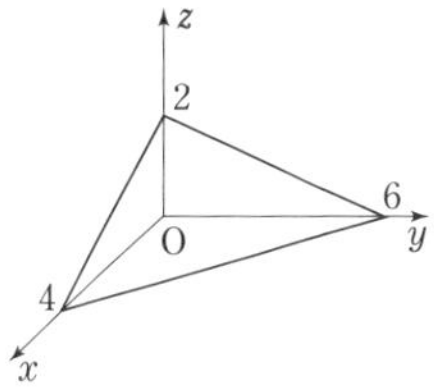

右図から，求める体積は

$\dfrac{1}{3}\times\dfrac{1}{2}\cdot4\cdot6\times2=\mathbf{8}$

⇨**注**　（2）　右図をイメージしよう．P は直線 l 上にあるから，P は（l を含む平面）α 上にあり，従って P の軌跡である直線 m は平面 α に含まれる．

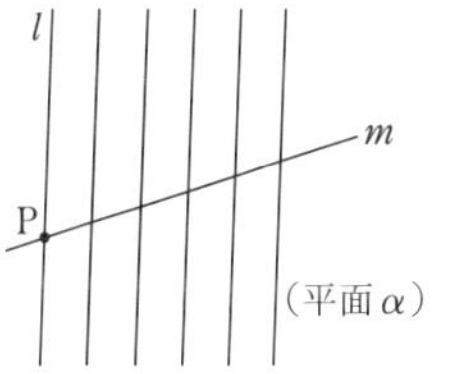

11　（1）（2）とも，平面と直線の交点を考える．平面の方程式を活用しよう．

（1）　P から α に下ろした垂線の足 H を利用する．H は PR の中点である．

（2）　PS=RS であるから，R，S，Q が一直線上にあるときに PS+QS（=RS+QS）が最小になる．平面 α と直線 RQ の交点が S である．

解　（1）　平面 α は，点 A$(1,\ 2,\ 4)$ を通り法線ベクトルが $\vec{n}=\begin{pmatrix} -3 \\ 1 \\ 2 \end{pmatrix}$ であるから，

$-3(x-1)+1\cdot(y-2)+2(z-4)=0$

$\therefore$　$-3x+y+2z-7=0$

P から α に下ろした垂線の足を H とする．$\overrightarrow{\mathrm{PH}}$ は $\vec{n}$ と同じ方向だから $\overrightarrow{\mathrm{PH}}=t\vec{n}$ とおけ，

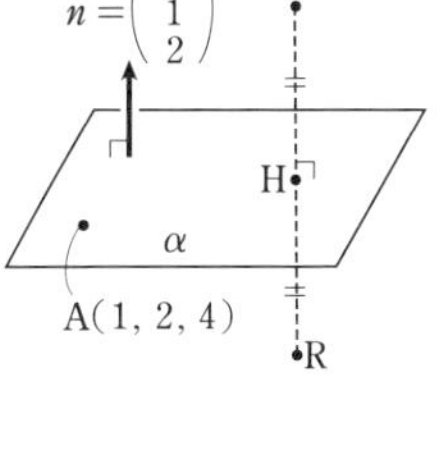

$\overrightarrow{\mathrm{OH}}=\overrightarrow{\mathrm{OP}}+\overrightarrow{\mathrm{PH}}=\overrightarrow{\mathrm{OP}}+t\vec{n}$

$=\begin{pmatrix} -2 \\ 1 \\ 7 \end{pmatrix}+t\begin{pmatrix} -3 \\ 1 \\ 2 \end{pmatrix}$

すなわち $H(-2-3t,\ 1+t,\ 7+2t)$ と書ける（t は実数）．この H が α 上にあるとき，

$$-3(-2-3t)+(1+t)+2(7+2t)-7=0$$

$$\therefore\ 14t+14=0 \qquad \therefore\ t=-1$$

平面 α に関して P と対称な点が R だから H は PR の中点であり，$\overrightarrow{PR}=2\overrightarrow{PH}$ である．よって，

$$\overrightarrow{OR}=\overrightarrow{OP}+\overrightarrow{PR}=\overrightarrow{OP}+2\overrightarrow{PH}=\overrightarrow{OP}+2t\vec{n}$$

$$=\begin{pmatrix}-2\\1\\7\end{pmatrix}+2\cdot(-1)\begin{pmatrix}-3\\1\\2\end{pmatrix}=\begin{pmatrix}4\\-1\\3\end{pmatrix}$$

答えは，$\mathbf{R(4,\ -1,\ 3)}$

（２） PS=RS であるから，

$$PS+QS=RS+QS \geqq RQ$$

であり，等号は R, S, Q が一直線上にあるときに成り立つ．直線 RQ と平面 α の交点を T とするとき，T の座標が求めるもの（PS+QS を最小にする S の座標）である．$\overrightarrow{RT}=u\overrightarrow{RQ}$ とおくと，

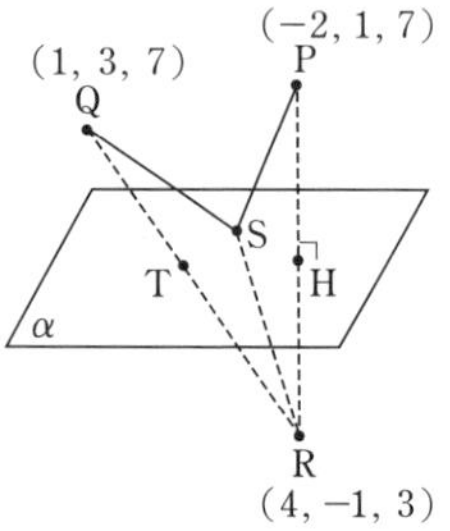

$$\overrightarrow{OT}=\overrightarrow{OR}+\overrightarrow{RT}=\overrightarrow{OR}+u\overrightarrow{RQ}=\begin{pmatrix}4\\-1\\3\end{pmatrix}+u\begin{pmatrix}-3\\4\\4\end{pmatrix}$$

すなわち $T(4-3u,\ -1+4u,\ 3+4u)$ となるから，この T が α 上にあるとき，

$$-3(4-3u)+(-1+4u)+2(3+4u)-7=0$$

$$\therefore\ 21u-14=0 \qquad \therefore\ u=\frac{2}{3}$$

よって，$\mathrm{T}\left(\mathbf{2},\ \frac{\mathbf{5}}{\mathbf{3}},\ \frac{\mathbf{17}}{\mathbf{3}}\right)$

PS+QS の最小値は，$RQ=\sqrt{9+16+16}=\boldsymbol{\sqrt{41}}$

➡**注** 問題文に「P と Q は平面 α に関して同じ側にある」と書いてあるのでそのことを前提に解答してよい．なお，（２）で求めた $u\left(=\frac{2}{3}\right)$ が $0<u<1$ を満たすので T は線分 RQ 上にあり，これより「　」となる．

12 （１） ○7 の公式を用いる．

（２） 平面 α の方程式はすぐに書ける（切片が与えられている．☞○11）．底面を △ABC とみて，「点と平面の距離」の公式を用いて高さ（P と平面 ABC の距離）を計算する．

（３） b を消去して a で微分する．

解 （１） $\overrightarrow{AB}=\begin{pmatrix}-a\\b\\0\end{pmatrix}$，$\overrightarrow{AC}=\begin{pmatrix}-a\\0\\1\end{pmatrix}$ であるから，

$$\triangle ABC=\frac{1}{2}\sqrt{|\overrightarrow{AB}|^2|\overrightarrow{AC}|^2-(\overrightarrow{AB}\cdot\overrightarrow{AC})^2}$$

$$=\frac{1}{2}\sqrt{(a^2+b^2)(a^2+1)-(a^2)^2}$$

$$=\boldsymbol{\frac{1}{2}\sqrt{a^2b^2+a^2+b^2}}$$

（２） 平面 ABC の方程式は

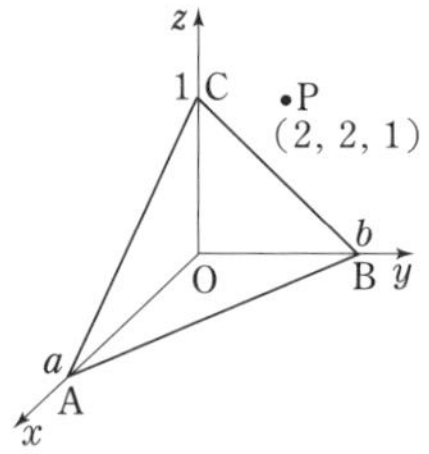

$$\frac{x}{a}+\frac{y}{b}+\frac{z}{1}=1$$

すなわち

$$bx+ay+abz-ab=0$$

であるから，$P(2,\ 2,\ 1)$ と平面 ABC の距離は

$$\frac{|2b+2a|}{\sqrt{b^2+a^2+(ab)^2}}=\frac{2(a+b)}{\sqrt{a^2b^2+a^2+b^2}} \quad (a,\ b\text{ は正})$$

よって，四面体 PABC の体積 V は，

$$V=\frac{1}{3}\cdot\frac{1}{2}\sqrt{a^2b^2+a^2+b^2}\cdot\frac{2(a+b)}{\sqrt{a^2b^2+a^2+b^2}}=\boldsymbol{\frac{a+b}{3}}$$

（３） $V=\frac{1}{3}$ のとき，$\frac{a+b}{3}=\frac{1}{3}$ $\qquad \therefore\ \boldsymbol{b=1-a}$

このとき，

$$a^2b^2+a^2+b^2$$

$$=a^2(1-a)^2+a^2+(1-a)^2$$

$$=a^4-2a^3+3a^2-2a+1$$

であり，これを $f(a)$ とおくと，

$$f'(a)=4a^3-6a^2+6a-2$$

$$=2(2a^3-3a^2+3a-1)$$

$$=2(2a-1)(a^2-a+1)$$

$a^2-a+1=\left(a-\frac{1}{2}\right)^2+\frac{3}{4}>0$ であるから，$f(a)$ は $\boldsymbol{a=\frac{1}{2}}$ のときに最小になる．△ABC の面積の最小値は

［（１）の式に $a=b=\frac{1}{2}$ を代入して］

$$\frac{1}{2}\sqrt{\frac{1}{4}\cdot\frac{1}{4}+\frac{1}{4}+\frac{1}{4}}=\frac{1}{2}\sqrt{\frac{9}{16}}=\boldsymbol{\frac{3}{8}}$$

➡**注** $f(a)=(a^2-a+1)^2$ に気づくと微分は不要．

$$\triangle ABC=\frac{1}{2}\sqrt{(a^2-a+1)^2}=\frac{1}{2}|a^2-a+1|$$

$$=\frac{1}{2}\left|\left(a-\frac{1}{2}\right)^2+\frac{3}{4}\right|=\frac{1}{2}\left(a-\frac{1}{2}\right)^2+\frac{3}{8}$$

より，$a=\frac{1}{2}$ で最小値 $\frac{3}{8}$ をとる．

数列

本書の前文の解説などを教科書的に詳しくまとめた本として,「教科書Next 数列の集中講義」(小社刊)があります. 是非ともご活用ください.

数列
要点の整理

1. 数列とは

1・1 定義

文字通り，数の列を数列といい，その各数を項という．数列を一般的には，

a_1，a_2，…，a_n，…；または $\{a_n\}$

のように表す．第1項 a_1 を初項，一般の n に対して第 n 項 a_n を一般項という．

2. 等差数列

2・1 定義

$a_{n+1}=a_n+d$，$a_1=a$ で定められる数列 $\{a_n\}$ を等差数列といい，d をその公差という．初項 a，公差 d の等差数列の一般項 a_n は，

$$a_n=a+(n-1)d$$

2・2 和の公式

初項から第 n 項までの和を S_n とすると，

$$S_n=\frac{\text{初項}+\text{末項}}{2}\times\text{項数}=\frac{a_1+a_n}{2}\times n$$

3. 等比数列

3・1 定義

$a_{n+1}=ra_n$，$a_1=a$ で定められる数列 $\{a_n\}$ を等比数列といい，r をその公比という．

初項 a，公比 r の等比数列の一般項 a_n は，

$$a_n=ar^{n-1}$$

3・2 和の公式

初項から第 n 項までの和を S_n とすると，

$r\neq1$ のとき，$S_n=\dfrac{a(1-r^n)}{1-r}=\dfrac{a(r^n-1)}{r-1}$

$r=1$ のとき，$S_n=na$

4. 階差数列

4・1 定義

数列 $\{a_n\}$ があるとき，$b_n=a_{n+1}-a_n$ として得られる数列 $\{b_n\}$ を $\{a_n\}$ の階差数列という．

この階差数列を用いると，$\{a_n\}$ の一般項は，

$$a_n(=a_1+(a_2-a_1)+(a_3-a_2)+\cdots+(a_n-a_{n-1}))$$
$$=a_1+\sum_{k=1}^{n-1}b_k\quad(n\geqq2)$$

5. 和の公式と計算方法

5・1 累乗の和の公式

$$\sum_{k=1}^{n}k=\frac{n(n+1)}{2}$$

$$\sum_{k=1}^{n}k^2=\frac{n(n+1)(2n+1)}{6}$$

$$\sum_{k=1}^{n}k^3=\left\{\frac{n(n+1)}{2}\right\}^2$$

総和で，k が1以外の数から始まる場合は，例えば

$$\sum_{k=10}^{20}k^2=\sum_{k=1}^{20}k^2-\sum_{k=1}^{9}k^2$$
$$=\frac{1}{6}\cdot20\cdot21\cdot41-\frac{1}{6}\cdot9\cdot10\cdot19=2585$$

というように計算すればよい．

5・2 《k の1次関数》×r^k の和の計算

S_n-rS_n を作ると，等比数列の和を求めることに帰着される．

5・3 差の形に分解

$\displaystyle\sum_{k=1}^{n}\frac{1}{k(k+1)}$ は，$\dfrac{1}{k(k+1)}=\dfrac{1}{k}-\dfrac{1}{k+1}$ であることを利用して，

$$\sum_{k=1}^{n}\frac{1}{k(k+1)}=\sum_{k=1}^{n}\left(\frac{1}{k}-\frac{1}{k+1}\right)$$
$$=\left(1-\frac{1}{2}\right)+\left(\frac{1}{2}-\frac{1}{3}\right)+\cdots+\left(\frac{1}{n}-\frac{1}{n+1}\right)$$
$$=1-\frac{1}{n+1}=\frac{n}{n+1}$$

と計算するが，これと同様に，a_n $(n=1,\ 2,\ \cdots)$ を，

$$a_n=f(n)-f(n-1)\ \text{の形に分解する}$$

ことができれば $\left(\text{上の例では，}f(n)=-\dfrac{1}{n+1}\right)$，

$$\sum_{k=1}^{n}a_k=\sum_{k=1}^{n}\{f(k)-f(k-1)\}=f(n)-f(0)$$

と計算できる．

［例］

1°　$k(k+1)=\{k(k+1)(k+2)-(k-1)k(k+1)\}\cdot\frac{1}{3}$

を利用して，

$$\sum_{k=1}^{n}k(k+1)=\frac{1}{3}n(n+1)(n+2)$$

2°　$k(k+1)(k+2)$

$=\{k(k+1)(k+2)(k+3)-(k-1)k(k+1)(k+2)\}\cdot\frac{1}{4}$

を利用して，

$$\sum_{k=1}^{n}k(k+1)(k+2)=\frac{1}{4}n(n+1)(n+2)(n+3)$$

3°　$\frac{1}{k(k+1)(k+2)}=\left\{\frac{1}{k(k+1)}-\frac{1}{(k+1)(k+2)}\right\}\cdot\frac{1}{2}$

を利用して，

$$\sum_{k=1}^{n}\frac{1}{k(k+1)(k+2)}=\frac{1}{4}-\frac{1}{2(n+1)(n+2)}$$

4°　$k\cdot k!=(k+1)!-k!$ を利用して，

$$\sum_{k=1}^{n}k\cdot k!=(n+1)!-1$$

5°　$\frac{1}{\sqrt{k+1}+\sqrt{k}}=\sqrt{k+1}-\sqrt{k}$ を利用して，

$$\sum_{k=1}^{n}\frac{1}{\sqrt{k+1}+\sqrt{k}}=\sqrt{n+1}-1$$

6°　$\frac{2k}{k^4+k^2+1}=\frac{1}{(k-1)^2+(k-1)+1}-\frac{1}{k^2+k+1}$

を利用して，

$$\sum_{k=1}^{n}\frac{2k}{k^4+k^2+1}=1-\frac{1}{n^2+n+1}$$

＊　　　　＊

これらに見られるように，a_k と $f(k)$ は形が似ている．

5・4　和と一般項の関係

$a_1=S_1$，$a_n=S_n-S_{n-1}$（$n=2, 3, \cdots$）

（$n\geqq 2$ に注意．形式的に $S_0=0$ とすれば，$n=1$ のときも含めて第２式だけで O.K.）

6. 漸化式

6・1　$a_{n+1}=pa_n+q$（p，q は定数，$p\neq 1$）……①

①に対して，$\alpha=p\alpha+q$ ……② をみたす $\alpha=\frac{q}{1-p}$ を考え，①－② をつくると，

$$a_{n+1}-\alpha=p(a_n-\alpha)$$

これは，数列 $\{a_n-\alpha\}$（$a_1-\alpha$，$a_2-\alpha$，… のこと．以下同様）が公比 p の等比数列であることを示すから，

$$a_n-\alpha=p^{n-1}(a_1-\alpha)$$

$$\therefore\quad a_n=(a_1-\alpha)p^{n-1}+\alpha$$

$$\therefore\quad a_n=\left(a_1-\frac{q}{1-p}\right)p^{n-1}+\frac{q}{1-p}$$

6・2　$a_{n+2}=pa_{n+1}+qa_n$ ……③

a_{n+2}，a_{n+1}，a_n をそれぞれ x^2，x，1 でおきかえた２次方程式 $x^2=px+q$ の２解を α，β とおくと，

$\alpha+\beta=p$，$\alpha\beta=-q$ だから，③は，

$$a_{n+2}=(\alpha+\beta)a_{n+1}-\alpha\beta a_n$$

となり，これは，次のように２通りに変形できる．

$$\begin{cases}a_{n+2}-\beta a_{n+1}=\alpha(a_{n+1}-\beta a_n)\\ a_{n+2}-\alpha a_{n+1}=\beta(a_{n+1}-\alpha a_n)\end{cases}$$

よって，２つの数列 $\{a_{n+1}-\beta a_n\}$，$\{a_{n+1}-\alpha a_n\}$ はそれぞれ公比 α，β の等比数列だから，

$$\begin{cases}a_{n+1}-\beta a_n=\alpha^{n-1}(a_2-\beta a_1)\ \cdots\cdots④\\ a_{n+1}-\alpha a_n=\beta^{n-1}(a_2-\alpha a_1)\ \cdots\cdots⑤\end{cases}$$

$\alpha\neq\beta$ のとき，④－⑤ により，

$$a_n=\frac{1}{\alpha-\beta}\{(a_2-\beta a_1)\alpha^{n-1}-(a_2-\alpha a_1)\beta^{n-1}\}$$

$\alpha=\beta$ のときは，④は，$a_{n+1}-\alpha a_n=\alpha^{n-1}(a_2-\alpha a_1)$

この漸化式は，$a_{n+1}=\alpha a_n+f(n)$

の形をしていて，詳しくは p.64～65 の ○9, 10 で扱うが，上の場合は，両辺を α^{n+1} で割ると

$$\frac{a_{n+1}}{\alpha^{n+1}}=\frac{a_n}{\alpha^n}+\frac{a_2-\alpha a_1}{\alpha^2}$$

となり，$\frac{a_n}{\alpha^n}=b_n$ とおくと，$\{b_n\}$ は等差数列で，a_n が求まる．

6・3　推定し，数学的帰納法で証明

解法がすぐには思いつかないというときは，a_1，a_2，a_3，… を具体的に求めて a_n を推定し，それが正しいことを数学的帰納法で証明する，という手段があることも忘れてはならない．

6・4　漸化式の応用

漸化式は，いつも一般項が求められるとは限らない．とくに証明問題では，無理に一般項を出そうとするのではなく数学的帰納法を利用したり，漸化式を漸化式のままで活用することが重要である．

1 等差数列の最大・最小

（ア） 等差数列 a_1，a_2，a_3，… の第 10 項が 37，第 20 項が −33 であるとき，数列 $\{a_n\}$ の初項は $a_1=$ □ であり，項の値が負の数になる最初の項は第 □ 項である．数列 $\{a_n\}$ の初項から第 n 項までの和を最大にする n は □ である．（東京都市大）

（イ） 初項が −35 であり，第 7 項から第 13 項までの和が 7 である等差数列の公差は □ である．また，この数列の初項から第 n 項までの和を S_n とすると，$|S_n|$ が最小となるのは $n=$ □ であり，そのとき $|S_n|=$ □ である．（共立薬大）

等差数列の和 $(等差数列の和)=\dfrac{(初項)+(末項)}{2}\times(項数)$ で計算するのがオススメ．

S_n が最大となるとき $S_{n+1}=S_n+a_{n+1}$ なので，図 1 のように $a_5>0$ のとき S_5 は S_4 より大きく，$a_6<0$ のとき S_6 は S_5 より小さくなる．$\{a_n\}$ が等差数列で，初項が正，公差が負であれば，a_n の符号が正から負に変わるところで，S_n が最大となる（図 1）．数列のうち正の項ばかりを足せば，和が最大になるのは当然．S_n の式を求めずとも，S_n が最大となる n を求めることができる．

図 1

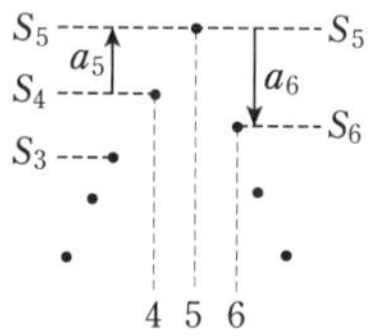

図 2

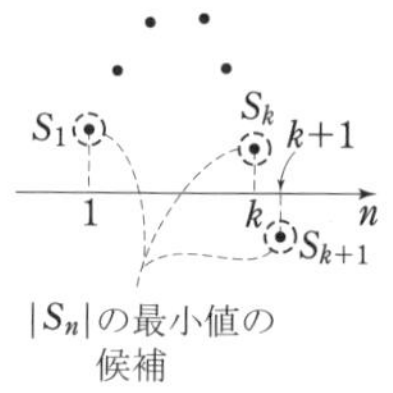

$|S_n|$ の最小値の求め方 $|S_n|$ の最小値の候補は，S_n の符号が変わる前後と $|S_1|$（図 2）．

解 答

（ア） 初項を a，公差を d とすると，

$a_{10}=a+9d=37$ ……①　$a_{20}=a+19d=-33$ ……②

②−①より，$10d=-70$　∴ $d=-7$．①より，$a_1=a=37-9d=\mathbf{100}$

一般項は，$a_n=100+(n-1)\cdot(-7)=107-7n$

$a_n<0$ は，$107-7n<0$　∴ $15.2\cdots<n$

負になる最初の項は**第 16 項**であり，それ以降すべて負である．第 15 項までは加えるごとに増加するので和を最大にする n は，$\mathbf{n=15}$ である．

⇦初項 a，公差 d の等差数列の第 n 項は，$a_n=a+(n-1)d$

⇦ $n\leqq15$ のとき $a_n>0$
$n\geqq16$ のとき $a_n<0$ なので，
$\cdots<S_{13}<S_{14}<S_{15}>S_{16}>S_{17}>\cdots$

（イ） 公差を d とすると，第 7 項から第 13 項までの 7 項の和が 7 だから，

$\dfrac{a_7+a_{13}}{2}\cdot7=7$　∴ $a_7+a_{13}=2$　∴ $(-35+6d)+(-35+12d)=2$

∴ $-70+18d=2$　∴ $d=\mathbf{4}$

総和は，$S_n=\dfrac{a_1+a_n}{2}\cdot n=\dfrac{-35+\{-35+4(n-1)\}}{2}\cdot n=n(2n-37)$

右図より，最小値の候補は

$|S_1|=|-35|=35$，

$|S_{18}|=|18\cdot(-1)|=18$

$|S_{19}|=|19\cdot1|=19$

よって，$|S_n|$ は，$\mathbf{n=18}$ のとき，最小値 **18** をとる．

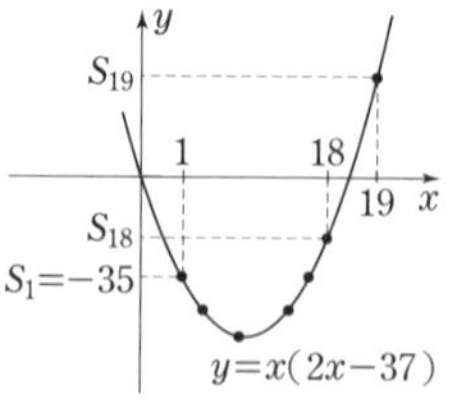

1 演習題（解答は p.72）

初項が 50，公差が整数である等差数列の初めの n 項の和を S_n で表すとき，S_1，S_2，S_3，… の中で最大なものが S_{17} である．このとき，この等差数列の公差 d，一般項 a_n，$\sum_{k=1}^{n}S_k$ を求めよ．（東海学園大）

$a_{17}>0$，$a_{18}<0$ となることと整数条件を用いる．

2 等比数列

(ア)　a, b, c は相異なる実数で，$abc=-27$ を満たしている．さらに，a, b, c はこの順で等比数列であり，a, b, c の順序を適当に変えると等差数列になる．a, b, c を求めよ．　（宮城教大）

(イ)　初項と第 2 項の和が 135 で，第 4 項と第 5 項の和が 40 である等比数列 $\{a_n\}$ の公比は □ である．ただし各項は実数とする．また，初項が 84 で，初項から第 5 項までの和が 290 である等差数列 $\{b_n\}$ の公差は □ である．これら 2 つの数列 $\{a_n\}$, $\{b_n\}$ に関して，$a_n>b_n$ が成り立つ最小の n の値は □ である．　（東京工科大・メディア）

3 項が等差数列，等比数列になる条件　a, b, c がこの順に等差数列であるとき $a+c=2b$，また，x, y, z がこの順に等比数列であるとき，$xz=y^2$ が成り立つ（$b-a=c-b$；　$x:y=y:z$ より分かる）．

等差数列・等比数列の大小　$\{a_n\}$ が等差数列，$\{b_n\}$ が等比数列（公比は正）のとき，$(n,\ a_n)$ は直線上，$(n,\ b_n)$ は指数関数のグラフ（下に凸）上に乗る．等差数列，等比数列の各項の大小はグラフを描くと様子がはっきり分かる．（右図のように，2 交点の間では，等差＞等比）

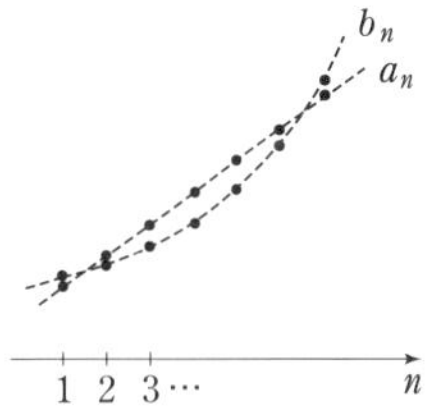

解答

(ア)　a, b, c はこの順で等比数列だから，$ac=b^2$

これと $abc=-27$ より，$b^3=-27$　　∴　$b=-3$　　∴　$ac=9$

c を a で表して，$(a,\ b,\ c)=(a,\ -3,\ 9/a)$

以下，等差数列の条件を考える．中央項がどれになるかで場合分けする．　⇦中央項が a, b, c で場合分け．

1°　$-3+\dfrac{9}{a}=2a$　　2°　$a+\dfrac{9}{a}=2\cdot(-3)$　　3°　$a+(-3)=2\cdot\dfrac{9}{a}$

⇦1° は a が中央項で，$b+c=2a$ となる．2° は b が中央項，3° は c が中央項のとき．

1° のとき，$2a^2+3a-9=0$　　∴　$(a+3)(2a-3)=0$

$a\neq b$ より $a\neq -3$ だから，$a=3/2$　　∴　$c=6$

2° のとき，$a^2+6a+9=0$　　∴　$a=-3$　これは $a\neq b$ に反する．

3° のとき，$a^2-3a-18=0$　　∴　$(a+3)(a-6)=0$　　∴　$a=6$　　⇦$a=6$ のとき，$c=9/6=3/2$

以上から，$\boldsymbol{(a,\ b,\ c)=(3/2,\ -3,\ 6),\ (6,\ -3,\ 3/2)}$

(イ)　$\{a_n\}$ の初項を a，公比を r とおくと，$a_n=ar^{n-1}$

$$\left.\begin{array}{l}a_1+a_2=a+ar=a(1+r)=135\\ a_4+a_5=ar^3+ar^4=ar^3(1+r)=40\end{array}\right\}\text{より，}\ r^3=\frac{ar^3(1+r)}{a(1+r)}=\frac{40}{135}=\frac{8}{27}=\left(\frac{2}{3}\right)^3$$

よって，$r=\boldsymbol{\dfrac{2}{3}}$，$a=\dfrac{135}{1+r}=\dfrac{135}{5/3}=81$

$\{b_n\}$ の公差を d とおく．$b_1\sim b_5$ の和$=\dfrac{b_1+b_5}{2}\cdot 5=\dfrac{84+(84+4d)}{2}\cdot 5$ が 290

なので，$(84+2d)\cdot 5=290$　　∴　$42+d=29$　　∴　$d=\boldsymbol{-13}$

$a_n=81\cdot\left(\dfrac{2}{3}\right)^{n-1}$，$b_n=84-13(n-1)$

と表より $a_n>b_n$ となる最小の n は **7**.

n	1	2	3	4	5	6	7
a_n	81	54	36	24	16	$\frac{32}{3}$	$\frac{64}{9}$
b_n	84	71	58	45	32	19	6

［(イ)後半の方針］　$a_n>b_n$ は解ける不等式ではない．最小の n を求めたいので，$n=1, 2,$ … から順に調べていくのが早い．なお，座標平面上に $(n,\ a_n)$, $(n,\ b_n)$ をプロットすると下図のようになる．

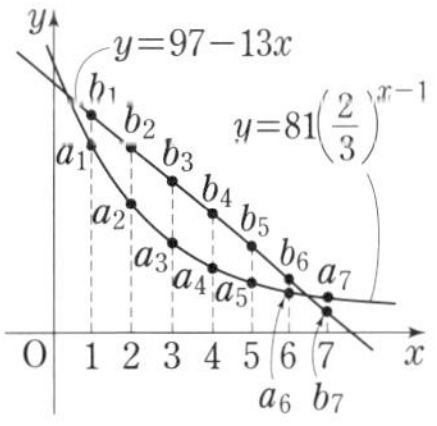

2 演習題（解答は p.72）

p, q を実数とし，$p<q$ とする．さらに，3 つの数 4, p, q をある順に並べると等比数列となり，ある順に並べると等差数列となるとする．このとき p, q の組 $(p,\ q)$ をすべて求めよ．　（小樽商大）

公比が正か負かを考えよう．

3 等比数列の和

（ア） 等比数列 $\{a_n\}$ が，$a_1+a_2+a_3+\cdots+a_{10}=3069$，$a_1+a_3+a_5+a_7+a_9=1023$ を満たすとき，一般項 a_n を求めよ．（岡山理科大）

（イ） $S(x)=1+a_1x+a_2x^2+\cdots+a_kx^k+\cdots+a_{n-1}x^{n-1}+a_nx^n$ とする．

（1） $a_k=3^k$ のとき $S(x)$ を求めなさい．

（2） $a_k=2k+1$，$x\neq1$ のとき $S(x)$ を求めなさい．（明治学院大）

（等比数列の1つおきの項） 公比 r の等比数列から1つおきに取ってできる数列は，公比 r^2 の等比数列．

（(等差数列)×(等比数列)の総和） これを求めるには，総和を S，公比を r とおいて $S-rS$ を考えるのが定石．等比数列の和に帰着できる．

解答

（ア） 等比数列 $\{a_n\}$ の初項を a，公比を r とする．$r=1$ とすると，$\{a_n\}$ は各項が a の定数数列となるが，$(a=)3069\div10\neq1023\div5$ となり不適である．よって $r\neq1$ である．このとき，

$$a_1+a_2+\cdots+a_{10}=3069 \quad \therefore \quad a\cdot\frac{r^{10}-1}{r-1}=3069 \cdots\cdots ①$$

$$a_1+a_3+a_5+a_7+a_9=1023 \quad \therefore \quad a\cdot\frac{(r^2)^5-1}{r^2-1}=1023 \cdots\cdots ②$$

⇦ a_1，a_3，a_5，a_7，a_9 は初項 a，公比 r^2 の等比数列．

①÷②より，$\dfrac{r^2-1}{r-1}=\dfrac{3069}{1023}$ $\quad\therefore\quad r+1=3 \quad\therefore\quad r=2$

⇦①，②の分子はともに $r^{10}-1$

①に代入して，$a\cdot1023=3069$ $\quad\therefore\quad a=3$ よって，$\boldsymbol{a_n=3\cdot2^{n-1}}$

（イ） 以下，$S(x)$ を単に S と書くことにする．

（1） $S=1+3x+3^2x^2+\cdots+3^{n-1}x^{n-1}+3^nx^n$

$=1+3x+(3x)^2+\cdots+(3x)^{n-1}+(3x)^n$

⇦初項1，公比 $3x$ の等比数列の第 $(n+1)$ 項までの和．

$3x=1$ と $3x\neq1$ で場合分けして，

$\boldsymbol{x=\dfrac{1}{3}}$ のとき，$S=1+1+\cdots+1=\boldsymbol{n+1}$，$\boldsymbol{x\neq\dfrac{1}{3}}$ のとき，$S=\boldsymbol{\dfrac{1-(3x)^{n+1}}{1-3x}}$

（2） $S=1+3x+5x^2+\cdots+(2n+1)x^n$

S と xS の差をとる．

$$\begin{aligned} S&=1+3x+5x^2+\cdots+(2n+1)x^n \\ -)\quad xS&=\qquad x+3x^2+\cdots+(2n-1)x^n+(2n+1)x^{n+1} \\ \hline (1-x)S&=1+\underline{2x+2x^2+\cdots+2x^n}-(2n+1)x^{n+1} \\ &=1+\frac{2x(1-x^n)}{1-x}-(2n+1)x^{n+1} \end{aligned}$$

⇦ ―― は，初項 $2x$，公比 x の等比数列の第 n 項までの和．

$$\therefore\quad S=\boldsymbol{\frac{1+x-(2n+3)x^{n+1}+(2n+1)x^{n+2}}{(1-x)^2}}$$

3 演習題 （解答は p.72）

n を正の整数，r を1でない実数とし，

$$S=\sum_{k=1}^{n}r^{k-1},\quad T=\sum_{k=1}^{n}kr^{k-1},\quad U=\sum_{k=1}^{n}k^2r^{k-1}$$

とする．S を r，n で，T を S，r，n で，U を S，T，r，n で表せ．（鹿児島大）

U も T のときをまねてみる．

4 総和／公式の活用，展開の活用

一般項が $a_n=2n-1$ で表される数列がある．このとき，$\sum_{k=1}^{10} a_k{}^2=$ [(1)] である．また，a_1 から a_{10} までの異なる 2 項の積 a_ia_j（ただし，$i<j$）のすべての和は [(2)] である．（芝浦工大）

展開の活用　① $(a+b+c)^2=a^2+b^2+c^2+2(ab+bc+ca)$

② $(a+b+c+d)^2=a^2+b^2+c^2+d^2+2(ab+ac+ad+bc+bd+cd)$

というように，①で，展開した式の ―― 部には，a，b，c の 3 個から異なる 2 個を取ってできるすべての種類の積が出てくる．②で，展開した式の ―― 部には，a，b，c，d の 4 個から異なる 2 個を取ってできるすべての種類の積が出てくる．

$(a_1+a_2+\cdots+a_n)^2$ の展開を考えると，ここには，a_1，a_2，a_3，…，a_n の中から異なる 2 個を取り出して作られる積，${}_nC_2$ 通りのすべてが出てくる．これを利用して総和を求める．

解答

（1）$\sum_{k=1}^{10} a_k{}^2=\sum_{k=1}^{10}(2k-1)^2=\sum_{k=1}^{10}(4k^2-4k+1)=4\sum_{k=1}^{10}k^2-4\sum_{k=1}^{10}k+\sum_{k=1}^{10}1$

$=4\times\frac{1}{6}\cdot10\cdot11\cdot21-4\times\frac{1}{2}\cdot10\cdot11+10=1540-220+10=\mathbf{1330}$

⇦ $\sum_{k=1}^{10}1=\underbrace{1+\cdots+1}_{10コ}=10$

（2）求める和を S とすると，

$(a_1+a_2+\cdots+a_{10})^2=a_1{}^2+a_2{}^2+\cdots+a_{10}{}^2+2S$ ……………………………①

左辺は，

$(a_1+a_2+\cdots+a_{10})^2=\left(\frac{a_1+a_{10}}{2}\cdot10\right)^2=\left(\frac{1+19}{2}\cdot10\right)^2=100^2$ …………………②

⇦ $\{a_n\}$ は等差数列なので．

（1），①，②より，$100^2=1330+2S$　　∴　$S=\mathbf{4335}$

【別解】（j を k に固定する）

j を k（$2\leqq k\leqq10$）に固定して，a_ia_j となる積の和を計算する．

$a_1a_k+a_2a_k+\cdots+a_{k-1}a_k$

$=(a_1+a_2+\cdots+a_{k-1})\cdot a_k=\left\{\frac{a_1+a_{k-1}}{2}\cdot(k-1)\right\}a_k$

$=\frac{1+(2k-3)}{2}\cdot(k-1)\cdot(2k-1)=(k-1)^2(2k-1)$

⇦ a_1a_2+
$a_1a_3+a_2a_3+$
…………
$a_1a_k+a_2a_k+\cdots+a_{k-1}a_k+$
…………
$a_1a_n+\cdots$　　　　$\cdots+a_{n-1}a_n$
（まずココの和を計算した）

次に，k を 2 から 10 まで動かして足す．求める和を S とすると，

$S=\sum_{k=2}^{10}(k-1)^2(2k-1)=\sum_{k=1}^{10}(k-1)^2(2k-1)=\sum_{k=1}^{10}(2k^3-5k^2+4k-1)$

$=2\times\frac{1}{4}\cdot10^2\cdot11^2-5\times\frac{1}{6}\cdot10\cdot11\cdot21+4\cdot\frac{10\cdot11}{2}-1\cdot10$

$=6050-1925+220-10=\mathbf{4335}$

⇦ $k=1$ のとき，$(k-1)^2(2k-1)$ は 0 なので，$k=1$ から足すことにする．公式が使えて，都合がよい．また，☞p.79，ミニ講座．

⇦ $\sum_{k=1}^{n}k^3=\frac{1}{4}n^2(n+1)^2$

4 演習題（解答は p.73）

n を 3 以上の整数として，$1\leqq j\leqq n$，$1\leqq k\leqq n$ を満たす整数 j，k の組 $(j,\ k)$ の全体（n^2 組ある）の集合を I とする．結果は，できる限り因数分解した形で記せ．

（1）組 $(j,\ k)$ が I 全体を動くとき，積 jk の総和を求めよ．

（2）組 $(j,\ k)$ が $j<k$ を満たして I の中を動くとき，積 jk の総和を求めよ．

（3）組 $(j,\ k)$ が $j<k-1$ を満たして I の中を動くとき，積 jk の総和を求めよ．

（日本医大）

展開式を利用して，（1）を求め，そこからいらないものを引いていく．

5 総和／差の形にして和を求める

(ア) $\dfrac{1}{1\cdot3}+\dfrac{1}{2\cdot4}+\dfrac{1}{3\cdot5}+\cdots+\dfrac{1}{9\cdot11}=\boxed{}$ （日大・国際情報）

(イ) $\displaystyle\sum_{k=1}^{n}\frac{1}{(2k+1)(2k+3)}$ と $\displaystyle\sum_{k=1}^{n}\frac{3k+4}{k(k+1)(k+2)}$ を求めよ． （岐阜聖徳学園大・教）

数列の総和 数列 $\{a_n\}$ に対して，$a_n=b_n-b_{n+1}$ と“階差型”で表せる数列 $\{b_n\}$ があると，

$$\sum_{k=1}^{n}a_k=\sum_{k=1}^{n}(b_k-b_{k+1})=\sum_{k=1}^{n}b_k-\sum_{k=1}^{n}b_{k+1}=(b_1+\cancel{b_2+\cdots+b_n})-(\cancel{b_2+\cdots+b_n}+b_{n+1})=b_1-b_{n+1}$$

と総和が計算できる．$a_n=b_n-b_{n+2}$ であれば，

$$\sum_{k=1}^{n}a_k=\sum_{k=1}^{n}(b_k-b_{k+2})=\sum_{k=1}^{n}b_k-\sum_{k=1}^{n}b_{k+2}=(b_1+b_2+\cancel{b_3+\cdots+b_n})-(\cancel{b_3+\cdots+b_n}+b_{n+1}+b_{n+2})$$
$$=b_1+b_2-b_{n+1}-b_{n+2}$$

どこがキャンセルされるかに注意しよう．Σ計算がよく分からないときは，羅列して書くとよい．

解 答

(ア) $\dfrac{1}{k(k+2)}=\left(\dfrac{1}{k}-\dfrac{1}{k+2}\right)\times\dfrac{1}{2}$ であるから，

$$\frac{1}{1\cdot3}+\frac{1}{2\cdot4}+\cdots+\frac{1}{9\cdot11}=\frac{1}{2}\left(\frac{1}{1}-\frac{1}{3}\right)+\frac{1}{2}\left(\frac{1}{2}-\frac{1}{4}\right)+\cdots+\frac{1}{2}\left(\frac{1}{9}-\frac{1}{11}\right)$$
$$=\frac{1}{2}\left\{\left(1+\frac{1}{2}+\cancel{\frac{1}{3}+\cdots+\frac{1}{9}}\right)-\left(\cancel{\frac{1}{3}+\cdots+\frac{1}{9}}+\frac{1}{10}+\frac{1}{11}\right)\right\}$$
$$=\frac{1}{2}\left(1+\frac{1}{2}-\frac{1}{10}-\frac{1}{11}\right)=\frac{1}{2}\cdot\frac{110+55-11-10}{110}=\boldsymbol{\frac{36}{55}}$$

⇦ $\dfrac{1}{k}-\dfrac{1}{k+2}$ を通分すると $\dfrac{(k+2)-k}{k(k+2)}=\dfrac{2}{k(k+2)}$
左辺に合わせるために2分の1をかける．(イ)でも同様．

(イ) (前半) $\dfrac{1}{(2k+1)(2k+3)}=\left(\dfrac{1}{2k+1}-\dfrac{1}{2k+3}\right)\times\dfrac{1}{2}$ であるから，

$$\sum_{k=1}^{n}\frac{1}{(2k+1)(2k+3)}=\sum_{k=1}^{n}\frac{1}{2}\left(\frac{1}{2k+1}-\frac{1}{2k+3}\right)=\boldsymbol{\frac{1}{2}\left(\frac{1}{3}-\frac{1}{2n+3}\right)}$$

⇦ $\dfrac{1}{3\cdot5}+\dfrac{1}{5\cdot7}+\cdots+\dfrac{1}{(2n+1)(2n+3)}$
$=\dfrac{1}{2}\left\{\left(\dfrac{1}{3}+\cancel{\dfrac{1}{5}+\cdots+\dfrac{1}{2n+1}}\right)-\left(\cancel{\dfrac{1}{5}+\cdots+\dfrac{1}{2n+1}}+\dfrac{1}{2n+3}\right)\right\}$
後半も同様にΣの中身を羅列して確認しよう．

(後半) $\dfrac{3k+4}{k(k+1)(k+2)}=\dfrac{3}{(k+1)(k+2)}+\dfrac{4}{k(k+1)(k+2)}$ ……………①

ここで，$\dfrac{1}{(k+1)(k+2)}=\dfrac{1}{k+1}-\dfrac{1}{k+2}$，

$$\frac{1}{k(k+1)(k+2)}=\left\{\frac{1}{k(k+1)}-\frac{1}{(k+1)(k+2)}\right\}\cdot\frac{1}{2}$$

より，

$$\sum_{k=1}^{n}①=3\sum_{k=1}^{n}\left(\frac{1}{k+1}-\frac{1}{k+2}\right)+\frac{4}{2}\sum_{k=1}^{n}\left\{\frac{1}{k(k+1)}-\frac{1}{(k+1)(k+2)}\right\}$$
$$=3\left(\frac{1}{2}-\frac{1}{n+2}\right)+2\left\{\frac{1}{1\cdot2}-\frac{1}{(n+1)(n+2)}\right\}=\boldsymbol{\frac{5}{2}-\frac{3n+5}{(n+1)(n+2)}}$$

他に，$\dfrac{5}{2}-\dfrac{2}{n+1}-\dfrac{1}{n+2}$
⇦ $=\dfrac{n(5n+9)}{2(n+1)(n+2)}$ と表せる．

5 演習題（解答は p.74）

(1) 正の数からなる数列 $\{a_n\}$ に対し，$S_n=\displaystyle\sum_{k=1}^{n}a_k$，$T_n=\dfrac{a_{n+1}+a_{n+2}}{S_nS_{n+1}S_{n+2}}$ とする．

$\displaystyle\sum_{k=1}^{n}T_k$ を，S_1，S_2，S_{n+1}，S_{n+2} を用いて表せ．

(2) $\displaystyle\sum_{k=1}^{n}\frac{1}{k^2(k+1)(k+2)^2}$ を n の式で表せ． （佐賀大・農－後）

(1) T_n を差の形で表してみよう．
(2) (1)に帰着させる．

6 群数列

1から順に自然数 n を $2n$ 個ずつ並べた次の数列を考える．

$$1,\ 1,\ 2,\ 2,\ 2,\ 2,\ 3,\ 3,\ 3,\ 3,\ 3,\ 3,\ \cdots,\ \underbrace{n,\ n,\ \cdots,\ n}_{2n\text{ 個}},\ \cdots$$

（1） 第200項を求めよ．

（2） 初項から第200項までの和を求めよ．

（3） 初項から第 k 項までの和が5555以上になるような最小の k を求めよ．

（東京海洋大・海洋工）

群数列 数列 $\{a_n\}$ がいくつかのグループに分けられるとき，群数列という．問題を解くには，

1° $\{a_n\}$ の規則　　2° 群の分け方の規則　　3° 群の内部での規則

をとらえることが大切である．

第 n 番目のグループ（第 n 群）の最後の項は，数列を初めから数えて第何項なのか，どんな数が並ぶのかを考えると，問題が解きやすくなる．

解答

$2m$（$m=1,\ 2,\ \cdots$）個並んだ m をグループにして，第 m 群とする．

⇦第 m 群は m が $2m$ 個並んでいる．

$$\underbrace{1,\ 1}_{\text{第1群}},\ \underbrace{2,\ 2,\ 2,\ 2}_{\text{第2群}},\ \underbrace{3,\ 3,\ 3,\ 3,\ 3,\ 3}_{\text{第3群}},\ \cdots$$

（1） 第 n 群の最後は，最初の項から数えて，第

$$\sum_{m=1}^{n} 2m = 2\cdot\frac{1}{2}n(n+1) = n(n+1)\ \text{(項)} \quad\cdots\cdots①$$

⇦ $\displaystyle\sum_{m=1}^{n} m = \frac{1}{2}n(n+1)$

$$13\cdot14 = 182 < 200 < 14\cdot15 = 210$$

より，第200項は第14群の項．答えは **14**.

⇦第182項は第13群の最後，第210項は第14群の最後．第200項が第 n 群にあるとすると，
$(n-1)n < 200 \leqq n(n+1)$
を満たすが，n についての不等式を正確に解こうとすると泥沼にはまる．$(n-1)n \fallingdotseq n^2$ なので，$n^2 \fallingdotseq 200$ として n の見当（$14^2=196$）をつける．

（2） 第 m 群の項の和は $m\cdot2m=2m^2$ である．

第200項は，第14群の18（$=200-182$）番目であるから，求める和は，

$$\sum_{m=1}^{13} 2m^2 + 14\cdot18 = 2\cdot\frac{13\cdot14\cdot27}{6} + 252 = 1638 + 252 = \mathbf{1890}$$

（3） 初項から第 n 群の最後の項までの和は，

$$\sum_{m=1}^{n} 2m^2 = \frac{1}{3}n(n+1)(2n+1)$$

ここで，$\dfrac{19\cdot20\cdot39}{3} = 4940 < 5555 < \dfrac{20\cdot21\cdot41}{3} = 5740$

であるから，求める第 k 項は第20群にある．

$(5555-4940)\div20=30.\cdots$ であるから，第 k 項は第20群の31番目である．

$$k = \sum_{m=1}^{19} 2m + 31 = \underline{19\cdot20} + 31 = \mathbf{411}$$

⇦ $\dfrac{1}{3}n(n+1)(2n+1) \fallingdotseq \dfrac{2}{3}n^3$ なので $\dfrac{2}{3}n^3 \fallingdotseq 5000$　∴ $n^3 \fallingdotseq 7500$ として見当（$20^3=8000$）をつける

⇦①を使った．

6 演習題（解答は p.74）

$1,\ 3,\ 3^2,\ \cdots,\ 3^k$（$k=1,\ 2,\ 3,\ \cdots$）を順番に並べて得られる次の数列を考える．

$$1,\ 3,\ 1,\ 3,\ 3^2,\ 1,\ 3,\ 3^2,\ 3^3,\ 1,\ 3,\ 3^2,\ 3^3,\ 3^4,\ \cdots$$

（1） 21回目に現れる1は第何項か．

（2） 初項から第 n 項までの和を S_n とするとき，$S_n \leqq 555$ を満たす最大の n を求めよ．

（埼玉大・工）

（1） 群に分ける
（2） まず第 m 群までの和を求めるところか．

7 数表

正方形の縦横をそれぞれ n 等分して，n^2 個の小正方形を作り，小正方形のそれぞれに1から n^2 までの数を右図のように順に記入してゆく．

1	4	9	16	…
2	3	8	15	…
5	6	7	14	…
10	11	12	13	…
…	…	…	…	…

$j \leqq n$，$k \leqq n$ として，次の［　］にあてはまる数または式を答えよ．

（1） 1番上の行の左から k 番目にある数は［ア］．

（2） 上から j 番目の行の左端にある数は［イ］．

（3） 上から j 番目の行の，左から k 番目にある数は，

$1 \leqq k \leqq$［ウ］のとき［エ］，［ウ］$< k \leqq n$ のとき［オ］．

（4） 上から j 番目の行の n 個の数の和から最上行の n 個の数の和を引くと，［カ］となる．

（京都薬大）

（キリのいい形で） 数を一定の規則によって並べたものを扱う問題は，キリのいい形に着目し，解決の糸口をつかもう．上の例で言えば，正方形に着目する．

解答

j 番目の行の左側から k 番目にある数を $(j,\ k)$ とする．例えば，$(2,\ 3)=8$

図 1

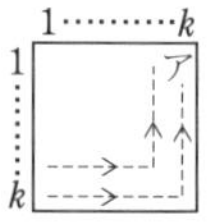

（1） $(1,\ k)$ は図1の正方形に入っている最後の数で，**ア** $=(1,\ k)=\boldsymbol{k^2}$

（2） 1つ手前は $(1,\ j-1)$ だから，**イ** $=(j,\ 1)=(1,\ j-1)+1=\boldsymbol{(j-1)^2+1}$

（3） 図2，図3より，**ウ** $=\boldsymbol{j}$

図2より，$1 \leqq k \leqq j$ のとき，$(j,\ k)=(j,\ 1)+k-1=\boldsymbol{(j-1)^2+k}$（＝エ）

図3より，$j<k \leqq n$ のとき，$(j,\ k)=(1,\ k)-(j-1)=\boldsymbol{k^2-j+1}$（＝オ）

図 2

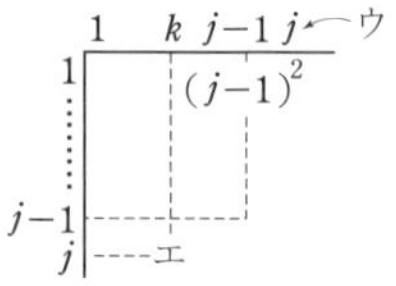

（4） ［引いてから和をとる方が少しラク］（1），（3）より，$(j,\ k)-(1,\ k)$ は，

（ⅰ） $1 \leqq k \leqq j$ のとき，エ－ア $=(j-1)^2+k-k^2$

（ⅱ） $j+1 \leqq k \leqq n$ のとき，オ－ア $=-j+1$

よって，求める「和の差」は，

図 3

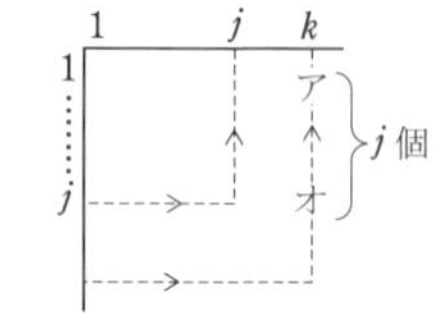

$$\sum_{k=1}^{j}\{(j-1)^2+k-k^2\}+\sum_{k=j+1}^{n}(-j+1)\quad\Big[\text{〰〰}=\overbrace{(-j+1)+\cdots+(-j+1)}^{n-j\text{コ}}\Big]$$

$$=j(j-1)^2-\sum_{k=1}^{j}k(k-1)+(n-j)(-j+1)\ \cdots\cdots ①$$

ここで（☞右下の傍注），$k(k-1)=\{(k+1)k(k-1)-k(k-1)(k-2)\}\div 3$

$[(k+1)-(k-2)=3$ に注意$]$ より，$\displaystyle\sum_{k=1}^{j}k(k-1)=\frac{1}{3}(j+1)j(j-1)$ ………☆

$$①=j(j-1)^2-\frac{1}{3}(j+1)j(j-1)+(n-j)(-j+1)$$

$$=\boldsymbol{(1-j)n+\frac{1}{3}j(j-1)(2j-1)}$$

（n が入っていない部分は $j(j-1)$ でくくれることに注意して計算）

［☆について］

$a_k=k(k-1)$ に対して，$b_k=k(k-1)(k-2)\div 3$ と定めると，$a_k=b_{k+1}-b_k$ が成り立ち，○5と同様に計算できる．

$\displaystyle\sum_{k=1}^{j}a_k=\sum_{k=1}^{j}(b_{k+1}-b_k)=b_{j+1}-b_1$
$=b_{j+1}$

7 演習題（解答は p.74）

右図のように自然数を配置したとき，1の右に並んでいる数の列を $\{a_n\}$ とする．たとえば，初めの3項は，$a_1=2$，$a_2=11$，$a_3=28$ である．

（1） $a_n=$［　］である．

（2） $\displaystyle\sum_{k=1}^{n}a_k=$［　］である．　（東海大・医）

37	36	35	34	33	32	31
38	17	16	15	14	13	30
39	18	5	4	3	12	29
40	19	6	1	2	11	28
41	20	7	8	9	10	27
42	21	22	23	24	25	26
43	44	45	46	47	48	49

1を中心とした正方形で考えると，…

8 漸化式／典型的なタイプに帰着

（ア） 条件 $a_1=2$，$a_{n+1}=\dfrac{a_n-1}{3+a_n}+1$ によって定義される数列 $\{a_n\}$ を考える．ここで $b_n=\dfrac{1}{a_n-1}$ とおくとき，b_{n+1} を b_n を用いて表せ．また，$\{a_n\}$ の一般項を求めよ．（東京経済大）

（イ） 数列 $\{a_n\}$ を $a_1=1$，$a_2=2$，$a_{n+2}-2a_{n+1}+a_n=2$（$n=1,\ 2,\ 3,\ \cdots$）によって定める．$b_n=a_{n+1}-a_n$ とおくとき，b_n を n の式で表せ．また，a_n を n の式で表せ．（工学院大）

$a_{n+1}=pa_n+q$ 型 $a_{n+1}=pa_n+q$（p，q は定数で，$p\neq 0,1$）……① に対して，$\alpha=p\alpha+q$ ……② を満たすように定数 α を定め，①－②より $a_{n+1}-\alpha=p(a_n-\alpha)$．これより $\{a_n-\alpha\}$ が公比 p の等比数列であることを用いて解く．

$a_{n+1}-a_n=f(n)$ 型 階差が分かっている数列の一般項は，階差を足し上げて求める．$n\geqq 2$ のとき，

$$a_n=a_1+(a_2-a_1)+(a_3-a_2)+\cdots+(a_n-a_{n-1})=a_1+f(1)+f(2)+\cdots+f(n-1)=a_1+\sum_{k=1}^{n-1}f(k)$$

上式は $n\geqq 2$ のとき通用する式で，$n=1$ のとき成り立つか否かは確認が必要．問題によっては，$a_n-a_{n-1}=g(n)$ が分かっている場合もあり，公式を丸暗記して適用するとミスしやすい．上式のシグマ記号の上下の数（初めと終わり）は，そのつど具体的に確認しよう．

解 答

（ア） $a_{n+1}=\dfrac{a_n-1}{3+a_n}+1$ ………①　　$b_n=\dfrac{1}{a_n-1}$ ………②

$$b_{n+1}=\frac{1}{a_{n+1}-1}=\frac{1}{\dfrac{a_n-1}{3+a_n}}=\frac{3+a_n}{a_n-1}=\frac{(a_n-1)+4}{a_n-1}=1+\frac{4}{a_n-1}=4b_n+1$$

⇦分数式は分子を低次に．

∴ $\boldsymbol{b_{n+1}=4b_n+1}$ ……③　　∴ $b_{n+1}+\dfrac{1}{3}=4\left(b_n+\dfrac{1}{3}\right)$

⇦$\alpha=4\alpha+1$ …………④ を満たす α は $-\dfrac{1}{3}$．③－④より求める．

②より，$a_1=2$ のとき，$b_1=1$．

$\left\{b_n+\dfrac{1}{3}\right\}$ は公比 4 の等比数列であり，$b_n+\dfrac{1}{3}=4^{n-1}\left(b_1+\dfrac{1}{3}\right)=\dfrac{4^n}{3}$

∴ $b_n=\dfrac{4^n-1}{3}$　　②より，$\boldsymbol{a_n}=\dfrac{1}{b_n}+1=\dfrac{3}{4^n-1}+1=\boldsymbol{\dfrac{4^n+2}{4^n-1}}$

⇦②より，$a_n-1=\dfrac{1}{b_n}$

（イ） $a_{n+2}-2a_{n+1}+a_n=(a_{n+2}-a_{n+1})-(a_{n+1}-a_n)=b_{n+1}-b_n$ が 2 なので，

$b_{n+1}-b_n=2$．また，$b_1=a_2-a_1=1$

よって，$\{b_n\}$ は初項 1，公差 2 の等差数列で，$\boldsymbol{b_n}=1+2(n-1)=\boldsymbol{2n-1}$

$n\geqq 2$ のとき，

$$\begin{aligned}a_n&=a_1+(a_2-a_1)+(a_3-a_2)+\cdots+(a_n-a_{n-1})\\&=a_1+b_1+b_2+\cdots+b_{n-1}\\&=a_1+\frac{b_1+b_{n-1}}{2}\cdot(n-1)=1+\frac{1+\{2(n-1)-1\}}{2}\cdot(n-1)\end{aligned}$$（$n=1$ でも OK）

⇦$\{b_n\}$ は等差数列．その和は，$\dfrac{(\text{初項})+(\text{末項})}{2}\cdot(\text{項数})$

よって，求める式は，$\boldsymbol{a_n=1+(n-1)^2=n^2-2n+2}$（$n=1,\ 2,\ 3,\ \cdots$）

8 演習題（解答は p.75）

A 円をある年の初めに借り，その年の終わりから同額ずつ n 回で返済する．年利率を $r(>0)$ とし，1 年ごとの複利法とすると毎回の返済金額は □ 円である．預金など，1 年が経過するごとに利率 r で利息を元金に繰り入れることを複利法という．（芝浦工大）

残高についての漸化式を立てよう．

9　2項間漸化式／$a_{n+1}=pa_n+f(n)$

次の式で定められる数列の一般項 a_n を求めよ．

（1）　$a_1=1$，$a_{n+1}=2a_n+n$ $(n=1,\ 2,\ 3,\ \cdots)$　（弘前大・理工－後）

（2）　$a_1=4$，$a_{n+1}=4a_n-2^{n+1}$ $(n=1,\ 2,\ 3,\ \cdots)$　（信州大・工）

2項間漸化式の解き方　$a_{n+1}=pa_n+f(n)$ $(p\neq 0, 1$；$f(n)$ は n の式$)$ ……☆　型の漸化式を解くには，変形して $a_{n+1}+g(n+1)=p\{a_n+g(n)\}$ となるような $g(n)$ を見つけて，$\{a_n+g(n)\}$ が等比数列になることを用いればよい．

（ⅰ）　$f(n)$ が n の多項式の場合，$g(n)$ も $f(n)$ と次数が等しい n の多項式である．$g(n)$ の係数を未知数とおいて，☆より係数を求めればよい．特に $f(n)$ が定数の場合は前頁で扱った．

（ⅱ）　$f(n)=Aq^n$ $(q\neq p$，A は定数$)$ の場合，$g(n)=Bq^n$ として，☆が成り立つように定数 B を定めればよい．また，$a_{n+1}=pa_n+Aq^n$ の両辺を p^{n+1} で割って，$\dfrac{a_{n+1}}{p^{n+1}}=\dfrac{a_n}{p^n}+\dfrac{A}{p}\left(\dfrac{q}{p}\right)^n$．ここで，$b_n=\dfrac{a_n}{p^n}$ とおいて，$b_{n+1}=b_n+\dfrac{A}{p}\left(\dfrac{q}{p}\right)^n$ として階差型の解き方（前頁）に持ち込む手でもよい．

解答

（1）　$a_{n+1}+A(n+1)+B=2(a_n+An+B)$ を満たす A，B を求める．

$a_{n+1}=2a_n+An+B-A$ と条件式を比べて，$A=1$，$B-A=0$　$\therefore$　$B=1$

$a_{n+1}+(n+1)+1=2(a_n+n+1)$ より，$\{a_n+n+1\}$ は公比2の等比数列．

よって，$a_n+n+1=2^{n-1}(a_1+1+1)=3\cdot 2^{n-1}$　$\therefore$　$\boldsymbol{a_n=3\cdot 2^{n-1}-n-1}$

⇦左辺は $A(n+1)$ になることに注意．

（2）　$a_{n+1}=4a_n-2^{n+1}$ を 4^{n+1} で割って，$\dfrac{a_{n+1}}{4^{n+1}}=\dfrac{a_n}{4^n}-\left(\dfrac{1}{2}\right)^{n+1}$

$b_n=\dfrac{a_n}{4^n}$ とおくと，$b_1=\dfrac{a_1}{4}=1$，$b_{n+1}=b_n-\left(\dfrac{1}{2}\right)^{n+1}$ となるので，$n\geqq 2$ のとき，

$$b_n=b_1+\sum_{k=1}^{n-1}(b_{k+1}-b_k)=1-\sum_{k=1}^{n-1}\left(\frac{1}{2}\right)^{k+1}=1-\left(\frac{1}{2}\right)^2\cdot\frac{1-\left(\frac{1}{2}\right)^{n-1}}{1-\frac{1}{2}}$$

$$=1-\frac{1}{2}\left\{1-\left(\frac{1}{2}\right)^{n-1}\right\}=\frac{1}{2}+\left(\frac{1}{2}\right)^n \quad (n=1\text{ のときもこれでよい})$$

よって，$a_n=4^nb_n=4^n\left\{\dfrac{1}{2}+\left(\dfrac{1}{2}\right)^n\right\}=\boldsymbol{2\cdot 4^{n-1}+2^n}$

【(2)の別アプローチ】
$f(n)$ が Aq^n の形の場合は，両辺を q^{n+1} で割ると，典型的な2項間漸化式に帰着されることに着目．漸化式を 2^{n+1} で割って，

$\dfrac{a_{n+1}}{2^{n+1}}=2\cdot\dfrac{a_n}{2^n}-1$

$c_n=\dfrac{a_n}{2^n}$ とおくと，$c_{n+1}=2c_n-1$．これから解く．

【別解】（2）　$a_{n+1}+A\cdot 2^{n+1}=4(a_n+A\cdot 2^n)$ を満たす A を求める．

$a_{n+1}=4a_n+4A\cdot 2^n-A\cdot 2^{n+1}=4a_n+A\cdot 2^{n+1}$ と条件式を比べて，$A=-1$．

$a_{n+1}-2^{n+1}=4(a_n-2^n)$ より，$\{a_n-2^n\}$ は公比4の等比数列．

よって，$a_n-2^n=4^{n-1}(a_1-2^1)=2\cdot 4^{n-1}$　$\therefore$　$\boldsymbol{a_n=2\cdot 4^{n-1}+2^n}$

9　演習題（解答は p.75）

次の式で定められる数列の一般項 a_n を求めよ．

（1）　$a_1=2$，$a_{n+1}=3a_n+2n^2-2n-1$ $(n\geqq 1)$　（岐阜大）

（2）　$a_1=1$，$a_{n+1}-2a_n=n\cdot 2^{n+1}$ $(n\geqq 1)$　（日本獣医畜産大）

（3）　$a_1=1$，$a_{n+1}=\dfrac{1}{2}a_n+\dfrac{n-1}{n(n+1)}$ $(n\geqq 1)$　（岐阜大・教－後）

（1），（3）
$a_{n+1}+f(n+1)=k(a_n+f(n))$ となる $f(n)$ を探す．
（2）　階差型に持ち込む．

◆10 和と一般項の関係，3 項間漸化式

数列 $\{a_n\}$ が，$a_1=-1$，$2\sum_{k=1}^{n}a_k=3a_{n+1}-2a_n-1$（$n=1$，2，3，…）を満たすとき，

（1） a_2 を求めよ．

（2） $3a_{n+2}-7a_{n+1}+2a_n=0$ を示せ．

（3） a_n を求めよ．

（山形大・工／一部省略）

$a_n=S_n-S_{n-1}$ S_n を含む漸化式は，「$a_n=S_n-S_{n-1}$（$n\geqq2$）」……☆ を用いて，$S_□$ を消去し，$a_□$ だけの漸化式に直す．☆は一般には $n\geqq2$ のときのみに通用することに注意（$n=1$ とすると $n-1=0$ になってしまう！）．$n=1$ のときは，$a_1=S_1$ を用いる．

$a_{n+2}+pa_{n+1}+qa_n=0$ $a_{n+2}+pa_{n+1}+qa_n=0$ の一般項を求めるには，$x^2+px+q=0$ の解 α, β を用いる．解と係数の関係より，$p=-(\alpha+\beta)$，$q=\alpha\beta$．よって，$a_{n+2}-(\alpha+\beta)a_{n+1}+\alpha\beta a_n=0$．これを $a_{n+2}-\alpha a_{n+1}=\beta(a_{n+1}-\alpha a_n)$，$a_{n+2}-\beta a_{n+1}=\alpha(a_{n+1}-\beta a_n)$ と変形する．

$\alpha=\beta$ のときは，$a_{n+2}-\alpha a_{n+1}=\alpha(a_{n+1}-\alpha a_n)$ より，$a_{n+1}-\alpha a_n=\alpha^{n-1}(a_2-\alpha a_1)$ として，$a_{n+1}=\alpha a_n+s\alpha^{n-1}$（$s=a_2-\alpha a_1$）．これを α^{n+1} で割り，$b_n=a_n/\alpha^n$ とおくと $\{b_n\}$ は等差数列になる．

解答

$S_n=\sum_{k=1}^{n}a_k$ とおくと，$2S_n=3a_{n+1}-2a_n-1$ ……………………………①

（1） ①で $n=1$ とすると，$2S_1=3a_2-2a_1-1$

$S_1=a_1=-1$ だから，$-2=3a_2+2-1$ $\therefore$ $\boldsymbol{a_2=-1}$

（2） ①の n を $n+1$ にすると，$2S_{n+1}=3a_{n+2}-2a_{n+1}-1$ ……………②

②−①より，$2a_{n+1}=3a_{n+2}-3a_{n+1}-2a_{n+1}+2a_n$ ⇦$S_{n+1}-S_n=a_{n+1}$

$\therefore$ $3a_{n+2}-7a_{n+1}+2a_n=0$

（3） （2）より，$a_{n+2}-\frac{7}{3}a_{n+1}+\frac{2}{3}a_n=0$ ……………………………③

⇦$x^2-\frac{7}{3}x+\frac{2}{3}=0$ の解は $(x-2)\left(x-\frac{1}{3}\right)=0$ により，$x=2$，$\frac{1}{3}$

［右の傍注に注意し］ ③を変形して，

$a_{n+2}-2a_{n+1}=\frac{1}{3}(a_{n+1}-2a_n)$ ……④，$a_{n+2}-\frac{1}{3}a_{n+1}=2\left(a_{n+1}-\frac{1}{3}a_n\right)$ …⑤

④より，$a_{n+1}-2a_n=\left(\frac{1}{3}\right)^{n-1}(a_2-2a_1)=\left(\frac{1}{3}\right)^{n-1}(-1+2)=\left(\frac{1}{3}\right)^{n-1}$ ……⑥

⇦④より $\{a_{n+1}-2a_n\}$ は公比 $\frac{1}{3}$ の等比数列．

⑤より，$a_{n+1}-\frac{1}{3}a_n=2^{n-1}\left(a_2-\frac{1}{3}a_1\right)=2^{n-1}\left(-1+\frac{1}{3}\right)=\left(-\frac{2}{3}\right)\cdot2^{n-1}$ ……⑦

よって，

$a_n=\frac{3}{5}\times(⑦-⑥)-\frac{3}{5}\left\{\left(\ \frac{2}{3}\right)2^{n-1}-\left(\frac{1}{3}\right)^{n-1}\right\}=\boldsymbol{-\frac{1}{5}\left\{2^n+\left(\frac{1}{3}\right)^{n-2}\right\}}$

◇10 演習題（解答は p.76）

数列 $\{a_n\}$ は，$a_1=1$，$a_n=\frac{2S_n{}^2}{2S_n+1}$（$n=2$，3，4，…）を満たす．

ただし，$S_n=a_1+a_2+\cdots+a_n$ である．

（1） a_2 を求めよ．

（2） S_n を S_{n-1} を用いて表せ．

（3） S_n を求めよ．

（芝浦工大）

（2） 前文に反し，☆から a_n を消去する．
（3） ○11 を参照．

11 漸化式／ノーヒントで

次で定義される数列 $\{a_n\}$ の一般項を求めよ．

（1） $a_1=2,\ a_{n+1}=\dfrac{a_n}{a_n+5}$ $(n=1,\ 2,\ 3,\ \cdots)$ （関大・理工，社会安全）

（2） $a_1=2,\ na_{n+1}=(n+1)a_n+1$ $(n=1,\ 2,\ 3,\ \cdots)$ （北九州市大・国際環境工）

分数形 $a_{n+1}=\dfrac{pa_n+q}{ra_n+s}$ で $q=0$ とした $a_{n+1}=\dfrac{pa_n}{ra_n+s}$ の形のときは，逆数を取ると解決する．逆数を取って $b_n=1/a_n$ とおくと，$b_{n+1}=tb_n+u$ 型に帰着される．

na_{n+1}，$(n+1)a_n$ 例えば，左のような項があるときは，$n(n+1)$ で割るとよい．

予想して帰納法 解法を知らない漸化式では，初めの方の項を求め，そこから一般項が予想できればそれを帰納法で示すのも実戦的である．

解答

（1） $a_1=2,\ a_{n+1}=\dfrac{a_n}{a_n+5}$ ……………①

$a_n\neq0$ のとき，$a_{n+1}\neq0$ であり，$a_1=2$ なのですべての n について $a_n\neq0$

①の逆数をとって

$$\frac{1}{a_{n+1}}=\frac{a_n+5}{a_n}\qquad\therefore\quad\frac{1}{a_{n+1}}=\frac{5}{a_n}+1$$

$b_n=\dfrac{1}{a_n}$ とおくと，$b_{n+1}=5b_n+1$ ……② だから，

$$b_{n+1}+\frac{1}{4}=5\left(b_n+\frac{1}{4}\right)$$

$$\therefore\quad b_n+\frac{1}{4}=5^{n-1}\left(b_1+\frac{1}{4}\right)=5^{n-1}\left(\frac{1}{2}+\frac{1}{4}\right)=\frac{3}{4}\cdot5^{n-1}$$

$$\therefore\quad b_n=\frac{3}{4}\cdot5^{n-1}-\frac{1}{4}=\frac{3\cdot5^{n-1}-1}{4}\qquad\therefore\quad \boldsymbol{a_n=\frac{4}{3\cdot5^{n-1}-1}}$$

$\alpha=5\alpha+1$ ……………③ を満たす α は $-\dfrac{1}{4}$．

⇦②－③より変形する．

⇦$\left\{b_n+\dfrac{1}{4}\right\}$ は公比5の等比数列

⇦$b_1=\dfrac{1}{a_1}=\dfrac{1}{2}$

（2） $a_1=2,\ na_{n+1}=(n+1)a_n+1$ ……………④

④を $n(n+1)$ で割ると，$\dfrac{a_{n+1}}{n+1}=\dfrac{a_n}{n}+\dfrac{1}{n(n+1)}$

$b_n=\dfrac{a_n}{n}$ とおくと，$b_{n+1}=b_n+\dfrac{1}{n(n+1)}$ $\quad\therefore\quad b_{n+1}-b_n=\dfrac{1}{n(n+1)}$

よって，$n\geqq2$ のとき，

$$b_n=b_1+\sum_{k=1}^{n-1}(b_{k+1}-b_k)=2+\sum_{k=1}^{n-1}\frac{1}{k(k+1)}=2+\sum_{k=1}^{n-1}\left(\frac{1}{k}-\frac{1}{k+1}\right)$$

$$=2+\frac{1}{1}-\frac{1}{(n-1)+1}=3-\frac{1}{n}\quad(n=1\text{ のときもこれでよい})$$

$$\therefore\quad \boldsymbol{a_n}=nb_n=\boldsymbol{3n-1}$$

階差型になる．

なお，$b_{n+1}+\dfrac{1}{n+1}=b_n+\dfrac{1}{n}$ より

⇦$\left\{b_n+\dfrac{1}{n}\right\}$ が定数数列としてもよい．

⇦$b_1=\dfrac{a_1}{1}=\dfrac{2}{1}=2$

11 演習題（解答は p.76）

次で定義される数列 $\{a_n\}$ の一般項を求めよ．

（1） $a_1=8,\ a_n=\dfrac{a_{n-1}}{(n-1)a_{n-1}+1}$ $(n=2,\ 3,\ \cdots)$ （津田塾大・国際関係）

（2） $a_1=3,\ a_na_{n+1}=5\cdot2^{2n-1}$ $(n=1,\ 2,\ 3,\ \cdots)$ （信州大・理）

（1） 例題(1)に似ている．
（2） a_{n+2} と a_n の関係は？

12 漸化式／誘導つき（置き換え）

数列 $\{a_n\}$，$\{b_n\}$ は，初項が $a_1=1$，$b_1=0$ であり，次の関係式を満たす．

$a_{n+1}=5a_n+4b_n$，$b_{n+1}=a_n+5b_n$ $(n=1,\ 2,\ 3,\ \cdots)$

（1） $a_{n+1}+\alpha b_{n+1}=\beta(a_n+\alpha b_n)$ $(n=1,\ 2,\ 3,\ \cdots)$ を満たす実数 α と β の組を 2 つ求めよ．

（2） 数列 $\{a_n\}$，$\{b_n\}$ の一般項を求めよ．

（3） $\sum_{k=1}^{n}a_k$ を求めよ． （徳島大・総科，工－後）

数列の置き換え 数列を置き換えて，一般項の求めやすい形にする．等比数列に帰着できるような誘導がついていることが多い．典型題に慣れておこう．

連立漸化式 $a_{n+1}=pa_n+qb_n$ ……㋐，$b_{n+1}=qa_n+pb_n$ ……㋑ の形の連立漸化式はノーヒントで出題されることがある．これは，㋐＋㋑から $\{a_n+b_n\}$，㋐－㋑から $\{a_n-b_n\}$ が等比数列になり解決する．

解答

（1） $a_{n+1}=5a_n+4b_n$，$b_{n+1}=a_n+5b_n$ より，

$a_{n+1}+\alpha b_{n+1}=(5a_n+4b_n)+\alpha(a_n+5b_n)=(5+\alpha)a_n+(4+5\alpha)b_n$

⇦一般に，このような連立漸化式は，これを満たす α，β を求めることで，一般項を求めることができる．

これが $\beta(a_n+\alpha b_n)$ に一致すればよいので，

$5+\alpha=\beta$，$4+5\alpha=\alpha\beta$

β を消去して，$4+5\alpha=\alpha(5+\alpha)$ $\therefore$ $\alpha^2=4$ $\therefore$ $\alpha=\pm2$

よって，$(\boldsymbol{\alpha},\ \boldsymbol{\beta})=(\mathbf{2},\ \mathbf{7})$，$(\mathbf{-2},\ \mathbf{3})$

（2） $(\alpha,\ \beta)=(2,\ 7)$ のとき，

$a_{n+1}+2b_{n+1}=7(a_n+2b_n)$

よって，$\{a_n+2b_n\}$ は公比 7 の等比数列である．初項は $a_1+2b_1=1$ なので，

$a_n+2b_n=7^{n-1}\cdot1=7^{n-1}$ ……①

$(\alpha,\ \beta)=(-2,\ 3)$ のとき，

$a_{n+1}-2b_{n+1}=3(a_n-2b_n)$

よって，$\{a_n-2b_n\}$ は公比 3 の等比数列である．初項は $a_1-2b_1=1$ なので，

$a_n-2b_n=3^{n-1}\cdot1=3^{n-1}$ ……②

(①＋②)÷2 より，$\boldsymbol{a_n=\frac{1}{2}(7^{n-1}+3^{n-1})}$

(①－②)÷4 より，$\boldsymbol{b_n=\frac{1}{4}(7^{n-1}-3^{n-1})}$

（3） $\sum_{k=1}^{n}a_k=\sum_{k=1}^{n}\frac{1}{2}(7^{k-1}+3^{k-1})=\frac{1}{2}\left(\frac{7^n-1}{7-1}+\frac{3^n-1}{3-1}\right)=\boldsymbol{\frac{7^n}{12}+\frac{3^n}{4}-\frac{1}{3}}$

12 演習題（解答は p.76）

数列 $\{a_n\}$ を $a_1=2$，$a_{n+1}=\frac{4a_n+1}{2a_n+3}$ $(n=1,\ 2,\ 3,\ \cdots)$ で定める．

（1） 2つの実数 α と β に対して，$b_n=\frac{a_n+\beta}{a_n+\alpha}$ $(n=1,\ 2,\ 3,\ \cdots)$ とおく．$\{b_n\}$ が等比数列となるような α と β $(\alpha>\beta)$ を 1 組求めよ．

（2） 数列 $\{a_n\}$ の一般項 a_n を求めよ． （東北大・理－後）

b_{n+1} を変形していく．

13 奇偶で形が異なる漸化式

次のように定められた数列がある．

$a_1=1,\ a_{n+1}=a_n+\dfrac{n+1}{2}\ (n=1,\ 3,\ 5,\ \cdots),\ a_{n+1}=a_n+\dfrac{n}{2}\ (n=2,\ 4,\ 6,\ \cdots)$

（1） $a_2=$ □，$a_3=$ □，$a_6=$ □，$a_7=$ □ である．

（2） $a_{39}=$ □，$a_{40}=$ □ である．

（3） 初項から第 40 項までの和は □ である．（明大・農）

（奇偶で形が異なる漸化式） n の奇偶で形が異なる漸化式は，$n=2k-1$，$n=2k$ とおいて，奇数項（a_1，a_3，……）どうしに成り立つ漸化式，つまり，a_{2k+1} を a_{2k-1} で表す式を立てて解き，もとの漸化式に戻って a_{2k} を求める．

解答

（1） $a_1=1$ より，$\boldsymbol{a_2}=a_1+\dfrac{1+1}{2}=\mathbf{2}$，$\boldsymbol{a_3}=a_2+\dfrac{2}{2}=\mathbf{3}$，

$a_4=a_3+\dfrac{3+1}{2}=5$，$a_5=a_4+\dfrac{4}{2}=7$，$\boldsymbol{a_6}=a_5+\dfrac{5+1}{2}=\mathbf{10}$，$\boldsymbol{a_7}=a_6+\dfrac{6}{2}=\mathbf{13}$

（2） $n=2k-1$ のとき，

$a_{(2k-1)+1}=a_{2k-1}+\dfrac{(2k-1)+1}{2}\qquad \therefore\ a_{2k}=a_{2k-1}+k$ ……①

$n=2k$ のとき，$a_{2k+1}=a_{2k}+\dfrac{2k}{2}=a_{2k}+k$ ……②

①，②より，$a_{2k+1}=a_{2k}+k=(a_{2k-1}+k)+k=a_{2k-1}+2k$

⇦奇数項についての漸化式を立てて奇数項を求める．偶数項は奇数項からすぐに分かるので，偶数項についての漸化式は立てる必要はない．

$n\geqq 2$ のとき，

$a_{2n-1}=a_1+(a_3-a_1)+(a_5-a_3)+\cdots+(a_{2n-1}-a_{2n-3})$

$=a_1+\sum_{k=1}^{n-1}(a_{2k+1}-a_{2k-1})=1+\sum_{k=1}^{n-1}2k=1+2\cdot\dfrac{1}{2}(n-1)n$

$=n^2-n+1$（$n=1$ のときもこれでよい）……③

①から，$a_{2n}=a_{2n-1}+n=n^2+1$ ……④

③，④で $n=20$ として，$\boldsymbol{a_{39}}=20^2-20+1=\mathbf{381}$，$\boldsymbol{a_{40}}=20^2+1=\mathbf{401}$

（3） ③，④より

$\sum_{n=1}^{20}(a_{2n-1}+a_{2n})=\sum_{n=1}^{20}(2n^2-n+2)$

$=2\cdot\dfrac{1}{6}\cdot20\cdot21\cdot41-\dfrac{1}{2}\cdot20\cdot21+\underline{2\cdot20}=\mathbf{5570}$

⇦ $\sum_{k=1}^{n}a=na$

13 演習題（解答は p.77）

次の漸化式によって定義される数列 $\{a_n\}$（$n=1,\ 2,\ \cdots$）について，次の問いに答えよ．

$a_1=4,\ a_{2n}=\dfrac{1}{4}a_{2n-1}+n^2,\ a_{2n+1}=4a_{2n}+4(n+1)$

（1） a_2，a_3，a_4，a_5 を求めよ．

（2） a_{2n}，a_{2n+1} を n を用いて表せ．

（3） $\{a_n\}$ の項で 4 の倍数でないものは，n の値が小さいものから 4 項並べると，$a_{□}$，$a_{□}$，$a_{□}$，$a_{□}$ である．（類 松山大・薬）

（2） 奇数番目の項だけに着目する．
（3） a_{2n+1} は漸化式から……．

14 不等式と漸化式

（1） $x>0$ のとき，不等式 $\frac{2}{3}\left(x+\frac{1}{x^2}\right)\geqq 2^{\frac{1}{3}}$ を示せ．また等号が成り立つのはどのようなときか．

（2） 数列 $\{a_n\}$ を，$a_1=2$，$a_{n+1}=\frac{2}{3}\left(a_n+\frac{1}{{a_n}^2}\right)$ （$n=1$，2，3，…）で定める．

（i） $n\geqq 1$ のとき，$a_n>a_{n+1}>2^{\frac{1}{3}}$ を示せ．

（ii） $n\geqq 2$ のとき，$a_{n+1}-\frac{2}{{a_n}^2}<\frac{2}{3}\left(a_n-\frac{2}{{a_{n-1}}^2}\right)$ を示せ．

（iii） $n\geqq 1$ のとき，$0<a_{n+1}-\frac{2}{{a_n}^2}\leqq\left(\frac{2}{3}\right)^{n-1}$ を示せ．（金沢大・文系）

$a_{n+1}<ka_n$　$k>0$，$a_n>0$ のとき，$a_{n+1}<ka_n$ をくり返し用いて，$a_n<k^{n-1}a_1$ を導くことができる．

不等式の証明　$A>B$ を示すには，$A-B>0$ を示すことを目標にするのが基本方針．

解答

（1） 与式の分母を払い，$2x^3-3\cdot 2^{\frac{1}{3}}x^2+2\geqq 0$．これを示せばよい．

左辺を因数分解して，$\left(x-2^{\frac{1}{3}}\right)^2\left(2x+2^{\frac{1}{3}}\right)$ ……………………①

⇦ $t=2^{\frac{1}{3}}$ とおくと，$2x^3-3tx^2+t^3=(x-t)^2(2x+t)$

$x>0$ のとき，①$\geqq 0$（等号は $\boldsymbol{x=2^{\frac{1}{3}}}$）であるから示された．

（2）（i） $a_1>2^{\frac{1}{3}}$ と（1）より，帰納的に $a_{n+1}=\frac{2}{3}\left(a_n+\frac{1}{{a_n}^2}\right)>2^{\frac{1}{3}}$

⇦よって，$a_n>2^{\frac{1}{3}}$（$n\geqq 1$）が成り立つ．これを帰納法で示すと丁寧．

また，$a_n-a_{n+1}=a_n-\frac{2}{3}\left(a_n+\frac{1}{{a_n}^2}\right)=\frac{{a_n}^3-2}{3{a_n}^2}>0$ （∵ $a_n>2^{\frac{1}{3}}$）

よって，$a_n>a_{n+1}>2^{\frac{1}{3}}$

（ii） $a_{n+1}-\frac{2}{{a_n}^2}=\frac{2}{3}\left(a_n+\frac{1}{{a_n}^2}\right)-\frac{2}{{a_n}^2}=\frac{2}{3}\left(a_n-\frac{2}{{a_n}^2}\right)<\frac{2}{3}\left(a_n-\frac{2}{{a_{n-1}}^2}\right)$

⇦ $0<a_n<a_{n-1}$ より，${a_n}^2<{a_{n-1}}^2$ ∴ $-\frac{2}{{a_n}^2}<-\frac{2}{{a_{n-1}}^2}$

（iii） $a_{n+1}-\frac{2}{{a_n}^2}=\frac{2}{3}\left(a_n-\frac{2}{{a_n}^2}\right)=\frac{2}{3}\cdot\frac{{a_n}^3-2}{{a_n}^2}>0$ （∵ $a_n>2^{\frac{1}{3}}$）

$n=1$ のとき 〰〰$=1$ で与式は成立する．$n\geqq 2$ のとき（ii）をくり返し用いて，

⇦ $a_2-\frac{2}{{a_1}^2}=\frac{2}{3}\cdot\frac{{a_1}^3-2}{{a_1}^2}=\frac{2}{3}\cdot\frac{2^3-2}{2^2}=1$

$a_{n+1}-\frac{2}{{a_n}^2}<\frac{2}{3}\left(a_n-\frac{2}{{a_{n-1}}^2}\right)<\frac{2}{3}\cdot\frac{2}{3}\left(a_{n-1}-\frac{2}{{a_{n-2}}^2}\right)=\left(\frac{2}{3}\right)^2\left(a_{n-1}-\frac{2}{{a_{n-2}}^2}\right)$

$<\cdots<\left(\frac{2}{3}\right)^{n-1}\left(a_2-\frac{2}{{a_1}^2}\right)-\left(\frac{2}{3}\right)^{n-1}1-\left(\frac{2}{3}\right)^{n-1}$

⇦上式

14 演習題（解答は p.77）

$a_1>\sqrt{p}$ をみたす正数 a_1，p に対し，数列 $\{a_n\}$ を次のように定める．

$a_{n+1}=\frac{1}{2}\left(a_n+\frac{p}{a_n}\right)$ （$n\geqq 1$）

（1） すべての n に対し $a_n\geqq\sqrt{p}$ を示せ．

（2） すべての n に対し，${a_{n+1}}^2-p\leqq\left(\frac{1}{4p}\right)^{2^n-1}({a_1}^2-p)^{2^n}$ を示せ．

（3） $a_1=4$，$p=15$ とするとき，$a_3-\sqrt{15}<\frac{1}{10^5}$ であることを示せ．

（4） $\sqrt{15}$ の近似値を，小数第5位を四捨五入して小数第4位まで求めよ．（立教大）

（2） ${a_{n+1}}^2-p$ を式変形する．

15 不等式と帰納法

nが2以上の自然数のとき，次の不等式が成り立つことを示せ．

$$\frac{1}{1^2}+\frac{1}{2^2}+\cdots+\frac{1}{n^2}<2-\frac{1}{n}$$

（東京歯大）

nの入った不等式 nの入った不等式を帰納法によって証明するには，$n=k$のときの不等式と$n=k+1$のときの不等式の形をよく見て，示すべき不等式が何かを捉えよう．この場合は左辺が和の形になっているので，両式の差に着目する．

解答

$\frac{1}{1^2}+\frac{1}{2^2}+\cdots+\frac{1}{n^2}<2-\frac{1}{n}$ ……① をnに関する数学的帰納法で証明する．

$n=2$のとき，$\frac{1}{1^2}+\frac{1}{2^2}=\frac{5}{4}$，$2-\frac{1}{2}=\frac{3}{2}$となるので，①は成り立つ．

$n=k\,(k\geqq 2)$のとき，①が成り立つとすると，

$$\frac{1}{1^2}+\frac{1}{2^2}+\cdots+\frac{1}{k^2}<2-\frac{1}{k} \quad \cdots\cdots ②$$

①で$n=k+1$とした式

$$\frac{1}{1^2}+\frac{1}{2^2}+\cdots+\frac{1}{k^2}+\frac{1}{(k+1)^2}<2-\frac{1}{k+1} \quad \cdots\cdots ③$$

を②から導けばよい．

ここで，②，③の左辺どうし，右辺どうしの差を不等号で結ぶと，

$$\frac{1}{(k+1)^2}<\left(2-\frac{1}{k+1}\right)-\left(2-\frac{1}{k}\right) \quad \cdots\cdots ④$$

④が成り立つことが示せれば，②+④から③を導くことができる．そこで，④を示すことを，目標にする．そのためには，(④の右辺)−(④の左辺)>0を示せばよい．

$$\left(2-\frac{1}{k+1}\right)-\left(2-\frac{1}{k}\right)-\frac{1}{(k+1)^2}=\frac{1}{k}-\frac{1}{k+1}-\frac{1}{(k+1)^2}$$

$$=\frac{(k+1)^2-k(k+1)-k}{k(k+1)^2}=\frac{1}{k(k+1)^2}>0$$

よって，①は数学的帰納法によって証明された．

⇨ ③の左辺は，②の左辺に$\frac{1}{(k+1)^2}$を足したものなので，②と③の差に着目する．

⇦ $a<b$ かつ $c<d$ ⇨ $a+c<b+d$ という不等式の性質を用いている．

➡注 ②の両辺に$\frac{1}{(k+1)^2}$を加えると，

$$\frac{1}{1^2}+\frac{1}{2^2}+\cdots+\frac{1}{k^2}+\frac{1}{(k+1)^2}<2-\frac{1}{k}+\frac{1}{(k+1)^2}$$

これから，$2-\frac{1}{k}+\frac{1}{(k+1)^2}<2-\frac{1}{k+1}$ (⟺ ④) を示せばよい，としてもよい．

15 演習題（解答は p.78）

数列$\{a_n\}$を$a_n=\frac{1+\sqrt{2}+\sqrt{3}+\cdots+\sqrt{n}}{\sqrt{n}}$で定める．このとき，すべての自然数$n$について，不等式$\frac{2n}{3}<a_n$が成り立つことを，数学的帰納法によって証明せよ．

（信州大・医－後）

帰納法の使いやすい形にして証明する．

16 強い仮定の数学的帰納法

各項が正である数列 $\{a_n\}$ が，任意の自然数 n に対して $\left(\sum_{k=1}^{n} a_k\right)^2 = \sum_{k=1}^{n} a_k^{\ 3}$ を満たすとする．

（1） a_1，a_2，a_3 を求め，一般項 a_n を推定せよ．

（2） 数学的帰納法を用いて，（1）での推定が正しいことを証明せよ．（九州産大・情／改題）

仮定を強化する数学的帰納法 普通の帰納法は，「1° $n=1$ のとき O.K. 2° $n=k$ のとき O.K. ならば $n=k+1$ も O.K.」を示せばよかった．ところが，この問題では帰納法の仮定（〰〰部）を強化しておく必要がある．というのも，和を計算するには，$n=1, 2, 3, \cdots, k$ の場合を使うからである．このようなときは，次の 1°，2° を示すようにしよう．

1° $n=1$ のとき O.K.　2° $n\leqq k$ のとき O.K. ならば $n=k+1$ も O.K.

1°，2° が示せれば，“すべての自然数 n について成り立つ”が言える．

<イメージの図>

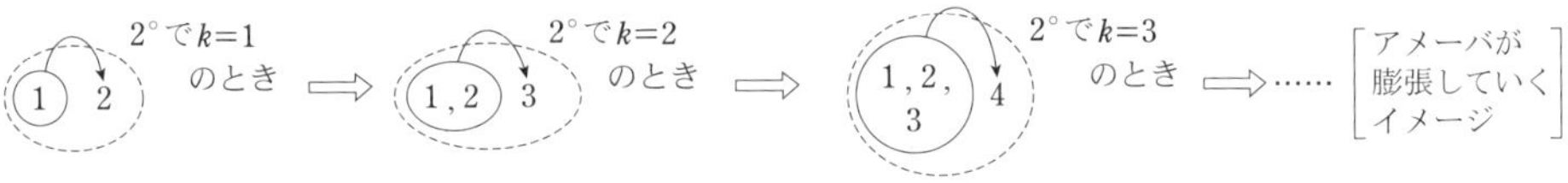

解答

（1） $a_1^{\ 2}=a_1^{\ 3}$，$a_1>0$ より，$\boldsymbol{a_1=1}$

すると，$(1+a_2)^2=1^3+a_2^{\ 3}$ より，$a_2^{\ 3}-a_2^{\ 2}-2a_2=0$　⇦ $(a_1+a_2)^2=a_1^{\ 3}+a_2^{\ 3}$

$\therefore$ $a_2(a_2+1)(a_2-2)=0$　$a_2>0$ だから，$\boldsymbol{a_2=2}$

さらに，$(1+2+a_3)^2=1^3+2^3+a_3^{\ 3}$ より，　⇦ $(a_1+a_2+a_3)^2=a_1^{\ 3}+a_2^{\ 3}+a_3^{\ 3}$

$a_3^{\ 3}-a_3^{\ 2}-6a_3=0$　$\therefore$ $a_3(a_3+2)(a_3-3)=0$

$a_3>0$ だから，$\boldsymbol{a_3=3}$．以上により，$\boldsymbol{a_n=n}$ ……① と推定される．

（2） 1° $n=1$ のとき，$a_1=1$ より①は成り立っている．

2° $n\leqq k$ となるすべての n で①が成り立つ ……② とすると，

$$(1+2+\cdots+k+a_{k+1})^2=1^3+2^3+\cdots+k^3+a_{k+1}^{\ 3} \quad \cdots\cdots③$$

⇦ $\sum_{i=1}^{k} i=\frac{1}{2}k(k+1)$，$\sum_{i=1}^{k} i^3=\left\{\frac{1}{2}k(k+1)\right\}^2$

$$\therefore \left\{\frac{1}{2}k(k+1)+a_{k+1}\right\}^2=\frac{1}{4}k^2(k+1)^2+a_{k+1}^{\ 3}$$

$$\therefore \frac{1}{4}k^2(k+1)^2+k(k+1)a_{k+1}+a_{k+1}^{\ 2}=\frac{1}{4}k^2(k+1)^2+a_{k+1}^{\ 3}$$

$$\therefore a_{k+1}^{\ 3}-a_{k+1}^{\ 2}-k(k+1)a_{k+1}=0$$

$$\therefore a_{k+1}(a_{k+1}+k)\{a_{k+1}-(k+1)\}=0$$

$a_{k+1}>0$ だから，$a_{k+1}=k+1$ であり，$n=k+1$ のときも，①は成り立つ．

1°，2° により，すべての自然数 n に対して①が成り立つ．

➡注 ②を単に「$n=k$ のとき成り立つ」とすることはできない．「$n=k$ のとき」としてしまうと，$a_k=k$ のみを仮定して，$a_{k-1}=k-1$，$a_{k-2}=k-2$，… といった式は仮定していないことになり，③を作れないからである．

16 演習題（解答は p.78）

数列 $\{a_n\}$ は，$a_1=2$，$a_{n+1}=\frac{12}{n(3n+5)}\sum_{k=1}^{n}(k+1)a_k$ $(n=1, 2, 3, \cdots)$

を満たすとする．このとき次の問いに答えよ．

（1） a_2，a_3，a_4，a_5 を求めて，一般項 a_n を予想せよ．

（2） 上の予想が正しいことを数学的帰納法を用いて示せ．

（3） $\sum_{k=1}^{n}\frac{2^k a_k}{k}$ を求めよ．（関西学院大・理系）

$n\leqq k$ で正しいと仮定して帰納法．

数列
演習題の解答

1…B**	2…B***	3…B**
4…B**	5…B***	6…B***
7…B**	8…C***	9…B**○B*B**
10…B**○	11…B*○B***	12…B***
13…B***	14…C****	15…C***
16…B**○		

1 S_{17} が最大である条件を a_n の符号の条件に言い換える．公差 d は整数であることに注意．

解 $\{a_n\}$ は初項 50，公差 d である．S_{17} が最大なので，

$$a_{17}=50+16d>0,\ a_{18}=50+17d<0$$

これを解いて，$-\dfrac{50}{16}<d<-\dfrac{50}{17}$

d は整数なので，$\boldsymbol{d=-3}$

$$\therefore\ \boldsymbol{a_n}=50-3(n-1)=\boldsymbol{-3n+53}$$

$$S_k=\frac{a_1+a_k}{2}\cdot k=\frac{50+(-3k+53)}{2}\cdot k=\frac{103k-3k^2}{2}$$

$$\therefore\ \sum_{k=1}^{n}\boldsymbol{S_k}=\sum_{k=1}^{n}\frac{1}{2}(103k-3k^2)$$

$$=\frac{103}{2}\cdot\frac{1}{2}n(n+1)-\frac{3}{2}\cdot\frac{1}{6}n(n+1)(2n+1)$$

$$=\frac{1}{4}n(n+1)\{103-(2n+1)\}=\boldsymbol{-\frac{1}{2}n(n+1)(n-51)}$$

2 例題の前文のグラフを見ると，等比数列の公比が正の場合は，等差数列のグラフと等比数列のグラフは多くとも 2 点でしか交わらない．よって，公比が正である場合はありえず，公比は負である．公比が負のとき，3 項あるので少なくとも 1 つは負の項がある．$p<q$ なので，小さい方の p は負である．

解 $p<q$ により，等比数列の公比は 1 ではない．

初めに，公比が負であることを背理法で示す．

4, p, q を並べ替えて得られる a, b, c がこの順に等比数列になるとする．

公比が 1 でない正の数とすると，a, b, c は同符号である．a, b, c のうちの 1 つは 4 であるから，これらは正である．$a<b<c$ か $a>b>c$ の順になるから，この順に等差数列でもある．よって，

$$a+c=2b,\ ac=b^2$$

$$\therefore\ b=\frac{a+c}{2}\geqq\sqrt{ac}=b$$

等号が成立しているので，$a=c$ であるが，公比が 1 でないので矛盾．

よって，公比は負であり，3 項あるので，少なくとも 1 つの項は負である．$p<q$ より，p は負である．

次の 3 通りの場合が考えられる．

（ア） $p<0<q<4$

（イ） $p<0<4<q$

（ウ） $p<q<0<4$

（ア）のとき，等比数列（正，負，正）の中央の項は p であり，

$$p+4=2q,\ p^2=4q\quad\therefore\ p^2=2(p+4)$$

$$\therefore\ p^2-2p-8=0\quad\therefore\ (p-4)(p+2)=0$$

$p<0$ より，$p=-2$，$q=1$

（イ）のとき，等比数列（正，負，正）の中央の項は p であり，

$$p+q=2\cdot4,\ p^2=4q\quad\therefore\ p^2=4(8-p)$$

$$\therefore\ p^2+4p-32=0\quad\therefore\ (p+8)(p-4)=0$$

$p<0$ より，$p=-8$，$q=16$

（ウ）のとき，等比数列（負，正，負）の中央の項は 4 であり，

$$p+4=2q,\ 4^2=pq\quad\therefore\ 16=(2q-4)q$$

$$\therefore\ q^2-2q-8=0\quad\therefore\ (q+2)(q-4)=0$$

$q<0$ より，$q=-2$，$p=-8$

よって，

$$(\boldsymbol{p},\ \boldsymbol{q})=(\boldsymbol{-2},\ \boldsymbol{1}),\ (\boldsymbol{-8},\ \boldsymbol{16}),\ (\boldsymbol{-8},\ \boldsymbol{-2})$$

⇨**注** 上の解答では，公比が負であることに着目して場合分けを減らした．これに気づかないときは，

（エ） $4<p<q$

（オ） $0<p<4<q$

（カ） $0<p<q<4$

の 3 つの場合をさらに調べればよい．（等比数列の条件から，$p\neq0$，$q\neq0$ である．）

3 U を求めるには，$U-rU$ を考える．一般に，$W=\sum_{k=1}^{n}\{(k\text{ の多項式})\times r^k\}$ の形の和は，$W-rW$ を考えることで求められる．$r\neq1$ より場合分け不要．

解 $S=\sum_{k=1}^{n}r^{k-1}=1+r+r^2+\cdots+r^{n-1}=\boldsymbol{\dfrac{r^n-1}{r-1}}$

T と rT の差を考えて，

$$\begin{array}{rl} T= & 1+2r+3r^2+\cdots+\qquad nr^{n-1} \\ -)\ \ rT= & \qquad r+2r^2+\cdots+(n-1)r^{n-1}+nr^n \\ \hline (1-r)T= & 1+\ r+\ r^2+\cdots+\qquad r^{n-1}-nr^n \end{array}$$

$$\therefore\quad \boldsymbol{T=\frac{S-nr^n}{1-r}}$$

U と rU の差を考えて,

$$\begin{array}{rl} U= & 1+2^2r+3^2r^2+\cdots+\qquad n^2r^{n-1} \\ -)\quad rU= & \qquad r+2^2r^2+\cdots+(n-1)^2r^{n-1}+n^2r^n \\ \hline (1-r)U= & 1+3r+5r^2+\cdots+(2n-1)r^{n-1}-n^2r^n \end{array}$$

$$=\sum_{k=1}^{n}(2k-1)r^{k-1}-n^2r^n$$

$$=2\sum_{k=1}^{n}kr^{k-1}-\sum_{k=1}^{n}r^{k-1}-n^2r^n$$

$$\therefore\quad \boldsymbol{U=\frac{2T-S-n^2r^n}{1-r}}$$

【研究】（数Ⅲ既習者向け）

$\sum_{k=1}^{n}kr^{k-1}$, $\sum_{k=1}^{n}k^2r^{k-1}$ を微分を用いて求めてみよう.

等比数列の和の式は, $r\neq 1$ のとき,

$$\sum_{k=1}^{n}r^k=r\cdot\frac{r^n-1}{r-1}=\frac{r^{n+1}-r}{r-1}=(r^{n+1}-r)(r-1)^{-1}$$

両辺を r で微分すると,

$$\sum_{k=1}^{n}kr^{k-1}$$

$$=\{(n+1)r^n-1\}(r-1)^{-1}+(r^{n+1}-r)\{-(r-1)^{-2}\}\cdots\cdots①$$

$$=\frac{(n+1)r^n-1}{r-1}-\frac{r^{n+1}-r}{(r-1)^2}$$

①の両辺に r をかけて

$$\sum_{k=1}^{n}kr^k$$

$$=\{(n+1)r^{n+1}-r\}(r-1)^{-1}-(r^{n+2}-r^2)(r-1)^{-2}$$

両辺を r で微分すると,

$$\sum_{k=1}^{n}k^2r^{k-1}$$

$$=\{(n+1)^2r^n-1\}(r-1)^{-1}+\{(n+1)r^{n+1}-r\}\{-(r-1)^{-2}\}$$
$$-\{(n+2)r^{n+1}-2r\}(r-1)^{-2}-(r^{n+2}-r^2)\{-2(r-1)^{-3}\}$$

$$=\frac{(n+1)^2r^n-1}{r-1}+\frac{3r-(2n+3)r^{n+1}}{(r-1)^2}+\frac{2r^{n+2}-2r^2}{(r-1)^3}$$

4 $(1+2+\cdots+n)(1+2+\cdots+n)$ の展開を利用.

解 $I=\{(j,\ k)\,|\,1\leqq j\leqq n,\ 1\leqq k\leqq n\}$

(1) $(1+2+\cdots+n)(1+2+\cdots+n)$ ……………①

について, 和を計算する前に展開すると, 組 $(j,\ k)$ が I 全体を動くときの jk が一度ずつ現れる. 求める和は

$$①=\left\{\frac{1}{2}n(n+1)\right\}^2=\boldsymbol{\frac{1}{4}n^2(n+1)^2}$$

(2) ①の展開には, j^2 と「jk, kj」$(j<k)$ の形の項があるので, 求める和を S とすると,

$$①=1^2+2^2+\cdots+n^2+2S$$

$$\therefore\quad S=\frac{1}{2}\{①-(1^2+2^2+\cdots+n^2)\}$$

$$=\frac{1}{2}\left\{\frac{1}{4}n^2(n+1)^2-\frac{1}{6}n(n+1)(2n+1)\right\}$$

$$=\frac{1}{24}n(n+1)\{3n(n+1)-2(2n+1)\}$$

$$=\frac{1}{24}n(n+1)(3n^2-n-2)$$

$$=\boldsymbol{\frac{1}{24}n(n+1)(n-1)(3n+2)}$$

(3) 求める和を T とする. T に $j=k-1$ となる積 jk を足せば S になるので,

$$T+\underset{\sim\sim\sim\sim\sim\sim\sim\sim\sim\sim\sim\sim\sim\sim}{1\cdot2+2\cdot3+\cdots+(n-1)\cdot n}=S\ \cdots\cdots\cdots\cdots\cdots②$$

ここで, 波線部の和は,

$$k(k+1)=\{\underline{k(k+1)}(k+2)-(k-1)\underline{k(k+1)}\}\div 3$$

を用いて,

$$\sum_{k=1}^{n-1}k(k+1)$$

$$=\sum_{k=1}^{n-1}\frac{1}{3}\{k(k+1)(k+2)-(k-1)k(k+1)\}$$

$$=\frac{1}{3}(n-1)n(n+1)$$

よって, ②より,

$$T=S-\{1\cdot2+2\cdot3+\cdots+(n-1)n\}$$

$$=\frac{1}{24}n(n+1)(n-1)(3n+2)-\frac{1}{3}(n-1)n(n+1)$$

$$=\frac{1}{24}(n-1)n(n+1)\{(3n+2)-8\}$$

$$=\boldsymbol{\frac{1}{8}(n-2)(n-1)n(n+1)}$$

【補足】 j, k の一方をまず固定する方針だと次のようになる. ここでは, まず k を固定する.

(1) $$\sum_{k=1}^{n}\left(\sum_{j=1}^{n}jk\right)=\sum_{k=1}^{n}\left(k\sum_{j=1}^{n}j\right)=\sum_{k=1}^{n}\left\{k\cdot\frac{1}{2}n(n+1)\right\}$$

$$=\frac{1}{2}n(n+1)\sum_{k=1}^{n}k=\frac{1}{2}n(n+1)\cdot\frac{1}{2}n(n+1)$$

$$=\boldsymbol{\frac{1}{4}n^2(n+1)^2}$$

(2) $$\sum_{k=2}^{n}\left(\sum_{j=1}^{k-1}jk\right)=\sum_{k=2}^{n}\left(k\sum_{j=1}^{k-1}j\right)$$

$$=\sum_{k=2}^{n}\left\{k\cdot\frac{1}{2}(k-1)k\right\}=\frac{1}{2}\sum_{k=1}^{n}(k-1)k^2$$

$$=\frac{1}{2}\left(\sum_{k=1}^{n}k^3-\sum_{k=1}^{n}k^2\right)$$

$$=\frac{1}{2}\left\{\frac{n^2(n+1)^2}{4}-\frac{1}{6}n(n+1)(2n+1)\right\}$$

$$=\frac{1}{24}n(n+1)\{3n(n+1)-2(2n+1)\}$$

$$=\frac{1}{24}n(n+1)(3n^2-n-2)$$

$$=\boldsymbol{\frac{1}{24}n(n+1)(n-1)(3n+2)}$$

（3） $\displaystyle\sum_{k=3}^{n}\left(\sum_{j=1}^{k-2}jk\right)=\sum_{k=3}^{n}\left(k\sum_{j=1}^{k-2}j\right)$

$$=\sum_{k=3}^{n}\left\{k\cdot\frac{1}{2}(k-2)(k-1)\right\}$$

$$=\frac{1}{2}\sum_{k=3}^{n}(k-2)(k-1)k$$

$$=\frac{1}{2}\sum_{k=3}^{n}\{(k-2)(k-1)k(k+1)-(k-3)(k-2)(k-1)k\}\cdot\frac{1}{4}$$

$$=\frac{1}{2\cdot4}\{(n-2)(n-1)n(n+1)-0\cdot1\cdot2\cdot3\}$$

$$=\boldsymbol{\frac{1}{8}(n-2)(n-1)n(n+1)}$$

5 （1） 分母を S_nS_{n+1}，$S_{n+1}S_{n+2}$ に分けたい．$a_{n+1}+a_{n+2}$ を $S_{\square}$ で表す．

（2） （1）を利用するには S_n をどうおいたらよいか．

解 （1） $a_{n+1}+a_{n+2}=S_{n+2}-S_n$ だから，

$$T_n=\frac{a_{n+1}+a_{n+2}}{S_nS_{n+1}S_{n+2}}=\frac{S_{n+2}-S_n}{S_nS_{n+1}S_{n+2}}\ \cdots\cdots\cdots\text{①}$$

$$=\frac{1}{S_nS_{n+1}}-\frac{1}{S_{n+1}S_{n+2}}$$

$$\sum_{k=1}^{n}T_k=\sum_{k=1}^{n}\left(\frac{1}{S_kS_{k+1}}-\frac{1}{S_{k+1}S_{k+2}}\right)=\boldsymbol{\frac{1}{S_1S_2}-\frac{1}{S_{n+1}S_{n+2}}}$$

（2） $S_n=n^2$ のとき，①より，

$$T_n=\frac{(n+2)^2-n^2}{n^2(n+1)^2(n+2)^2}=\frac{4n+4}{n^2(n+1)^2(n+2)^2}$$

$$\therefore\quad T_n=\frac{4}{n^2(n+1)(n+2)^2}$$

よって $\dfrac{1}{n^2(n+1)(n+2)^2}=\dfrac{1}{4}T_n$ だから，（1）より，

$$\sum_{k=1}^{n}\frac{1}{k^2(k+1)(k+2)^2}=\frac{1}{4}\sum_{k=1}^{n}T_k$$

$$=\frac{1}{4}\left(\frac{1}{S_1S_2}-\frac{1}{S_{n+1}S_{n+2}}\right)$$

$$=\frac{1}{4}\left\{\frac{1}{1^2\cdot2^2}-\frac{1}{(n+1)^2(n+2)^2}\right\}$$

$$=\boldsymbol{\frac{1}{4}\left\{\frac{1}{4}-\frac{1}{(n+1)^2(n+2)^2}\right\}}$$

6 （2） 第 n 項が第何群にあるのかの当りをつけるため，第 m 群までの和をまず求める．

解 次のように第 k 群を定める．

$$\overbrace{1,\ 3}^{\text{第1群}},\ \overbrace{1,\ 3,\ 3^2}^{\text{第2群}},\ \cdots,\ \overbrace{1,\ 3,\ 3^2,\ \cdots,\ 3^k}^{\text{第}k\text{群}},\ 1,\ \cdots$$

（1） 第 k 群は $k+1$ 項からなる．21 回目に現れる 1 は第 21 群の最初の項だから，

$$\underbrace{(2+3+\cdots+21)}_{\text{第20群まで}}+1=1+2+\cdots+21=\frac{21\cdot22}{2}=\mathbf{231}\ \textbf{(項)}$$

（2） 第 k 群の和は $1+3+\cdots+3^k=\dfrac{3^{k+1}-1}{2}$

第 1 群から第 m 群までの和 T_m は

$$T_m=\sum_{k=1}^{m}\frac{3^{k+1}-1}{2}=\frac{1}{2}\left(3^2\sum_{k=1}^{m}3^{k-1}-m\right)$$

$$=\frac{1}{2}\left\{\frac{3^2(3^m-1)}{2}-m\right\}=\frac{3^{m+2}-9-2m}{4}\ \cdots\cdots\text{①}$$

①が 555 の近くになる m を求めたい．

［ 3，$3^2=9$，$3^3=27$，$3^4=81$，$3^5=243$，$3^6=729$，$3^7=2187$，$3^8=6561$，… を 4 で割ったものと，555 の大小を考えて，$m+2=7$ であると予想．実際に，］

$T_5=\dfrac{2187-19}{4}=542$，$T_6>1000$ であるから，$S_n\leqq555$ を満たす最大の n の項は第 6 群にある．また，

$$T_5+1+3+3^2=542+13=555$$

であるから，第 6 群の 3 番目までの和が 555 になる．答えは，$n=(2+3+4+5+6)+3=\mathbf{23}$

7 1 を中心とした 3×3，5×5，7×7，…の正方形の右下には正方形に入っている数の個数（＝平方数 a^2）が並ぶ．

解 （1） 右下図のように，1 を第 0 群，第 0 群を囲む数字を第 1 群，第 1 群を囲む数字を第 2 群，…のように第 n 群を定める．第 n 群には縦，横それぞれ $2n+1$ 個の数字が並ぶ．

第 n 群の最大の数字（右上図丸数字）を b_n ($b_0=1$) とする．第 0 群～第 n 群までに数字が $(2n+1)^2$ 個並ぶので，

$$b_n=(2n+1)^2$$

$n\geqq1$ とする．a_n は $b_{n-1}=(2n-1)^2$ から n 個目の数字であるから，

$$a_n=(2n-1)^2+n$$

$$=\boldsymbol{4n^2-3n+1}$$

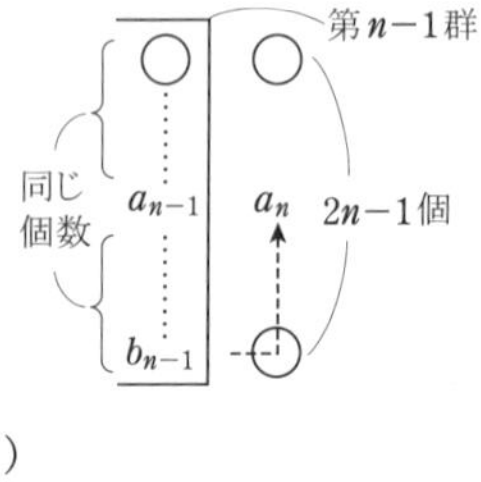

（2） $\displaystyle\sum_{k=1}^{n}a_k=\sum_{k=1}^{n}(4k^2-3k+1)$

$=\dfrac{4}{6}n(n+1)(2n+1)-\dfrac{3}{2}n(n+1)+n$

$=\dfrac{1}{6}n\{4(n+1)(2n+1)-9(n+1)+6\}$

$=\boldsymbol{\dfrac{1}{6}n(8n^2+3n+1)}$

8 a 円を年利率 r で1年間借りると，利息が ar で，残高は元金と利息を足して，$a(1+r)$ となる．返済があれば，ここから引く．

解 毎回の返済金額を x 円とし，k 回目の返済後の残高を a_k とすると，$a_0=A$

$$a_{k+1}=(1+r)a_k-x$$

$\left[\alpha=(1+r)\alpha-x \text{ より } \alpha=\dfrac{x}{r} \text{ であり}\right]$

$$a_{k+1}-\frac{x}{r}=(1+r)\left(a_k-\frac{x}{r}\right)$$

$$\therefore\ a_k-\frac{x}{r}=(1+r)^k\left(a_0-\frac{x}{r}\right)$$

$$\therefore\ a_k=(1+r)^k\left(A-\frac{x}{r}\right)+\frac{x}{r}$$

$a_n=0$ より，$0=(1+r)^n\left(A-\dfrac{x}{r}\right)+\dfrac{x}{r}$

$$\therefore\ \{(1+r)^n-1\}\frac{x}{r}=(1+r)^nA$$

$$\therefore\ x=\boldsymbol{\frac{r(1+r)^nA}{(1+r)^n-1}}$$

＊　＊

解答では漸化式を立てたが，次のように立式できる．

別解 毎回の返済額を x 円とし，$1+r=R$ とおく．

各年の返済後の残高は，

1年目：$AR-x$

2年目：$(AR-x)R-x$

3年目：$((AR-x)R-x)R-x$

⋮

n 年目は

$(\cdots(((AR-x)R-x)R-x)\cdots)R-x$

［R，x は n 個ずつ］

$=AR^n-x(R^{n-1}+R^{n-2}+\cdots+R+1)$

$=AR^n-\dfrac{x(R^n-1)}{R-1}$

これが0になるので，

$$AR^n-\frac{x(R^n-1)}{R-1}=0$$

$$\therefore\ x=\frac{AR^n(R-1)}{R^n-1}=\boldsymbol{\frac{A(1+r)^nr}{(1+r)^n-1}}$$

9 (1)と(3)は，$a_{n+1}+f(n+1)=k(a_n+f(n))$ の形に変形するのがよいだろう．$f(n)$ について，(1)は n の2次式，(3)は分母が n の1次式で探せばよい．(2)は 2^{n+1} で割ると階差型に帰着される．

解 (1) $a_{n+1}+A(n+1)^2+B(n+1)+C$

$=3(a_n+An^2+Bn+C)$ ……………………①

が与式と一致するように，定数 A，B，C を定める．

①を変形して，

$a_{n+1}=3a_n+3An^2+3Bn+3C$

$\quad -A(n+1)^2-B(n+1)-C$

$=3a_n+2An^2+(2B-2A)n-A-B+2C$

与式 $a_{n+1}=3a_n+2n^2-2n-1$ と係数を比較して，

$2A=2$，$2B-2A=-2$，$-A-B+2C=-1$

これを解いて，$A=1$，$B=0$，$C=0$

よって，①は，

$$a_{n+1}+(n+1)^2=3(a_n+n^2)$$

これより，$\{a_n+n^2\}$ は等比数列で，公比3，初項 $a_1+1^2=2+1=3$ なので，一般項は，

$$a_n+n^2=3\cdot3^{n-1}=3^n$$

$$\therefore\ \boldsymbol{a_n=3^n-n^2}$$

(2) $a_{n+1}=2a_n+n\cdot2^{n+1}$ の両辺を 2^{n+1} で割ると，

$$\frac{a_{n+1}}{2^{n+1}}=\frac{a_n}{2^n}+n$$

$b_n=\dfrac{a_n}{2^n}$ とおくと $b_1=\dfrac{a_1}{2^1}=\dfrac{1}{2}$，$b_{n+1}=b_n+n$

であるから，$n\geqq2$ のとき，

$$b_n=b_1+\sum_{k=1}^{n-1}(b_{k+1}-b_k)=b_1+\sum_{k=1}^{n-1}k=\frac{1}{2}+\frac{1}{2}n(n-1)$$

よって $\boldsymbol{a_n=2^{n-1}(n^2-n+1)}$（$n=1$ でも正しい）

(3) $a_{n+1}+\dfrac{A}{n+1}=\dfrac{1}{2}\left(a_n+\dfrac{A}{n}\right)$ ……………………①

が与式と一致するように，定数 A を定める．

①を変形して，

$$a_{n+1}=\frac{1}{2}a_n+\frac{A}{2n}-\frac{A}{n+1}=\frac{1}{2}a_n+\frac{A(-n+1)}{2n(n+1)}$$

与式 $a_{n+1}=\dfrac{1}{2}a_n+\dfrac{n-1}{n(n+1)}$ と比較して，

$$-\frac{A}{2}=1 \qquad \therefore\ A=-2$$

よって，①は，$a_{n+1}-\dfrac{2}{n+1}=\dfrac{1}{2}\left(a_n-\dfrac{2}{n}\right)$

これより，$\left\{a_n-\dfrac{2}{n}\right\}$ は等比数列で，公比 $\dfrac{1}{2}$，初項

$a_1-\dfrac{2}{1}=1-2=-1$，一般項は，$a_n-\dfrac{2}{n}=-\left(\dfrac{1}{2}\right)^{n-1}$

$$\therefore\ \boldsymbol{a_n=\frac{2}{n}-\left(\frac{1}{2}\right)^{n-1}}$$

10 (3) 逆数をとるタイプ（○11 を参照）.

解 $a_1=1,\ a_n=\dfrac{2S_n{}^2}{2S_n+1}\ (n=2,\ 3,\ 4,\ \cdots)$ ………①

(1) ①で $n=2$ として，$a_2=\dfrac{2(a_1+a_2)^2}{2(a_1+a_2)+1}$

$a_2=x$ とおき，$a_1=1$ を代入して分母を払うと，

$$x(2x+3)=2(x+1)^2 \qquad \therefore\ -x=2$$

よって，$x=\boldsymbol{a_2=-2}$

(2) $a_n=S_n-S_{n-1}$ だから，$S_n-S_{n-1}=\dfrac{2S_n{}^2}{2S_n+1}$

$\therefore\ (S_n-S_{n-1})(2S_n+1)=2S_n{}^2$

$\therefore\ S_n-2S_{n-1}S_n-S_{n-1}=0$

よって，$(1-2S_{n-1})S_n=S_{n-1}$

$S_{n-1}=\dfrac{1}{2}$ は上式を満たさないから，$\boldsymbol{S_n=\dfrac{S_{n-1}}{1-2S_{n-1}}}$

(3) $S_1=1$ と(2)の漸化式より帰納的に $S_n\neq0$ である．(2)の漸化式の各辺の逆数をとって，

$$\frac{1}{S_n}=\frac{1-2S_{n-1}}{S_{n-1}} \qquad \therefore\ \frac{1}{S_n}=\frac{1}{S_{n-1}}-2$$

$\left\{\dfrac{1}{S_n}\right\}$ は初項 $\dfrac{1}{S_1}=\dfrac{1}{a_1}=1$，公差 -2 の等差数列だから，$\dfrac{1}{S_n}=1-2(n-1)=3-2n$ で，$\boldsymbol{S_n=\dfrac{1}{3-2n}}$

11 (1) 逆数をとるタイプ.

(2) $a_{n+1}=\dfrac{\bigcirc}{a_n}$ なので，$a_{n+2}=\dfrac{\bigcirc'}{a_{n+1}}=\dfrac{\bigcirc'}{\bigcirc/a_n}=\square a_n$ となるので，1つとびを考えるとよい.

解 (1) $a_1=8,\ a_n=\dfrac{a_{n-1}}{(n-1)a_{n-1}+1}$

帰納的に $a_n>0$ である．上式の各辺の逆数をとると，

$$\frac{1}{a_n}=\frac{(n-1)a_{n-1}+1}{a_{n-1}}=\frac{1}{a_{n-1}}+n-1$$

$b_n=1/a_n$ とおくと，

$$b_n=b_{n-1}+n-1 \qquad \therefore\ b_{n+1}=b_n+n\ (n\geqq1)$$

よって，$n\geqq2$ のとき，

$$b_n=b_1+\sum_{k=1}^{n-1}(b_{k+1}-b_k)=b_1+\sum_{k=1}^{n-1}k$$

$$=b_1+\frac{1+n-1}{2}\times(n-1)\ \left(\begin{array}{l}\text{これは } n=1\\ \text{でも成り立つ}\end{array}\right)$$

$$=\frac{1+4(n^2-n)}{8}=\frac{(2n-1)^2}{8}$$

$$\therefore\ \boldsymbol{a_n=\frac{8}{(2n-1)^2}}$$

(2) $a_1=3,\ a_na_{n+1}=5\cdot2^{2n-1}$ ………①

①より $a_{n+1}a_{n+2}=5\cdot2^{2n+1}$ ……②．②÷①より，

$$\frac{a_{n+2}}{a_n}=2^2 \qquad \therefore\ a_{n+2}=4a_n$$

● n が奇数 $2k-1$ のとき，$a_{2(k+1)-1}=4a_{2k-1}$ より，$\{a_{2m-1}\}$ は公比 4 の等比数列である．第 1 項は $m=1$ とした $a_{2\cdot1-1}=a_1$ であり，第 k 項は $m=k$ とした a_{2k-1} であるから，

$$a_{2k-1}=4^{k-1}a_1=3\cdot4^{k-1}=3\cdot2^{2k-2}$$

● n が偶数 $2k$ のとき，$a_{2(k+1)}=4a_{2k}$ より，

$$a_{2k}=4^{k-1}a_2=2^{2k-2}a_2$$

①より $a_1a_2=10$ で $a_2=\dfrac{10}{3}$ $\qquad\therefore\ a_{2k}=\dfrac{5}{3}\cdot2^{2k-1}$

以上より，$\boldsymbol{a_n=\begin{cases}3\cdot2^{n-1} & (n\text{ が奇数のとき})\\ \dfrac{5}{3}\cdot2^{n-1} & (n\text{ が偶数のとき})\end{cases}}$

⇨**注** ①より，明らかに $a_n\neq0$ である．ちなみに，一つの式で表すと，$a_n=\dfrac{2(-1)^{n-1}+7}{3}\cdot2^{n-1}$

12 $b_{n+1}=\dfrac{a_{n+1}+\beta}{a_{n+1}+\alpha}$ の右辺を，$a_{n+1}=\dfrac{4a_n+1}{2a_n+3}$ を用いて変形して，$\dfrac{a_n+\beta}{a_n+\alpha}\ (=b_n)$ の定数倍になるようにする．$a_n,\ a_{n+1}$ を $b_n,\ b_{n+1}$ で表してから，$a_{n+1}=\dfrac{4a_n+1}{2a_n+1}$ に代入するのは下手.

解 (1) $a_{n+1}=\dfrac{4a_n+1}{2a_n+3}$ ……………………………①

$b_n=\dfrac{a_n+\beta}{a_n+\alpha}$ のとき，$b_{n+1}=\dfrac{a_{n+1}+\beta}{a_{n+1}+\alpha}$ に①を代入して

$$b_{n+1}=\frac{\dfrac{4a_n+1}{2a_n+3}+\beta}{\dfrac{4a_n+1}{2a_n+3}+\alpha}=\frac{4a_n+1+\beta(2a_n+3)}{4a_n+1+\alpha(2a_n+3)}$$

$$=\frac{(2\beta+4)a_n+3\beta+1}{(2\alpha+4)a_n+3\alpha+1}=\frac{2\beta+4}{2\alpha+4}\cdot\frac{a_n+\dfrac{3\beta+1}{2\beta+4}}{a_n+\dfrac{3\alpha+1}{2\alpha+4}}\ \cdots\cdots②$$

これが，$\dfrac{a_n+\beta}{a_n+\alpha}\ (=b_n)$ ……③ の定数倍になればよい．②の右側の分数と③が一致するように $\alpha,\ \beta$ を定める.

$$\frac{3\alpha+1}{2\alpha+4}=\alpha,\quad \frac{3\beta+1}{2\beta+4}=\beta$$

であればよい．よって，$\alpha,\ \beta$ は $\dfrac{3x+1}{2x+4}=x$ の解で，分母を払うと，$3x+1=x(2x+4)$

$$\therefore\ 2x^2+x-1=0 \qquad \therefore\ (x+1)(2x-1)=0$$

$\alpha>\beta$ より，$\boldsymbol{\alpha=\frac{1}{2}}$，$\boldsymbol{\beta=-1}$ ……………………………④

（2） ④より，$b_n=\dfrac{a_n-1}{a_n+\frac{1}{2}}$ $\quad\therefore\quad b_1=\dfrac{a_1-1}{a_1+\frac{1}{2}}=\dfrac{2}{5}$

また，②より，$\{b_n\}$ の公比は $\dfrac{2\beta+4}{2\alpha+4}=\dfrac{2}{5}$

よって $b_n=\left(\dfrac{2}{5}\right)^n$ だから，$\dfrac{a_n-1}{a_n+\frac{1}{2}}=\left(\dfrac{2}{5}\right)^n=\dfrac{2^n}{5^n}$

分母を払って，$5^n(a_n-1)=2^n\left(a_n+\dfrac{1}{2}\right)$

$\therefore\quad (5^n-2^n)a_n=5^n+2^n\cdot\dfrac{1}{2}\qquad\therefore\quad \boldsymbol{a_n=\dfrac{5^n+2^{n-1}}{5^n-2^n}}$

➡注　一般に，$a_{n+1}=\dfrac{ra_n+s}{pa_n+q}$（$ps-qr\neq0$）に対して，
$x=\dfrac{rx+s}{px+q}$ が異なる2解 α'，β' を持つとき，
$-\alpha'$ と $-\beta'$ が本問の α，β に相当するものである．

13　（2） a_{2n+1} を a_{2n-1} で表して，初めに a_{2n+1} を求めることにする．（3） $n(n+1)(n+2)$ が4の倍数となる条件を考える．合同式(☞本シリーズ「数A」p.69)が有効．4で割った余りで分類して調べればよい．

解　$a_{2n}=\dfrac{1}{4}a_{2n-1}+n^2$ ……………………………①

$a_{2n+1}=4a_{2n}+4(n+1)$ ……………………………②

（1） $a_1=4$ と①より，$\boldsymbol{a_2}=\dfrac{1}{4}\cdot4+1^2=\boldsymbol{2}$

これと②より，$\boldsymbol{a_3}=4\cdot2+4\cdot2=\boldsymbol{16}$

$\therefore\quad \boldsymbol{a_4}=\dfrac{1}{4}\cdot16+2^2=\boldsymbol{8}\qquad\therefore\quad \boldsymbol{a_5}=4\cdot8+4\cdot3=\boldsymbol{44}$

（2） ②に①を代入すると

$$a_{2n+1}=4\left(\frac{1}{4}a_{2n-1}+n^2\right)+4(n+1)$$
$$=a_{2n-1}+4(n^2+n+1)$$

よって，［階差型］

$$\boldsymbol{a_{2n+1}}=a_1+(a_3-a_1)+\cdots+(a_{2n+1}-a_{2n-1})$$
$$=a_1+\sum_{k=1}^{n}(a_{2k+1}-a_{2k-1})=4+\sum_{k=1}^{n}4(k^2+k+1)$$
$$=4+4\cdot\frac{1}{6}n(n+1)(2n+1)+4\cdot\frac{1}{2}n(n+1)+4n$$
$$=4(n+1)\left\{\frac{1}{6}n(2n+1)+\frac{1}{2}n+1\right\}$$
$$=\boldsymbol{\frac{4}{3}(n+1)(n^2+2n+3)}$$

②より

$$\boldsymbol{a_{2n}}=\frac{1}{4}\{a_{2n+1}-4(n+1)\}=\frac{1}{4}a_{2n+1}-(n+1)$$
$$=\frac{1}{3}(n+1)(n^2+2n+3-3)=\boldsymbol{\frac{1}{3}n(n+1)(n+2)}$$

（3） n，$n+1$，$n+2$ のうちに3の倍数があるので，$n(n+1)(n+2)$ は3で割り切れ，

$a_{2n}=\dfrac{1}{3}n(n+1)(n+2)$ は整数となる．

このとき②より，a_{2n+1} は4の倍数．a_1 も4の倍数．次に a_{2n} が4の倍数になる条件を調べる．

3と4は互いに素であるから，

a_{2n} が4の倍数 $\iff$ $n(n+1)(n+2)$ が4の倍数

ここで，整数 n に対して，$n\equiv0,\ 1,\ 2,\ 3\pmod 4$ のいずれかである．これらのときを調べると，

$4\equiv0\pmod 4$，$1\cdot2\cdot3=6\equiv2\pmod 4$ より，

$n\equiv$	0	1	2	3
$n(n+1)(n+2)\equiv$	0	2	0	0

よって，a_{2n} が4の倍数でないのは，
$n\equiv1\pmod 4$，つまり，
n を4で割った余りが1のとき（1，5，9，13，…）
である．答えは，$\boldsymbol{a_2}$，$\boldsymbol{a_{10}}$，$\boldsymbol{a_{18}}$，$\boldsymbol{a_{26}}$．

14　（2） ${a_{n+1}}^2-p$ を式変形して，${a_n}^2-p$ と結びつける．
（3） ${a_n}^2-15=(a_n-\sqrt{15})(a_n+\sqrt{15})$ として，
$a_n-\sqrt{15}\leqq A$（A は定数）の形に変形して不等式を作る．
このとき，$a_n+\sqrt{15}$ の方はざっくりと見積ってよい．

解　$a_1>\sqrt{p}$ ……①，$a_{n+1}=\dfrac{1}{2}\left(a_n+\dfrac{p}{a_n}\right)$ ……②

（1） ①より，$n=1$ のとき $a_n\geqq\sqrt{p}$ は成り立つ．

①②より帰納的に $a_n>0$ だから，②および
相加平均≧相乗平均 より，

$$a_{n+1}=\frac{1}{2}\left(a_n+\frac{p}{a_n}\right)\geqq\sqrt{a_n\cdot\frac{p}{a_n}}=\sqrt{p}$$

よって，$n\geqq2$ のときも $a_n\geqq\sqrt{p}$ は成り立つ．

（2） ②より，

$${a_{n+1}}^2-p=\frac{1}{4}\left(a_n+\frac{p}{a_n}\right)^2-p$$
$$=\frac{{a_n}^4-2p{a_n}^2+p^2}{4{a_n}^2}=\frac{1}{4{a_n}^2}({a_n}^2-p)^2\ \cdots\cdots③$$

（1）より ${a_n}^2\geqq p$ だから，$③\leqq\dfrac{1}{4p}({a_n}^2-p)^2$

$$\therefore\quad {a_{n+1}}^2-p\leqq\frac{1}{4p}({a_n}^2-p)^2\ \cdots\cdots\cdots\cdots④$$

これを繰り返し用いて，

$$a_{n+1}{}^2-p \leqq \frac{1}{4p}(a_n{}^2-p)^2$$

$$\leqq \frac{1}{4p}\left\{\frac{1}{4p}(a_{n-1}{}^2-p)^2\right\}^2=\left(\frac{1}{4p}\right)^{1+2}(a_{n-1}{}^2-p)^{2^2}$$

$$\leqq \left(\frac{1}{4p}\right)^{1+2}\left\{\frac{1}{4p}(a_{n-2}{}^2-p)^2\right\}^{2^2}$$

$$=\left(\frac{1}{4p}\right)^{1+2+2^2}(a_{n-2}{}^2-p)^{2^3}$$

$$\leqq \cdots \leqq \left(\frac{1}{4p}\right)^{1+2+2^2+\cdots+2^{n-1}}(a_1{}^2-p)^{2^n}$$

$$=\left(\frac{1}{4p}\right)^{2^n-1}(a_1{}^2-p)^{2^n}$$

（３）（２）で $n=2$, $a_1=4$, $p=15$ として，

$$a_3{}^2-15 \leqq \left(\frac{1}{60}\right)^3 \quad \therefore \quad (a_3-\sqrt{15})(a_3+\sqrt{15}) \leqq \frac{1}{60^3}$$

$a_3+\sqrt{15}>1$ とから，

$$a_3-\sqrt{15} \leqq \frac{1}{60^3}\cdot\frac{1}{a_3+\sqrt{15}}<\frac{1}{60^3}=\frac{1}{216\cdot 10^3}<\frac{1}{10^5}$$

（４） $a_1=4$, $p=15$ のとき，$a_{n+1}=\dfrac{1}{2}\left(a_n+\dfrac{15}{a_n}\right)$

より，$a_2=\dfrac{1}{2}\left(4+\dfrac{15}{4}\right)=\dfrac{31}{8}$

$$a_3=\frac{1}{2}\left(\frac{31}{8}+\frac{15\cdot 8}{31}\right)=\frac{1921}{496}=3.87298\cdots$$

（１）（３）より，$a_3-\dfrac{1}{10^5}<\sqrt{15} \leqq a_3$ だから，

$3.87297\cdots<\sqrt{15} \leqq 3.87298\cdots$ より，答えは **3.8730**

15 a_n の分母を払った式（以下の①）を証明する．

解 $\dfrac{2n}{3}<a_n=\dfrac{1+\sqrt{2}+\cdots+\sqrt{n}}{\sqrt{n}}$ に $\sqrt{n}$ をかけて，

$$\frac{2}{3}n\sqrt{n}<1+\sqrt{2}+\sqrt{3}+\cdots+\sqrt{n} \quad \cdots\cdots①$$

これを n についての帰納法で証明する．

$n=1$ のとき，$\dfrac{2}{3}\cdot 1\cdot\sqrt{1}<1$ で O.K.

$n=k$ のとき，成り立つとする．

$$\frac{2}{3}k\sqrt{k}<1+\sqrt{2}+\sqrt{3}+\cdots+\sqrt{k} \quad \cdots\cdots②$$

①で $n=k+1$ とした式，

$$\frac{2}{3}(k+1)\sqrt{k+1}<1+\sqrt{2}+\sqrt{3}+\cdots+\sqrt{k+1} \quad \cdots③$$

が，②から導ければよい．②，③の左辺どうし，右辺どうしの差を不等号で結ぶと，

$$\frac{2}{3}(k+1)\sqrt{k+1}-\frac{2}{3}k\sqrt{k}<\sqrt{k+1} \quad \cdots\cdots④$$

これを示すことができれば，②＋④で③が示せる．

$$④ \iff \left(\frac{2}{3}k-\frac{1}{3}\right)\sqrt{k+1}<\frac{2}{3}k\sqrt{k}$$

［両辺が正なので，３倍して２乗して］

$$\iff (2k-1)^2(k+1)<4k^3$$

ここで，（右辺）－（左辺）は，

$$4k^3-(2k-1)^2(k+1)=4k^3-(4k^2-4k+1)(k+1)$$

$$=4k^3-(4k^3-3k+1)=3k-1>0$$

よって，④が成り立ち，帰納法により①が示された．

16 （３） Σ(等差)×(等比)の計算は，○3 参照．

解 （１） $\boldsymbol{a_2}=\dfrac{12}{1\cdot 8}\cdot 2a_1=\dfrac{3}{2}\cdot 4=\mathbf{6}$

$$\boldsymbol{a_3}=\frac{12}{2\cdot 11}(2a_1+3a_2)=\frac{6}{11}(4+18)=\frac{6}{11}\cdot 22=\mathbf{12}$$

$$\boldsymbol{a_4}=\frac{12}{3\cdot 14}(2a_1+3a_2+4a_3)=\frac{2}{7}(22+48)=\mathbf{20}$$

$$\boldsymbol{a_5}=\frac{12}{4\cdot 17}(2a_1+3a_2+4a_3+5a_4)=\mathbf{30}$$

$a_2=2\cdot 3$, $a_3=3\cdot 4$, $a_4=4\cdot 5$, $a_5=5\cdot 6$ より

$\boldsymbol{a_n=n(n+1)}$ と予想できる．

（２） $n=1$ のとき予想は正しい．

$n \leqq k$ $(k \geqq 1)$ で正しいとすると，

$$a_{k+1}=\frac{12}{k(3k+5)}\underbrace{\sum_{m=1}^{k}(m+1)m(m+1)}$$

$$12\times\text{〰〰}=12\sum_{m=1}^{k}(m^3+2m^2+m)$$

$$=3k^2(k+1)^2+4k(k+1)(2k+1)+6k(k+1)$$

$$=k(k+1)\{3k(k+1)+4(2k+1)+6\}$$

$$=k(k+1)(3k^2+11k+10)=k(k+1)(k+2)(3k+5)$$

これより $a_{k+1}=(k+1)(k+2)$ となり，数学的帰納法により予想が正しいことが示された．

（３） $\displaystyle\sum_{k=1}^{n}\frac{2^k a_k}{k}=\sum_{k=1}^{n}(k+1)2^k=S$ とおくと，

$$S=2\cdot 2^1+3\cdot 2^2+\cdots+n2^{n-1}+(n+1)2^n$$

$$2S=\qquad 2\cdot 2^2+\cdots+(n-1)2^{n-1}+n2^n+(n+1)2^{n+1}$$

であるから，

$$S=2S-S$$

$$=-2\cdot 2^1-(2^2+\cdots+2^{n-1}+2^n)+(n+1)2^{n+1}$$

$$=(n+1)2^{n+1}-2^2\cdot\frac{2^{n-1}-1}{2-1}-4$$

$$=(n+1)2^{n+1}-(2^{n+1}-4)-4=\boldsymbol{n\cdot 2^{n+1}}$$

⇨**注** （１） a_n がすぐ予想できなかったら階差をとってみよう．階差は初項 4，公差 2 の等差数列と容易に予想できる．

a_1	a_2	a_3	a_4	a_5
‖	‖	‖	‖	‖
2	6	12	20	30

階差： 4　6　8　10

ミニ講座・1
Σの変数の置き換え

Σ計算のときの変数について講義していきます.

総和の公式は,

$$\sum_{k=1}^{n} k=\frac{1}{2}n(n+1),\ \sum_{k=1}^{n} k^2=\frac{1}{6}n(n+1)(2n+1)$$

とΣの中身の式が k を用いて書かれていることが多いでしょう.

$\sum_{k=1}^{n} k^2$ は, k に1から n までを代入したものの和を取りなさい, という意味でした. k に1から n までを代入したものを書き並べると, 1^2, 2^2, ……, n^2 であり, $\sum_{k=1}^{n} k^2$ の記号ではこれらの和を表していたわけです.

この場合, k は代入するための文字ですから, 他の文字でも構いません. 例えば, 公式は

$$\sum_{j=1}^{n} j=\frac{1}{2}n(n+1),\ \sum_{l=1}^{n} l^2=\frac{1}{6}n(n+1)(2n+1)$$

と書くこともできます. いずれにしろ, 右辺にはシグマを計算するときに変数として用いた文字は残っていませんね.

この認識の上で, 次の問題を解いてみましょう.

問題 1　$S=\sum_{k=1}^{n} k5^{k-1}$, $T=\sum_{k=1}^{n} k^2 5^{k-1}$ とおくとき,

$$\sum_{p=1}^{n}(p+1)^3 5^{p-1}-\sum_{q=1}^{n} q^3 5^{q-1}-\sum_{r=1}^{n} 5^{r-1}$$

を S, T を用いて表せ.　　(東京工科大, 一部略)

与えられた式は, シグマの変数が p, q, r とバラバラです. Σの変数は何であってもよかったので, これを k にそろえましょう.

$$\sum_{p=1}^{n}(p+1)^3 5^{p-1}-\sum_{q=1}^{n} q^3 5^{q-1}-\sum_{r=1}^{n} 5^{r-1}$$

$$=\sum_{k=1}^{n}(k+1)^3 5^{k-1}-\sum_{k=1}^{n} k^3 5^{k-1}-\sum_{k=1}^{n} 5^{k-1}\ \cdots\cdots\cdots\cdots①$$

ここでひと工夫してみましょう. Σ計算のときは, Σを分けて計算していくのが通常ですが, ここではΣをいったんまとめます.

$$①=\sum_{k=1}^{n}\{(k+1)^3 5^{k-1}-k^3 5^{k-1}-5^{k-1}\}$$

$$=\sum_{k=1}^{n}\{(k+1)^3-k^3-1\}5^{k-1}=\sum_{k=1}^{n}(3k^2+3k)5^{k-1}$$

$$=3\sum_{k=1}^{n} k^2 5^{k-1}+3\sum_{k=1}^{n} k5^{k-1}=\mathbf{3T+3S}$$

Σをひとつにまとめたところがうまかったですね.

$\sum_{k=1}^{n}(k+1)^3 5^{k-1}$ をそのまま計算しようとすると, $\sum_{k=1}^{n} k^3 5^{k-1}$ が残り, S と T だけでは書けなかったところです. 文字を k に統一したことが功を奏した結果となりました.

上の問題は変数変換といっても, 単なる文字の置き換えでした. 次は, もう少し本格的な変数変換をしてみましょう.

問題 2　$\sum_{k=2}^{10}(k-1)^2(2k-1)$ を計算せよ.

(p.59 の別解の和)

k が2から始まっているところが口惜しいところです. 1から始まっていれば公式が使えるのに….

Σ計算を具体的に書き下してみましょう.

$$\sum_{k=2}^{10}(k-1)^2(2k-1)$$

$$=1^2\cdot3+2^2\cdot5+3^2\cdot7+\cdots\cdots+9^2\cdot19\ \cdots\cdots\cdots\cdots\cdots②$$

こうしてみると2乗のところが1, 2, …, 9となっていますから, ここを変数とおくのが自然だと思われます.

$k-1=l$ とし, Σを書き直してみましょう.

$k=l+1$ ですから, Σの中身は l を用いて,

$(k-1)^2(2k-1)=(l+1-1)^2\{2(l+1)-1\}=l^2(2l+1)$

と表されます. これにつれて総和をとる範囲も変わってきます.

k が2～10のとき, $l(=k-1)$ は1～9です.

よって, 求める総和は,

$$\sum_{k=2}^{10}(k-1)^2(2k-1)=\sum_{l=1}^{9} l^2(2l+1)$$

と l を用いて書き直すことができます. 右辺を書き下すと②に等しくなることを, 作業を通じて納得して欲しいと思います. 以下答えは,

$$\sum_{l=1}^{9} l^2(2l+1)=\sum_{l=1}^{9}(2l^3+l^2)$$

$$=2\times\frac{1}{4}\cdot9^2\cdot10^2+\frac{1}{6}\cdot9\cdot10\cdot19=\mathbf{4335}$$

$(k-1)^2(2k-1)$ を展開した式よりも, l で書いた式の方が項が少なく, この点でも得をしました.

変数の置き換えをしたら, あとは機械的にΣが書き直せるようになるとΣ計算も習熟していきます.

融合問題（数ⅠAⅡB）

入試では，複数の分野にまたがる（あるいは分野が不明な）問題が少なくありません．ここでは，数ⅠAⅡBの複数の分野にまたがる融合問題を取り上げます．融合問題とはいえ，あくまでも入試で頻出・典型的なものを対象にしました．

■例題と演習題

1 図形量の最大・最小／相加・相乗平均

x を正の実数とする．座標平面上の 3 点 A(0, 1), B(0, 2), P(x, x) をとり，△APB を考える．x の値が変化するとき，∠APB の最大値を求めよ．（京大・理系）

角度の最大・最小をとらえるときは tan で　cos で立式すると面倒になることが多い．tan でとらえる（tan の加法定理を利用する）のがよい．

相加・相乗平均で最大・最小を求める　$x+\dfrac{a}{x}$（$x>0$, a は正の定数）の形の最小値は，相加・相乗平均の関係を用いると一発である．つまり，

$$x+\frac{a}{x}\geqq 2\sqrt{x\cdot\frac{a}{x}}=2\sqrt{a}\ \left(\text{等号は } x=\frac{a}{x}\text{，つまり } x=\sqrt{a} \text{ のとき}\right)$$

から，$x=\sqrt{a}$ のとき，最小値 $2\sqrt{a}$ を取ることが分かる．

x と $\dfrac{a}{x}$ は積が一定であるから，このようにうまく求まる．また，和が一定（a とする）である正の 2 数 x, y の積 xy の最大値も，$\sqrt{xy}\leqq\dfrac{x+y}{2}=\dfrac{a}{2}$（等号は $x=y=\dfrac{a}{2}$ のとき）から分かる．

分母 or 分子に変数を集める　分数式では，分母 or 分子に変数を集めると扱いやすくなる．

解答

∠APB$=\theta$ とおく．右図のように，x 軸の正方向から $\overrightarrow{\mathrm{PA}}=\begin{pmatrix}-x\\1-x\end{pmatrix}$, $\overrightarrow{\mathrm{PB}}=\begin{pmatrix}-x\\2-x\end{pmatrix}$ へ反時計回りに測った回転角を α, β とする．$x>0$ により，$\theta=\alpha-\beta$ であるから，

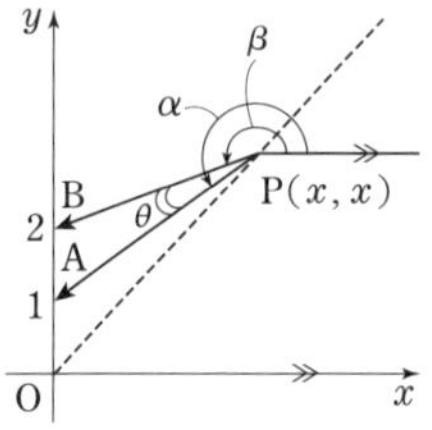

$$\tan\theta=\tan(\alpha-\beta)=\frac{\tan\alpha-\tan\beta}{1+\tan\alpha\tan\beta}$$

⇦ $\tan\alpha$ は PA の傾き $\dfrac{1-x}{-x}$

$$=\frac{\dfrac{1-x}{-x}-\dfrac{2-x}{-x}}{1+\dfrac{1-x}{-x}\cdot\dfrac{2-x}{-x}}\underset{①}{=}\frac{x}{2x^2-3x+2}\underset{②}{=}\frac{1}{\underset{\sim\sim}{2x}-3+\underset{\sim\sim}{\dfrac{2}{x}}}\ \cdots\cdots③$$

⇦ ①では，分母・分子に x^2 を掛けて整理．②では，分母・分子を x で割った．

ここで，$x>0$ により，〰〰 に（相加平均）≧（相乗平均）が使えて，

$$2x+\frac{2}{x}\geqq 2\sqrt{2x\cdot\frac{2}{x}}=4\ \left(\text{等号は，} 2x=\frac{2}{x}\text{，つまり } x=1 \text{ のとき成立}\right)$$

よって，③の分母の最小値は $4-3=1$ であるから，$\tan\theta(>0)$ の最大値は 1 である．θ は鋭角であるから，$\tan\theta=1$ のとき，θ は最大値 $\boldsymbol{\dfrac{\pi}{4}}$ をとる．

⇨注 **【図形的には】** △ABP の外接円が直線 $y=x$ に接するときの P を P_0 とすると，$P=P_0$ のとき ∠APB は最大となる．なぜなら，$P\neq P_0$ のとき，P は $\triangle ABP_0$ の外接円の外部の点で，∠APB＜$\angle AP_0B$（右図参照）となるからである．

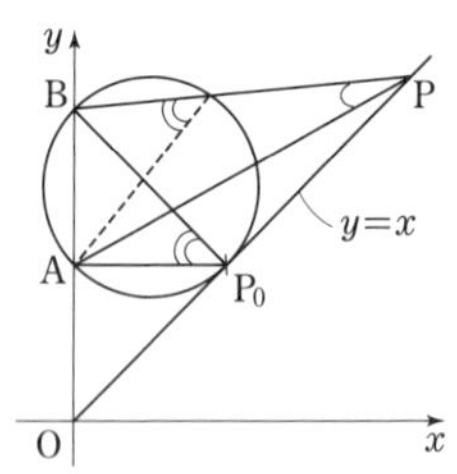

1 演習題（解答は p.100）

AB=5, BC=$2\sqrt{15}$, AC=7 である △ABC において，辺 AB，辺 AC 上にそれぞれ点 E，F をとる．△AEF$=\dfrac{1}{2}$△ABC であるとき，辺 EF の長さの最小値を求めよ．

（文教大・情報）　AE，AF を変数にとる．

2 図形量の最大・最小／微分法など

半径 $r\ (0<r<1)$ の球が，底面の半径1，高さ h の円錐に，図のように内接している．

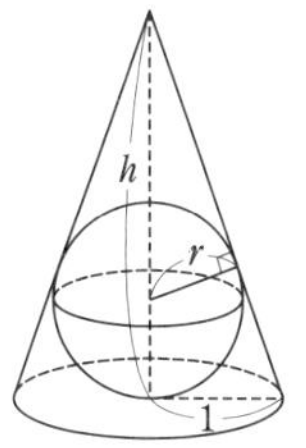

（1） h を r を用いて表せ．

（2） 球の体積を V_1，円錐の体積を V_2 とするとき，$\dfrac{V_1}{V_2}$ を r を用いて表せ．

（3） $\dfrac{V_1}{V_2}$ の最大値と，そのときの r の値を求めよ．（立教大）

断面上で考える 立体図形の問題では，断面の上で考えるのが基本である．「○○に内接（外接）する△△」というときは，立体が面対称であることがほとんどで，対称面を切り口にするとうまくいくことが多い．特に，回転体の場合（例題はこれに該当する）は，回転軸を含む平面が対称面になる．

一つの文字を残す 例題では，（1）を用いて h を消去し，$\dfrac{V_1}{V_2}$ を r の関数とみて最大値を求める．r のとりうる値の範囲にも注意しよう．

解 答

（1） 円錐の軸を含む平面での断面は，二等辺三角形とその内接円となる．円錐の頂点をP，球（断面での内接円）の中心をOとし，図のようにA，M，Hを定めると，

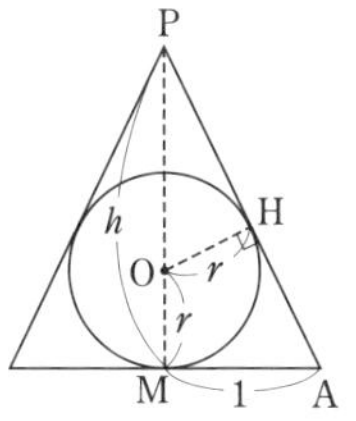

⇦円錐・球とも，円錐の軸を回転軸とする回転体である．円錐に球が内接しているので，断面は二等辺三角形とその内接円となる．

△PMA∽△PHO より PA：AM＝PO：OH

よって　PA·OH＝AM·PO であり，

$\sqrt{1+h^2}\cdot r=1\cdot(h-r)$

両辺平方して，$r^2(1+h^2)=h^2-2hr+r^2$

$\therefore\ r^2h^2-h^2+2hr=0 \qquad \therefore\ h\{(r^2-1)h+2r\}=0$

従って，$\boldsymbol{h=\dfrac{2r}{1-r^2}}$

（2） $V_1=\dfrac{4}{3}\pi r^3$，$V_2=\dfrac{1}{3}\cdot\pi\cdot 1^2\cdot h=\dfrac{\pi}{3}\cdot\dfrac{2r}{1-r^2}$ だから，

$$\frac{V_1}{V_2}=\frac{\dfrac{4}{3}\pi r^3}{\dfrac{\pi}{3}\cdot\dfrac{2r}{1-r^2}}=\frac{4\pi r^3(1-r^2)}{\pi\cdot 2r}=\boldsymbol{2r^2(1-r^2)}$$

（3） $2r^2(1-r^2)=-2r^4+2r^2=-2\left(r^2-\dfrac{1}{2}\right)^2+\dfrac{1}{2}$ であるから，$\dfrac{V_1}{V_2}$ は

$r^2=\dfrac{1}{2}$ すなわち $\boldsymbol{r=\dfrac{1}{\sqrt{2}}}$（$0<r<1$ なので適する）のとき**最大値** $\boldsymbol{\dfrac{1}{2}}$ をとる．

2 演習題（解答は p.100）

半径1の球に内接する直方体を考える．これらの体積の最大値 M を求めたい．

（1） 直方体の1つの辺の長さを x と固定したときの直方体の体積の最大値 $V(x)$ を求めよ．

（2） M を求めよ．（玉川大）

直方体の対角線に着目する．

◆3 図形と三角関数

右の図のような，半径 1，中心角 60° の扇形に内接する長方形 ABCD がある．$\angle \mathrm{DOC}=\theta$ とおくとき長方形 ABCD の面積を θ を用いて表すと ☐ となり，その面積は $\theta=$ ☐ のとき，最大値 ☐ となる．

（藤田保健衛生大・衛生，中部大・工）

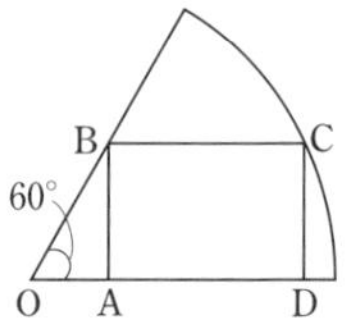

図形に三角関数を活用する　面積や長さの最大値や最小値をとらえる際，角度 θ を設定して立式する方が長さ x を設定するよりもやり易いことが少なくない．本問の場合，$\mathrm{AB}=x$ として長方形 ABCD の面積 S を x で表すのは困難である．円がらみの場合は，角度を設定して三角関数で表すとうまくいくことが多い．本問では θ を設定してくれている．

$\sin x$，$\cos x$ の 1 次式の最大・最小　合成でとらえられる．x の範囲に制限があるときは，cos で合成するのがお勧めである（☞本シリーズ「数Ⅱ」p.62）．

$\sin x$，$\cos x$ の 2 次式　$\sin^2 x=\dfrac{1-\cos 2x}{2}$，$\cos^2 x=\dfrac{1+\cos 2x}{2}$，$\sin x\cos x=\dfrac{\sin 2x}{2}$ を用いて，$\sin 2x$，$\cos 2x$ の 1 次式に直せる．この形に直せば合成を利用できる．

$\sqrt{1-\cos x}$　演習題では，立式によっては長さが無理式で表される．こんなときは，半角の公式 $\sin^2\dfrac{x}{2}=\dfrac{1-\cos x}{2}$，$\cos^2\dfrac{x}{2}=\dfrac{1+\cos x}{2}$ を使うと文字式の $\sqrt{}$ がはずれないかチェックしよう．

$\alpha+\beta$ が一定のとき　このとき，$\sin\alpha+\sin\beta$ や $\cos\alpha+\cos\beta$ の最大・最小をとらえるには，和→積の公式を活用する．

解 答

$\mathrm{AB}=\mathrm{DC}=\sin\theta$

$\mathrm{AD}=\mathrm{OD}-\mathrm{OA}=\mathrm{OD}-\dfrac{1}{\sqrt{3}}\mathrm{AB}=\cos\theta-\dfrac{1}{\sqrt{3}}\sin\theta$

⇦ $\mathrm{OA}:\mathrm{AB}=1:\sqrt{3}$ により $\mathrm{OA}=\dfrac{1}{\sqrt{3}}\mathrm{AB}=\dfrac{1}{\sqrt{3}}\sin\theta$

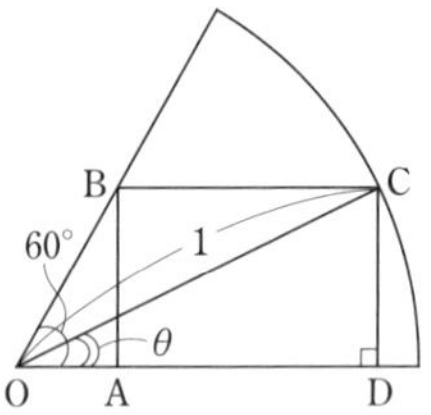

であるから，長方形 ABCD の面積を S とすると，

$$S=\mathrm{AB}\cdot\mathrm{AD}=\boldsymbol{\sin\theta\cos\theta-\frac{1}{\sqrt{3}}\sin^2\theta}$$

$$=\frac{1}{2}\sin 2\theta-\frac{1}{\sqrt{3}}\cdot\frac{1-\cos 2\theta}{2}=\frac{1}{\sqrt{3}}\left(\cos 2\theta\cdot\frac{1}{2}+\sin 2\theta\cdot\frac{\sqrt{3}}{2}\right)-\frac{1}{2\sqrt{3}}$$

$$=\frac{1}{\sqrt{3}}(\cos 2\theta\cos 60^\circ+\sin 2\theta\sin 60^\circ)-\frac{1}{2\sqrt{3}}=\frac{\sqrt{3}}{3}\cos(2\theta-60^\circ)-\frac{\sqrt{3}}{6}$$

ここで，$0^\circ<\theta<60^\circ$ により，$0^\circ<2\theta<120^\circ$ であるから，S は，$2\theta=60^\circ$，すなわち，$\boldsymbol{\theta=30^\circ}$ のとき，最大値 $\dfrac{\sqrt{3}}{3}-\dfrac{\sqrt{3}}{6}=\boldsymbol{\dfrac{\sqrt{3}}{6}}$ をとる．

◇3 演習題（解答は p.101）

xy 平面内の半円周 $C:x^2+y^2=1$，$y\geqq 0$ 上に 2 点 $\mathrm{A}(1,\ 0)$，$\mathrm{B}(-1,\ 0)$ と 2 点 $\mathrm{S}(\cos\theta,\ \sin\theta)$，$\mathrm{T}(\cos t,\ \sin t)$ $(0<\theta<t<\pi)$ がある．

（1） 弧 AT 上を点 S が動くとき，弦 AS の長さと弦 ST の長さの和の最大値を t を用いて表せ．

（2） 3 つの弦 AS，ST，TB の長さの和を L とするとき，不等式 $L\leqq 3$ が成り立つことを示せ．また，この不等式において等号が成り立つときの θ と t の値を求めよ．

（京都工繊大）

（1） 弦の中点を活用．長さの和は，和→積の公式を使う．
（2） 角度を統一する．

4 円上の点のパラメータ表示

xy 平面上で，点 A$(-1,\ 0)$ を中心とする円 C_1 と点 B$(1,\ 0)$ を中心とする円 C_2 が原点 O で外接している．点 P は円 C_1 上を，点 Q は円 C_2 上を，それぞれ正の向きに回転する．今，P，Q が同時に原点を出発して，Q は P の 2 倍の速さで回転する．

（1） $\angle \mathrm{OAP}=\theta$ とするとき，P，Q の座標をそれぞれ θ を用いて表せ．

（2） 線分 PQ の長さの最大値を求めよ． （静岡大・情，理，工）

曲線上の動点の表し方 放物線 $y=x^2$ のように，$C:y=f(x)$ の形で表される曲線 C 上の点は $(t,\ f(t))$ と 1 つの変数 t（パラメータ）を用いて表すことができる．円上の点も 1 つのパラメータで表せば扱い易くなることが多い．

円上の点のパラメータ表示 座標平面上で，中心 A$(a,\ b)$，半径 r の円上の点 P の座標の表し方を考える．x 軸の正方向から $\overrightarrow{\mathrm{AP}}$ へ反時計回りに測った回転角を θ とすると，$\overrightarrow{\mathrm{AP}}=r\begin{pmatrix}\cos\theta\\ \sin\theta\end{pmatrix}$ と表せる（右図参照）ので，

$$\overrightarrow{\mathrm{OP}}=\overrightarrow{\mathrm{OA}}+\overrightarrow{\mathrm{AP}}=\begin{pmatrix}a\\ b\end{pmatrix}+r\begin{pmatrix}\cos\theta\\ \sin\theta\end{pmatrix} \qquad \therefore\ \mathrm{P}(a+r\cos\theta,\ b+r\sin\theta)$$

このように，点 P はパラメータ θ を用いて表すことができる．

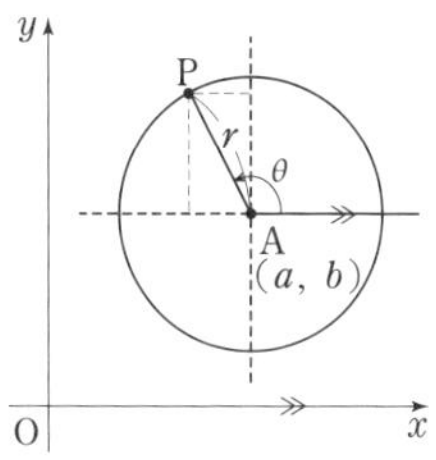

解 答

（1） $\overrightarrow{\mathrm{AP}}=\begin{pmatrix}\cos\theta\\ \sin\theta\end{pmatrix}$ であるから，

$$\overrightarrow{\mathrm{OP}}=\overrightarrow{\mathrm{OA}}+\overrightarrow{\mathrm{AP}}=\begin{pmatrix}-1\\ 0\end{pmatrix}+\begin{pmatrix}\cos\theta\\ \sin\theta\end{pmatrix}$$

$\therefore$ **P$(-1+\cos\theta,\ \sin\theta)$**

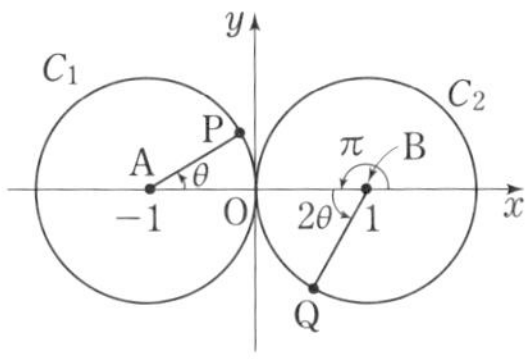

$$\overrightarrow{\mathrm{BQ}}=\begin{pmatrix}\cos(\pi+2\theta)\\ \sin(\pi+2\theta)\end{pmatrix}=\begin{pmatrix}-\cos 2\theta\\ -\sin 2\theta\end{pmatrix}$$ から，

⇦ $\overrightarrow{\mathrm{BO}}$ から $\overrightarrow{\mathrm{BQ}}$ まで測った回転角が 2θ であるから，x 軸の正方向から $\overrightarrow{\mathrm{BQ}}$ まで測った回転角は $\pi+2\theta$ である．

$$\overrightarrow{\mathrm{OQ}}=\overrightarrow{\mathrm{OB}}+\overrightarrow{\mathrm{BQ}}=\begin{pmatrix}1\\ 0\end{pmatrix}+\begin{pmatrix}-\cos 2\theta\\ -\sin 2\theta\end{pmatrix} \qquad \therefore\ \mathbf{Q(1-\cos 2\theta,\ -\sin 2\theta)}$$

（2）
$$\begin{aligned}\mathrm{PQ}^2&=(2-\cos 2\theta-\cos\theta)^2+(-\sin 2\theta-\sin\theta)^2\\ &=\{2-(\cos 2\theta+\cos\theta)\}^2+(\sin 2\theta+\sin\theta)^2\\ &=4-4(\cos 2\theta+\cos\theta)+(\cos 2\theta+\cos\theta)^2+(\sin 2\theta+\sin\theta)^2\\ &=4-4(\cos 2\theta+\cos\theta)+\underline{2+2(\cos 2\theta\cos\theta+\sin 2\theta\sin\theta)}\\ &=6-4(2\cos^2\theta-1+\cos\theta)+2\cos(2\theta-\theta)\\ &=-8\cos^2\theta-2\cos\theta+10=-8\left(\cos\theta+\frac{1}{8}\right)^2+\frac{81}{8}\end{aligned}$$

⇦ $(\cos 2\theta+\cos\theta)^2+(\sin 2\theta+\sin\theta)^2$
$=\cos^2 2\theta+2\cos 2\theta\cos\theta+\cos^2\theta$
$+\sin^2 2\theta+2\sin 2\theta\sin\theta+\sin^2\theta$
$=2+2(\cos 2\theta\cos\theta+\sin 2\theta\sin\theta)$

よって，PQ は，$\cos\theta=-\dfrac{1}{8}$ のとき**最大値** $\sqrt{\dfrac{81}{8}}=\mathbf{\dfrac{9\sqrt{2}}{4}}$ をとる．

4 演習題（解答は p.101）

（ア） 2 点 A$(3,\ 0)$，B$(0,\ 2)$ がある．原点を中心とする半径 1 の円周上を点 P が動くとき，$\mathrm{PA}^2+\mathrm{PB}^2$ の最大値は □ であり，そのときの点 P の x 座標は □ である． （名城大・理工）

（イ） 実数 x，y が $x^2+y^2=1$ を満たすとき，$4x^2+4xy+y^2$ の最小値は □，最大値は □ である． （青山学院大・経）

（イ） $x^2+y^2=1$ を円の式と見て，$x=\cos\theta$，$y=\sin\theta$ と 1 つの変数 θ で表すのがよいだろう．

5 ベクトルの活用／90° 回転

放物線 $C: y=x^2$ 上に点 $\mathrm{P}(p,\ p^2)$ をとる．P における C の接線を l とする．l 上で x 座標が $p+1$ である点を Q とする．PQ を一辺とする正方形 PQRS を接線の上側にとる．

（1） Q，R の座標を p を用いて表すと，それぞれ ☐，☐ である．

（2） p が実数全体を動くときの R の軌跡の方程式は $y=$ ☐ である． （京都産大・文系／一部略）

90° 回転したベクトル 正方形の 2 頂点の座標がわかっていて残りの頂点の座標を求める，というようなときは，90° 回転したベクトルを利用するとよい．一般に，ベクトル $\begin{pmatrix} x \\ y \end{pmatrix}$ に垂直で大きさが等しいベクトルは $\pm\begin{pmatrix} -y \\ x \end{pmatrix}$ である（垂直であることは内積を計算すればわかる．大きさはともに $\sqrt{x^2+y^2}$）．なお，複号の＋の方が 90° 回転（左回り），－の方が －90°（右回りに 90°）回転である．

（図は $x>0$，$y>0$ の場合であるが，それ以外のときも成立．）

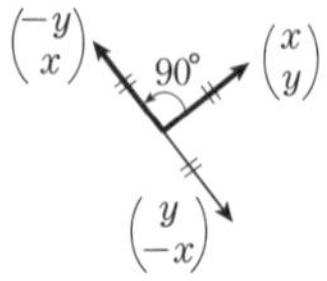

解 答

（1） $C: y=x^2$ のとき $y'=2x$ だから，$\mathrm{P}(p,\ p^2)$ における接線の傾きは $2p$ である．Q の x 座標が $p+1$，すなわち $\overrightarrow{\mathrm{PQ}}$ の x 成分が 1 だから $\overrightarrow{\mathrm{PQ}}=\begin{pmatrix} 1 \\ 2p \end{pmatrix}$ となり，

$\overrightarrow{\mathrm{OQ}}=\overrightarrow{\mathrm{OP}}+\overrightarrow{\mathrm{PQ}}$ により，

Q の座標は $\mathbf{Q}(\boldsymbol{p+1},\ \boldsymbol{p^2+2p})$

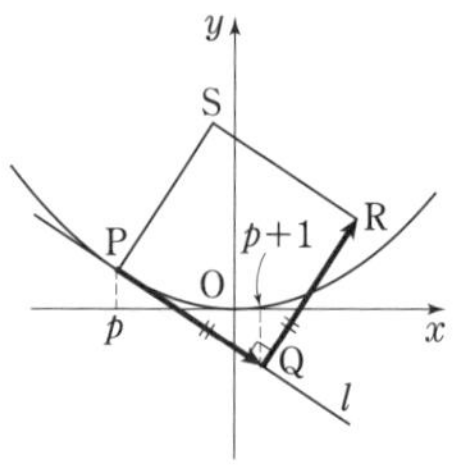

⇦一般に，傾き m の直線について右のようになる．

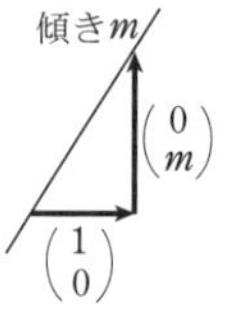

正方形 PQRS は接線 l の上側にあるから，$\overrightarrow{\mathrm{QR}}$ は $\overrightarrow{\mathrm{PQ}}$ を 90° 回転したベクトルであり，$\overrightarrow{\mathrm{QR}}=\begin{pmatrix} -2p \\ 1 \end{pmatrix}$

となる．従って $\overrightarrow{\mathrm{OR}}=\overrightarrow{\mathrm{OQ}}+\overrightarrow{\mathrm{QR}}=\begin{pmatrix} p+1 \\ p^2+2p \end{pmatrix}+\begin{pmatrix} -2p \\ 1 \end{pmatrix}=\begin{pmatrix} -p+1 \\ p^2+2p+1 \end{pmatrix}$ であり，

R の座標は $\mathbf{R}(\boldsymbol{-p+1},\ \boldsymbol{p^2+2p+1})$

⇦$\pm\begin{pmatrix} -2p \\ 1 \end{pmatrix}$ のどちらが $\overrightarrow{\mathrm{QR}}$ になるかを考えるとき，符号を見るとよい．図から，$\overrightarrow{\mathrm{QR}}$ の y 成分は正，よって，複号は＋の方が適する．

（2） $\mathrm{R}(x,\ y)$ とおくと，$x=-p+1$ ……①，$y=p^2+2p+1=(p+1)^2$ ……②

①より $p=1-x$ だから，②に代入して，$y=(2-x)^2$

よって，R の軌跡の方程式は $\boldsymbol{y=(x-2)^2}$ $(=x^2-4x+4)$

⇦p が実数全体を動くとき x は実数全体を動くから R の軌跡はこの放物線全体になる．

5 演習題 （解答は p.102）

$0<r<1$ とし，点 O を原点とする xy 平面において，3 点 O，A(2, 0)，B(0, 2r) を頂点とする三角形 OAB と，互いに相似な 3 つの二等辺三角形 O′AB，A′OB，B′OA を考える．ここで，辺 AB，OB，OA はそれぞれ二等辺三角形の底辺であり，点 O′ は直線 AB に対して点 O と反対側に，点 A′ は第 2 象限に，点 B′ は第 4 象限に，それぞれあるとする．$t=\tan\angle\mathrm{A'OB}$ とおく．次の問いに答えよ．

（1） 点 A′，B′ の座標を，r，t の式で表せ．

（2） 直線 AA′，および直線 BB′ の方程式を $ax+by=c$ の形で求めよ．

（3） 2 直線 AA′ と BB′ の交点を $\mathrm{M}(x_0,\ y_0)$ とする．比 $\dfrac{y_0}{x_0}$ を r，t の式で表せ．

（4） 点 O′ の座標を r，t の式で表し，3 直線 AA′，BB′，OO′ が 1 点で交わることを示せ．

（金沢大・理系）

（3） x_0 と y_0 を求める必要はない．消すべき文字は？

（4） AB の中点を N とすると，$\overrightarrow{\mathrm{NO'}}$ は $\overrightarrow{\mathrm{BA}}$ に垂直なベクトル，$\overrightarrow{\mathrm{BA}}$ を 90°回転して長さを調節する．後半は(3)を利用しよう．

6 ベクトルの活用／空間

座標空間内に立方体があり，ある3頂点の座標が A(2, 2, 3), B(2, 0, 1), C(6, 0, 1) であるとする．

（1） BC はこの立方体の面の対角線であることを示せ．

（2） （1）の面の B，C 以外の頂点の座標を求めよ．　（群馬大・医／易しく改題）

空間内の平面で 90° 回転　（1）より B，C を含む面は右図のようになる．（2）では P，Q の座標を求めるのであるが，○5 と同様，$\overrightarrow{OP}=\overrightarrow{OB}+\overrightarrow{BN}+\overrightarrow{NP}$ とベクトルをつないでいくのがよいだろう．ここで，$\overrightarrow{NP}$ は $\overrightarrow{NC}$ をこの平面内で右回りに 90° 回転したものであり，これは「$\overrightarrow{NP}$ は，この面の法線ベクトル（$\overrightarrow{BA}$）と $\overrightarrow{BC}$ の両方に垂直」と考えて求める．求め方は「空間のベクトル」の章の ○5 と同じ．

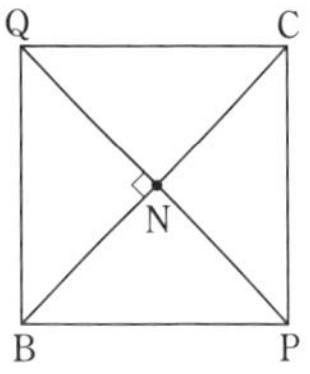

解 答

（1） $AB=\sqrt{0^2+2^2+2^2}=2\sqrt{2}$,

$BC=\sqrt{4^2+0^2+0^2}=4$, $CA=\sqrt{4^2+2^2+2^2}=2\sqrt{6}$

より，$AB:BC:CA=1:\sqrt{2}:\sqrt{3}$ となる．

よって，AB が立方体の一辺，AC が立方体の対角線となり，BC は立方体の面の対角線である．

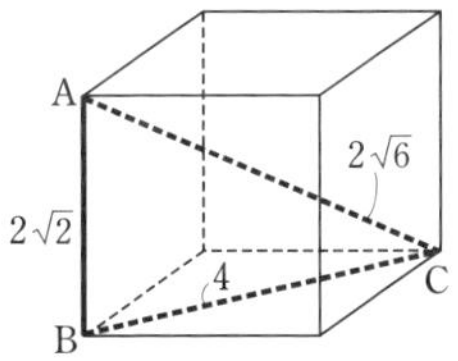

⇦立方体の2頂点間の距離で，最短のものは一辺の長さ，最長のものは対角線の長さである．一辺の長さを a とすると対角線の長さは $\sqrt{3}a$ となるから，AB が一辺，AC が対角線である．

（2） B，C を含む立方体の面の残りの2頂点を P，Q とし，対角線の交点を N とする．

N(4, 0, 1) であり，NP＝NQ＝NC＝2 である．

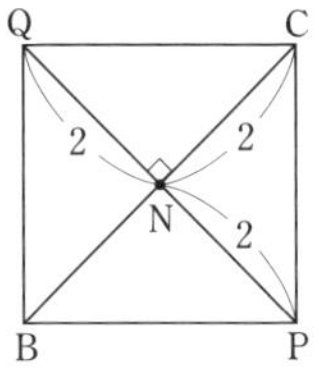

$\overrightarrow{NP}$ と同じ方向のベクトルを $\vec{n}=\begin{pmatrix}a\\b\\c\end{pmatrix}$ とおくと，

$\vec{n}$ は $\overrightarrow{BC}=\begin{pmatrix}4\\0\\0\end{pmatrix}=4\begin{pmatrix}1\\0\\0\end{pmatrix}$ と $\overrightarrow{BA}=\begin{pmatrix}0\\2\\2\end{pmatrix}=2\begin{pmatrix}0\\1\\1\end{pmatrix}$

の両方に垂直だから，$\vec{n}\cdot\overrightarrow{BC}=0$, $\vec{n}\cdot\overrightarrow{BA}=0$ より

$$a=0,\quad b+c=0 \qquad \therefore\ a=0,\ c=-b$$

よって $\vec{n}=\begin{pmatrix}0\\b\\-b\end{pmatrix}=b\begin{pmatrix}0\\1\\-1\end{pmatrix}$ であり，$|\vec{n}|=2$ のとき

$$|b|\sqrt{1^2+(-1)^2}=2 \qquad \therefore\ \sqrt{2}|b|=2 \qquad \therefore\ b=\pm\sqrt{2}$$

これより $\overrightarrow{OP}$, $\overrightarrow{OQ}$ は $\overrightarrow{ON}\pm\sqrt{2}\begin{pmatrix}0\\1\\-1\end{pmatrix}=\begin{pmatrix}4\\0\\1\end{pmatrix}\pm\sqrt{2}\begin{pmatrix}0\\1\\-1\end{pmatrix}$ となり，答えは

$$\mathbf{(4,\ \sqrt{2},\ 1-\sqrt{2}),\ (4,\ -\sqrt{2},\ 1+\sqrt{2})}$$

○6 演習題（解答は p.102）

座標空間の3点 A(1, 1, 1), B(2, 1, 2), C(1, 2, 2) に対し，次の問に答えよ．

（1） 3点 A，B，C を含む平面の法線ベクトルを一つ求めよ．

（2） △ABC は正三角形であることを示せ．

（3） △ABC の重心の座標を求めよ．

（4） △ABC を一つの面とする正四面体の他の頂点の座標を求めよ．

（帝京技科大／（1）を変更）

（4） （3）で求めた座標と（1）の法線ベクトルで表せる．
なお，原題の（1）は「平面の方程式を求めよ.」

7 ベクトルの活用／図形の証明

四角形 ABCD の各辺の中点を図のように P, Q, R, S とする．また，線分 PR と QS の交点を T とする．

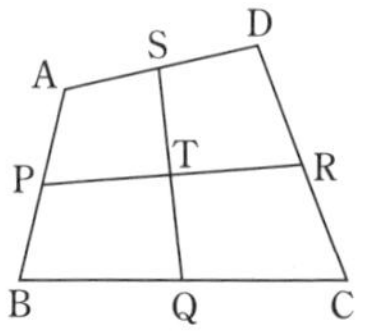

（1） T は線分 PR の中点であることを示せ．
（2） 三角形 ABC の重心を D′ としたとき，3 点 D, T, D′ は一直線上にあることを示せ．
（3） 三角形 ABD, ACD, BCD の重心をそれぞれ C′, B′, A′ とする．このとき，四角形 A′B′C′D′ は四角形 ABCD に相似であることを示し，四角形 ABCD の面積と四角形 A′B′C′D′ の面積の比を求めよ．

（広島大・総合科学－後／一部略）

ベクトルの活用 図形の証明では，ベクトルの活用も考えよう．ベクトルを使って，それほど面倒な計算をせずに解決することが多い．

対等性の活用 本問の場合，A～D が対等である．この場合，点 O を始点とするベクトルを考えると対等性が生かせる（O は勝手に 1 つ決める）．

解答

点を 1 つとり O とする．O を始点とするベクトルを $\overrightarrow{\mathrm{OA}}=\vec{a}$ などとおく．

（1） PR の中点を T_1, QS の中点を T_2 とおくと，

$$\vec{t_1}=\frac{\vec{p}+\vec{r}}{2}=\frac{1}{2}\left(\frac{\vec{a}+\vec{b}}{2}+\frac{\vec{c}+\vec{d}}{2}\right)=\frac{1}{4}(\vec{a}+\vec{b}+\vec{c}+\vec{d})$$

$$\vec{t_2}=\frac{\vec{q}+\vec{s}}{2}=\frac{1}{2}\left(\frac{\vec{b}+\vec{c}}{2}+\frac{\vec{a}+\vec{d}}{2}\right)=\frac{1}{4}(\vec{a}+\vec{b}+\vec{c}+\vec{d})=\vec{t_1}$$

よって，$\mathrm{T}_1=\mathrm{T}_2=\mathrm{T}$ であるから，T は PR の中点である．

⇦PR の中点と QS の中点が一致することを示せば OK

⇦$\mathrm{T}_1=\mathrm{T}_2$ であるから，PR と QS は $\mathrm{T}_1=\mathrm{T}_2$ で交わり，この点が T である．

（2） $\overrightarrow{\mathrm{TD}}=\vec{d}-\vec{t}=\vec{d}-\frac{1}{4}(\vec{a}+\vec{b}+\vec{c}+\vec{d})=\frac{1}{4}(-\vec{a}-\vec{b}-\vec{c}+3\vec{d})$

$$\overrightarrow{\mathrm{TD'}}=\vec{d'}-\vec{t}=\frac{1}{3}(\vec{a}+\vec{b}+\vec{c})-\frac{1}{4}(\vec{a}+\vec{b}+\vec{c}+\vec{d})=-\frac{1}{12}(-\vec{a}-\vec{b}-\vec{c}+3\vec{d})$$

⇦D′ は △ABC の重心だから，$\vec{d'}=\frac{1}{3}(\vec{a}+\vec{b}+\vec{c})$

よって，$\overrightarrow{\mathrm{TD'}}=-\frac{1}{3}\overrightarrow{\mathrm{TD}}$ ……① であるから，D, T, D′ は一直線上にある．

（3） ①により，T を中心に D を逆向きに $\frac{1}{3}$ 倍に縮小した点が D′ である．A′, B′, C′ も同様．よって，▱A′B′C′D′ は，T を中心に ▱ABCD を逆向きに $\frac{1}{3}$ 倍に相似縮小したものであるから，▱ABCD と相似である．面積比は，

▱ABCD : ▱A′B′C′D′ $=3^2:1^2=$ **9 : 1**

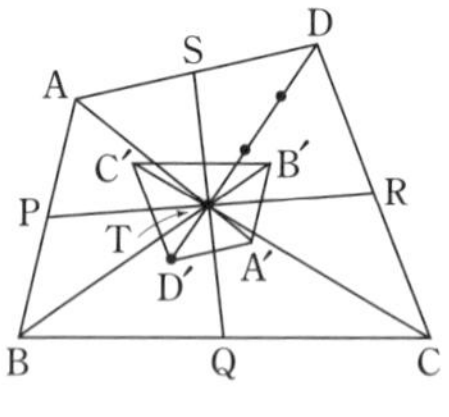

⇦D_1 を $\overrightarrow{\mathrm{TD_1}}=-\overrightarrow{\mathrm{TD}}$ を満たす点とすると，D_1 は T を中心に点対称移動（180° 回転）した点であり，T を中心に D_1 を 1/3 倍に縮小した点が D′ である．

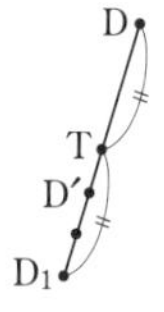

7 演習題（解答は p.103）

四面体 OABC において，三角形 ABC の重心を G とし，線分 OG を $t:1-t\,(0<t<1)$ に内分する点を P とする．また，直線 AP と面 OBC との交点を A′, 直線 BP と面 OCA との交点を B′, 直線 CP と面 OAB との交点を C′ とする．このとき三角形 A′B′C′ は三角形 ABC と相似であることを示し，相似比を t で表せ．

（京大－後）

A, B, C が対等である．

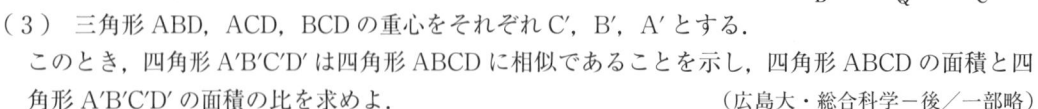

8 座標平面／不等式への応用

$x^2+y^2 \leqq a^2$ ……① をみたす任意の実数 x，y に対して $|x+y|+|x-y| \leqq b$ ……② が成り立つとき，正の定数 a，b の満たす条件を求めよ． （信州大・経済／改題）

2変数の不等式の条件・命題は，座標平面でとらえる 既に本シリーズでは「数Ⅰ」p.77 で学習していることだが，x，y に関する不等式 $f(x,\ y) \leqq 0$，$g(x,\ y) \leqq 0$ について，「$f(x,\ y) \leqq 0 \Longrightarrow g(x,\ y) \leqq 0$」という命題が真ということは，$xy$ 平面上で，領域 $f(x,\ y) \leqq 0$ が領域 $g(x,\ y) \leqq 0$ に含まれることを表している．そして，不等式どうしの関係をこのように図形的に見ることで，数式だけで考えていたのではかなり煩雑で難しい問題が，ずいぶんと考えやすくなる．

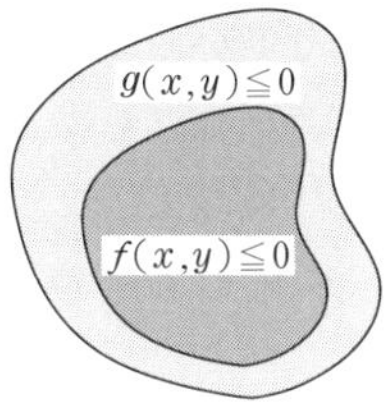

解答

与えられた不等式②について，

（ⅰ） $x+y \geqq 0$ かつ $x-y \geqq 0$ のときは，

$$② \iff (x+y)+(x-y) \leqq b \iff x \leqq \frac{b}{2}$$

（ⅱ） $x+y \geqq 0$ かつ $x-y \leqq 0$ のときは，

$$② \iff (x+y)-(x-y) \leqq b \iff y \leqq \frac{b}{2}$$

（ⅲ） $x+y \leqq 0$ かつ $x-y \leqq 0$ のときは，

$$② \iff -(x+y)-(x-y) \leqq b \iff x \geqq -\frac{b}{2}$$

（ⅳ） $x+y \leqq 0$ かつ $x-y \geqq 0$ のときは，

$$② \iff -(x+y)+(x-y) \leqq b \iff y \geqq -\frac{b}{2}$$

⇦不等式②について，$x+y$ と $x-y$ の符号によって，4通りに場合分け．

なお，対称性に着目すると，4通りをマトモに計算せずに済む．

まず，②で x を $-x$ に替えても式の形が変わらないので，②の表す領域は y 軸に関して対称．

次に，②で x と y とを入れ替えても式の形が変わらないので，②の表す領域は直線 $y=x$ に関して対称．

よって，解答の(ⅰ)の場合の領域が得られれば，(ⅱ)～(ⅳ)の領域も計算抜きで得られる．

以上より，xy 平面上で②は，右図の網目部のような正方形の内部（周を含む）を表す．

他方，不等式①は，原点を中心とする半径 a の円板（周を含む）を表す．よって，「① ⟹ ②」となる条件は，①の円板が②の内部（周を含む）に含まれることである．

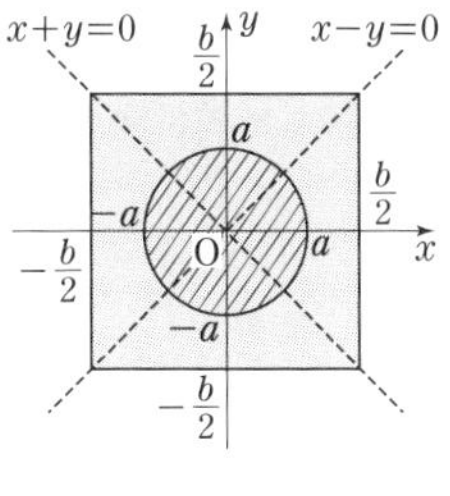

よって，求める条件は，$a \leqq \frac{b}{2}$，すなわち，

$$\boldsymbol{2a \leqq b}$$

8 演習題（解答は p.104）

定数 a，b に対して $f(x)=2\cos x(2a\sin x+b\cos x)$ とする．このとき，以下の問いに答えよ．

（1） $f(x)$ を $\sin 2x$ と $\cos 2x$ を用いて表せ．

（2） すべての実数 x に対して $f(x) \leqq 1$ が成り立つような定数 a，b の条件を求め，その条件を満たす点 $(a,\ b)$ の範囲を図示せよ．

（3） $a^2+b^2 \leqq R$ を満たす a，b については，すべての実数 x に対して $f(x) \leqq 1$ が成り立つとする．このような R の最大値を求めよ． （愛知教大）

（2） 合成する．
（3） ab 平面で考える．

9 図形と漸化式

平面上に半径 r_1 の円 C_1 がある．円 C_1 の外部の点Oから2つの接線を引き，その接点をそれぞれA，Bとする．$\angle AOB=60^\circ$ のとき，

（1） 直線OA，OBおよび円 C_1 に接する円を C_2 とし，その半径を r_2 とする．r_2 を r_1 を用いて表しなさい．ただし，$r_1>r_2$ とする．

（2） 同様にして，OA，OBおよび円 C_{k-1} に接する円 C_k を順に定め，その半径を r_k とする（$k=3$, 4, …, n）．r_n を r_1 を用いて表しなさい．ただし，$r_1>r_2>r_3>\cdots>r_n$ とする．

（3） これら n 個の円 C_1, C_2, C_3, …, C_n の面積の総和を r_1 を使って表しなさい．

（明治学院大・社，法，心理／一部略）

接する2円と漸化式 連続して外接する円（半径は r_k）について，r_k の漸化式を立てたい場合は，n 番目の円の中心 O_n と $n+1$ 番目の円の中心 O_{n+1} との距離 r_n+r_{n+1} を r_n と r_{n+1} で表して，r_{n+1} と r_n の漸化式を求めるとよい．なお，C_n と C_{n+1} が外接する条件は，$O_nO_{n+1}=r_n+r_{n+1}$ である．

解答

（1） C_1, C_2 の中心をそれぞれ O_1, O_2 とし，O_2 から OA, O_1A に下ろした垂線の足をD，Eとする．

$O_2E /\!/ OA$ であり，OO_1 が $\angle AOB$ の二等分線なので

$\angle EO_2O_1=\angle AOO_1=60^\circ\div 2=30^\circ$

である．$O_1O_2\sin 30^\circ=O_1E$ より，

$(r_1+r_2)\sin 30^\circ=r_1-r_2$ $\quad\therefore\ r_1+r_2=2(r_1-r_2)$

$\therefore\ 3r_2=r_1$ $\quad\therefore\ \boldsymbol{r_2=\dfrac{r_1}{3}}$

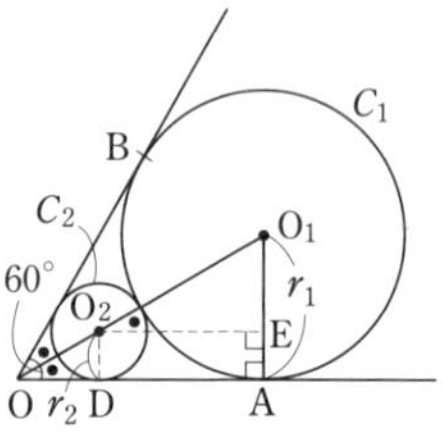

⇦直角三角形 O_1O_2E に着目

（2） O_1 を O_{k-1}，O_2 を O_k とすれば，同じ構図になるので，$r_k=\dfrac{r_{k-1}}{3}$ $\quad\therefore\ \boldsymbol{r_n=\left(\dfrac{1}{3}\right)^{n-1}r_1}$

⇦$\{r_n\}$ は公比 $\dfrac{1}{3}$ の等比数列

（3） 求める面積は，

$$\sum_{k=1}^{n}\pi r_k{}^2=\sum_{k=1}^{n}\left(\frac{1}{3}\right)^{2(k-1)}\pi r_1{}^2=\pi r_1{}^2\sum_{k=1}^{n}\left(\frac{1}{9}\right)^{k-1}$$

$$=\pi r_1{}^2\cdot\frac{1-(1/9)^n}{1-(1/9)}=\boldsymbol{\frac{9\pi r_1{}^2}{8}\left(1-\frac{1}{9^n}\right)}$$

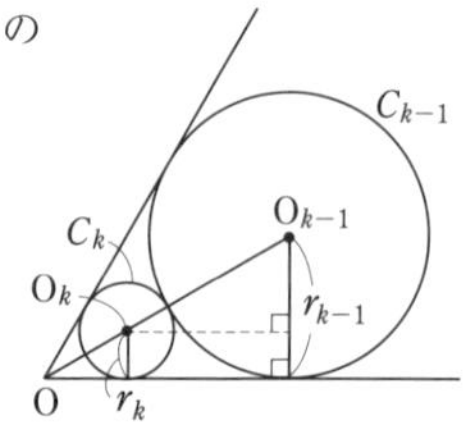

⇦$\displaystyle\sum_{k=1}^{n}r^{k-1}=\frac{1-r^n}{1-r}$ $(r\neq 1)$

➡注 相似な図形がくり返す構図では，等比数列が現れる．

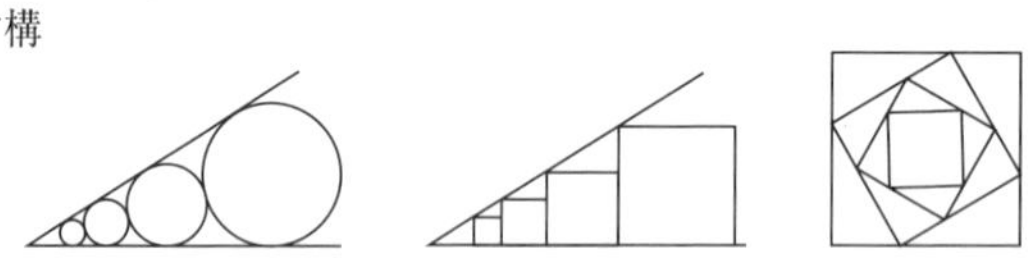

9 演習題（解答は p.104）

中心が y 軸上にある半径 r_1 の円 C_1 が放物線 $y=x^2$ に2点で接している．C_n $(n=2, 3, \cdots)$ は y 軸上に中心を持ち，放物線 $y=x^2$ に接する半径 r_n $(n=2, 3, \cdots)$ の円で，C_{n-1} と図のように外接している．$r_1=1$ とするとき，r_n を n の関数で表せ．

（名古屋市大・医）

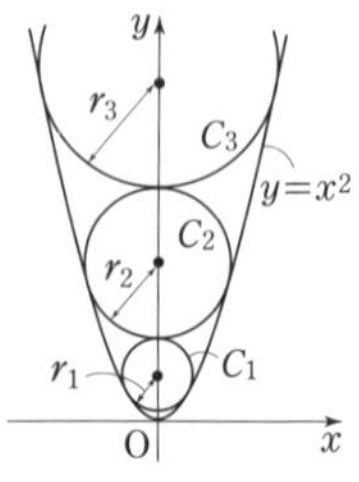

円の中心の y 座標を a_n とおいて，a_n を r_n で表そう．この場合，$\{r_n\}$ は等比数列にはならないことに注意．

10 格子点の数え上げ

（1） 不等式 $|x|+2|y|\leqq 4$ の表す領域を D とする．領域 D 内の格子点（$(x,\ y)$ の両座標とも整数となる点）は $\boxed{}$ 個ある．

（2） n を自然数として，不等式 $|x|+2|y|\leqq 2n$ の表す領域を F とする．領域 F 内の格子点の総数は $\boxed{}$ 個である．

（早大・スポーツ）

格子点の利用 座標平面上の点で，x 座標，y 座標ともに整数値をとる点を格子点という．演習題のような，条件を満たす2つの整数の組を数え上げる問題では，条件を座標平面上に図示し，これに含まれる格子点を数え上げればよい．問題が視覚化されて考えやすくなる．

1つを止める 条件を満たす整数の組 $(x,\ y)$ を数え上げる問題では，一度に2つの変数を動かすのではなく，まず1つの変数，例えば x を固定し（$x=k$ とおき），そのときに条件を満たす y の個数を数え上げる（k で表す）．xy 平面上の格子点を数え上げる問題におきかえると，これは，条件を満たす領域を直線 $x=k$ で切って考えていることに相当する．なお，例題のように，x ではなく y の方を固定して，数え上げた方が手早いこともある．領域の形を見て判断するとよい．

変数が3個になって，条件を満たす整数の組 $(x,\ y,\ z)$ を数え上げる問題でも，まず1文字（例えば z）を固定して考えるという方針がよい．

解 答

（1） D は図のようになる．

$y=\pm 2$ 上に各1個．$y=\pm 1$ に各5個．

$y=0$ 上に9個．

よって，全部で，$(1+5)\times 2+9=\mathbf{21}$ 個

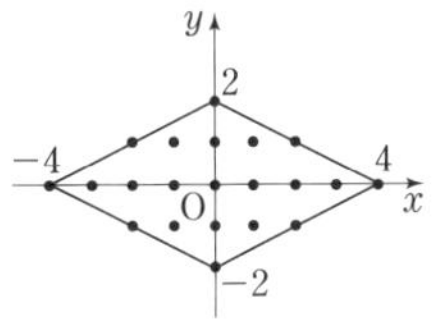

⇦図示の仕方は，本シリーズ「数Ⅰ」p.71 を参照．

（2） F は右図のようになる．

$y>0$ の部分の個数を N_1，$y=0$ の部分の個数を N_2 とすると，対称性より求める個数は，$2N_1+N_2$（個）である．

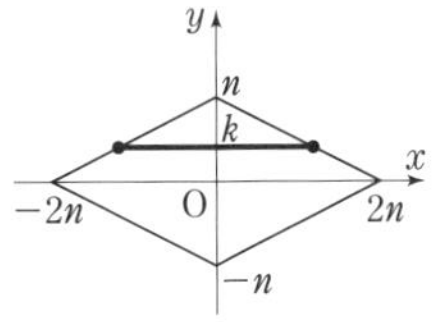

$y=k\ (k=0,\ 1,\ \cdots,\ n)$ 上の格子点の個数は，

$|x|+2k\leqq 2n \qquad \therefore\ \ |x|\leqq 2n-2k$

$\therefore\ \ -(2n-2k)\leqq x\leqq 2n-2k$

より，$2(2n-2k)+1=4(n-k)+1$（個）…①

あるので，

⇦$x=k$ で切ると，k の奇偶による場合分けが生じて面倒．

$$N_1=\sum_{k=1}^{n}\{4(n-k)+1\}=4\sum_{k=1}^{n}(n-k)+n$$

$$=4\{(n-1)+(n-2)+\cdots+1+0\}+n=4\cdot\frac{1}{2}(n-1)n+n=2n^2-n$$

⇦$\displaystyle\sum_{k=1}^{n}(n-k)=n^2-\frac{1}{2}n(n+1)=\frac{1}{2}n^2-\frac{1}{2}n$ としてもよい．

①で，$k=0$ として，$N_2=4n+1$

よって，$2N_1+N_2=2(2n^2-n)+4n+1=\mathbf{4n^2+2n+1}$（個）

10 演習題（解答は p.105）

（1） k を0以上の整数とするとき，$\dfrac{x}{3}+\dfrac{y}{2}\leqq k$ を満たす0以上の整数 $x,\ y$ の組 $(x,\ y)$ の個数を a_k とする．a_k を k の式で表せ．

（2） n を0以上の整数とするとき，$\dfrac{x}{3}+\dfrac{y}{2}+z\leqq n$ を満たす0以上の整数 $x,\ y,\ z$ の組 $(x,\ y,\ z)$ の個数を b_n とする．b_n を n の式で表せ．

（横浜国大）

（1） $y=l$ で切っても，奇偶による場合分けが生じる．

11 二項係数の基本公式と和

（1） 次の(ア)，(イ)を示せ．

　(ア) ${}_{k+1}\mathrm{C}_r={}_k\mathrm{C}_r+{}_k\mathrm{C}_{r-1}$ 　$(r\geqq1,\ k\geqq r)$

　(イ) $r\,{}_k\mathrm{C}_r=k\,{}_{k-1}\mathrm{C}_{r-1}$ 　$(r\geqq1,\ k\geqq r)$

（2） (1)(ア)を利用して，$\displaystyle\sum_{k=r}^{n}{}_k\mathrm{C}_r$ を求めよ．

二項係数の関係式 二項係数は，

（i） $(a+b)^n$ の展開式の係数　　（ii） パスカルの三角形　　（iii） 組合せの個数

などで現れる．

ここでは，二項係数の公式：${}_n\mathrm{C}_k=\dfrac{n!}{k!(n-k)!}$ を用いて(1)を証明する．これを用いず，組合せのモデルを使った証明もできる（☞注）．

(ア)，(イ)の意義 (ア)は，二項係数がパスカルの三角形に並ぶ数だとすれば，当然成り立つ式である．(イ)は，“変数の散らばりを減らす”効果がある．例えば，

$\displaystyle\sum_{k=r}^{n}k\,{}_{k-1}\mathrm{C}_{r-1}=\sum_{k=r}^{n}r\,{}_k\mathrm{C}_r=r\sum_{k=r}^{n}{}_k\mathrm{C}_r$ というように k が r になったことで，シグマの外に出せるようになる（シグマの中は k が変数で，r は定数である）．

解答

（1） (ア) ${}_k\mathrm{C}_r+{}_k\mathrm{C}_{r-1}=\dfrac{k!}{r!(k-r)!}+\dfrac{k!}{(r-1)!(k-r+1)!}$

$$=\frac{k!}{r!(k-r+1)!}\{(k-r+1)+r\}=\frac{(k+1)!}{r!(k+1-r)!}={}_{k+1}\mathrm{C}_r$$

(イ) $r\,{}_k\mathrm{C}_r=r\cdot\dfrac{k!}{r!(k-r)!}=k\cdot\dfrac{(k-1)!}{(r-1)!(k-r)!}=k\,{}_{k-1}\mathrm{C}_{r-1}$

（2） (1)により，${}_k\mathrm{C}_{r-1}={}_{k+1}\mathrm{C}_r-{}_k\mathrm{C}_r$ 　$(r\geqq1,\ k\geqq r)$ ……………………(＊)

⇦ $a_k={}_k\mathrm{C}_{r-1}$，$b_k={}_k\mathrm{C}_r$ とおくと，$a_k=b_{k+1}-b_k$ の形

$r-1$ ⇨ r とすると，${}_k\mathrm{C}_r={}_{k+1}\mathrm{C}_{r+1}-{}_k\mathrm{C}_{r+1}$ 　$(r\geqq0,\ k\geqq r+1)$

よって，$n\geqq r+1$ のとき，

$$\sum_{k=r}^{n}{}_k\mathrm{C}_r={}_r\mathrm{C}_r+\sum_{k=r+1}^{n}{}_k\mathrm{C}_r={}_r\mathrm{C}_r+\sum_{k=r+1}^{n}({}_{k+1}\mathrm{C}_{r+1}-{}_k\mathrm{C}_{r+1})$$

$$={}_r\mathrm{C}_r+({}_{n+1}\mathrm{C}_{r+1}-{}_{r+1}\mathrm{C}_{r+1})=\boldsymbol{{}_{n+1}\mathrm{C}_{r+1}}$$

（$n=r$ のときもこれでよい）

⇦
$$\begin{array}{rl}
 & {}_{r+2}\mathrm{C}_{r+1}-{}_{r+1}\mathrm{C}_{r+1}\\
 & {}_{r+3}\mathrm{C}_{r+1}-{}_{r+2}\mathrm{C}_{r+1}\\
 & \quad\vdots\qquad\quad\vdots\\
 & {}_{n}\mathrm{C}_{r+1}-{}_{n-1}\mathrm{C}_{r+1}\\
+) & {}_{n+1}\mathrm{C}_{r+1}-{}_{n}\mathrm{C}_{r+1}\\
\hline
 & {}_{n+1}\mathrm{C}_{r+1}-{}_{r+1}\mathrm{C}_{r+1}
\end{array}$$

➡**注** (ア) $k+1$ 人から r 人を選んで作られる組合せの数 ${}_{k+1}\mathrm{C}_r$ を，$k+1$ 人のうち特定の1人が r 人に入るかどうかで場合分けして数えたものが右辺（入るときが ${}_k\mathrm{C}_{r-1}$）．

(イ) 左辺は，k 人から r 人のグループを作り，さらにそのグループのリーダーを1人決めるときの場合の数であるが，これを，まず k 人からリーダーとなる1人を選ぶ，として数えたものが右辺である．

11 演習題 （解答は p.105）

p を素数とするとき，次を証明せよ．

（1） $1\leqq k\leqq p$ を満たす自然数 k について，等式 $p\cdot{}_{p-1}\mathrm{C}_{k-1}=k\cdot{}_p\mathrm{C}_k$ が成り立つ．

（2） $1\leqq k\leqq p-1$ を満たす自然数 k について，${}_p\mathrm{C}_k$ は p の倍数である．

（3） 2^p-2 は p の倍数である．　　　　（東北学院大）

(3)は二項定理を用いる．

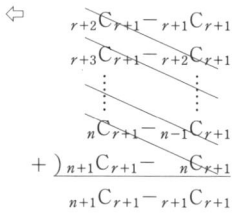

12 二項係数がらみの和

二項定理より，$(1+x)^n={}_nC_0+{}_nC_1x+{}_nC_2x^2+\cdots+{}_nC_nx^n$ ………① である．

（1） $\sum_{k=0}^{8}{}_8C_k$ を求めよ．　（2） $\sum_{k=0}^{16}k\cdot{}_{16}C_k$ を求めよ．　（3） $\sum_{k=0}^{8}\frac{{}_8C_k}{k+1}$ を求めよ．

（麻布大・獣医，類　慶大・総合政策）

二項定理の利用　シグマの中に二項係数が入った式を扱うときは，二項定理が使えないかと考えよう．二項定理より，

$$(1+x)^n={}_nC_0+{}_nC_1x+{}_nC_2x^2+\cdots+{}_nC_nx^n \quad\cdots\cdots①$$

この式の x に 1，-1 など特定の値を代入するとよい．また，求める和の形によっては，①にそのまま x の具体的な値を代入するのではなく，①を微分した式に代入したり，①を定積分したりして，シグマの形に変形していく．

解 答

（1） ①で，$x=1$，$n=8$ とすると，

$$(1+1)^8={}_8C_0+{}_8C_1\cdot1+{}_8C_2\cdot1^2+\cdots+{}_8C_8\cdot1^8=\sum_{k=0}^{8}{}_8C_k$$

$$\therefore\ \sum_{k=0}^{8}{}_8C_k=\mathbf{2^8}\,(=\mathbf{256})$$

（2） ①の両辺を x で微分すると，

$$n(1+x)^{n-1}={}_nC_1+2{}_nC_2x+3{}_nC_3x^2+\cdots+n{}_nC_nx^{n-1}$$

⇦ $((x+a)^n)'=n(x+a)^{n-1}$

この式で，$x=1$，$n=16$ として

$$16(1+1)^{15}={}_{16}C_1+2{}_{16}C_2\cdot1+3{}_{16}C_3\cdot1^2+\cdots+16{}_{16}C_{16}\cdot1^{16-1}$$

$$=\sum_{k=0}^{16}k{}_{16}C_k$$

$$\therefore\ \sum_{k=0}^{16}k{}_{16}C_k=16\cdot2^{15}=\mathbf{2^{19}}\,(=524288)$$

【(2)の別解】
前頁の(1)(イ)より
$k{}_{16}C_k=16{}_{15}C_{k-1}$
$\sum_{k=0}^{16}k{}_{16}C_k=\sum_{k=1}^{16}k{}_{16}C_k$
$=16\sum_{k=1}^{16}{}_{15}C_{k-1}=16\sum_{l=0}^{15}{}_{15}C_l$
$[k-1=l$ とおいた$]$
〰〰は①で，$x=1$，$n=15$ のとき．
よって答は $16\cdot2^{15}=2^{19}$

（3） ①の両辺を 0 から 1 まで定積分すると．

$$\int_0^1(1+x)^ndx=\int_0^1({}_nC_0+{}_nC_1x+{}_nC_2x^2+\cdots+{}_nC_nx^n)\,dx$$

$$={}_nC_0\int_0^1 1dx+{}_nC_1\int_0^1 xdx+{}_nC_2\int_0^1 x^2dx+\cdots+{}_nC_n\int_0^1 x^ndx$$

$$={}_nC_0+\frac{1}{2}{}_nC_1+\frac{1}{3}{}_nC_2+\cdots+\frac{1}{n+1}{}_nC_n=\sum_{k=0}^{n}\frac{{}_nC_k}{k+1}$$

この式で，$n=8$ として，

$$\sum_{k=0}^{8}\frac{{}_8C_k}{k+1}=\int_0^1(1+x)^8dx=\left[\frac{1}{9}(1+x)^9\right]_0^1=\frac{2^9-1}{9}=\mathbf{\frac{511}{9}}$$

$(x+a)^n$ の不定積分
⇦ $\frac{1}{n+1}(x+a)^{n+1}+C$

12 演習題 （解答は p.106）

次の式が成り立つことを証明せよ．

（1） ${}_nC_0-{}_nC_1+{}_nC_2-\cdots+(-1)^n{}_nC_n=0$

（2） $\frac{k}{n}{}_nC_k={}_{n-1}C_{k-1}$

（3） $\frac{1}{1}{}_{n-1}C_0+\frac{(-1)}{2}{}_{n-1}C_1+\frac{(-1)^2}{3}{}_{n-1}C_2+\cdots+\frac{(-1)^{n-1}}{n}{}_{n-1}C_{n-1}=\frac{1}{n}$

（愛知大，類　早大・人間科学）

（1） 上記①の x に -1 を代入する．

13 確率と漸化式

袋Aの中に5個の白玉と1個の赤玉が入っており，袋Bの中に3個の白玉が入っている．Aから無作為に1個の玉を取り出しBに移した後，Bから無作為に1個の玉を取り出しAに移す．この操作をn回繰り返した後に，Aに赤玉が入っている確率をP_nとおく．次の問いに答えよ．

（1） P_{n+1}をP_nで表せ．

（2） P_nを求めよ． （名古屋市大・経－後）

漸化式を立てる　n回後の試行結果の確率が分かっているものとして，これを出発点に，$n+1$回後の試行結果の確率を考えることで，P_nとP_{n+1}を結びつけることができる．つまり，

P_nを既知だとすればP_{n+1}を求めることができる

ということで，この「既知だと思う」ことがポイントである．漸化式を立てるために場合分けするときは，「すべてを尽くしているか」と「排反になっているか」の2点に注意しよう．

本問の場合，Aに赤玉が入っている・入っていない，という2つの排反な事象に分けられる．一般に排反な2つの事象に分けられるときは，一方の確率のみ設定すればよい（他方は$1-P_n$と表される）．

解 答

白玉を○，赤玉を●と表すと，最初は，A…○5個・●1個，B…○3個

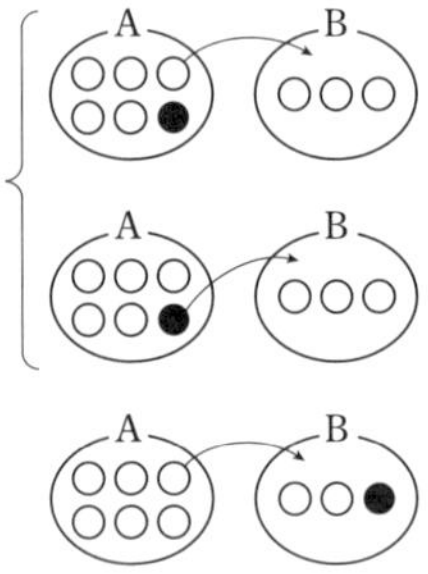

（1） $n+1$回後にAに●が入っているのは，

1° n回後にAに●が入っている場合（確率P_n），$n+1$回目に，

- Aから○を取り出し（確率$\frac{5}{6}$），Bからも○を取り出す（確率1）か，
- Aから●を取り出し（確率$\frac{1}{6}$），Bからも●を取り出す（確率$\frac{1}{4}$）

2° n回後にAに●が入っていない場合（確率$1-P_n$），$n+1$回目に，

Aから○を取り出し（確率1），Bから●を取り出す（確率$\frac{1}{4}$）

ときのいずれかである．したがって，

$$P_{n+1}=P_n\cdot\left(\frac{5}{6}\cdot 1+\frac{1}{6}\cdot\frac{1}{4}\right)+(1-P_n)\cdot\frac{1}{4}=\boldsymbol{\frac{5}{8}P_n+\frac{1}{4}} \quad\cdots\cdots①$$

（2） $\alpha=\frac{5}{8}\alpha+\frac{1}{4}$ ……② とすると，$\alpha=\frac{2}{3}$であり，①－②により，

$$P_{n+1}-\alpha=\frac{5}{8}(P_n-\alpha) \qquad \therefore\ P_{n+1}-\frac{2}{3}=\frac{5}{8}\left(P_n-\frac{2}{3}\right)$$

最初はAに●が入っているので，$P_0=1$である．よって，

⇦初項は$n=0$（最初の状態）とすると少し楽になることが多い．

$$P_n-\frac{2}{3}=\left(\frac{5}{8}\right)^n\left(P_0-\frac{2}{3}\right)=\frac{1}{3}\left(\frac{5}{8}\right)^n \qquad \therefore\ \boldsymbol{P_n=\frac{2}{3}+\frac{1}{3}\left(\frac{5}{8}\right)^n}$$

13 演習題 （解答は p.106）

正三角形ABCとその頂点上にある動点Pを考える．動点Pは1分ごとに$\frac{2}{3}$の確率で同じ頂点に留まり，隣接する2つの頂点のどちらかに各々$\frac{1}{6}$の確率で移動する．Pがn分後に頂点A上にある確率をp_n（$n=0$, 1, 2, …）で表す．$p_0=1$とするとき，

（1） p_{n+1}をp_nで表せ．

（2） p_nをnを用いて表せ． （青山学院大・総合文化政策，社情／一部略）

B上にあるときとC上にあるときを分ける必要はない．

14 漸化式と整数／余りの数列

数列 $\{a_n\}$ を $a_1=1$，$a_2=1$，$a_{n+2}=a_{n+1}+a_n$（$n=1$，2，…）で定義する．次の問いに答えよ．

（1） $n=1$，2，…，16 について，a_n を 2 で割った余り，a_n を 3 で割った余りを求め，解答用紙（略）の表を完成せよ．

（2） a_n が 2 の倍数となるときの n の条件は ☐．

（3） a_n が 3 の倍数となるときの n の条件は ☐．

（4） a_n が 6 の倍数となるときの n の条件は ☐．

（5） a_{2000} を 6 で割った余りは ☐．

（大阪工大・情報科学，類　広島大・文系）

整数の漸化式では，余りの数列は周期的になる　a_1，a_2，p，q を整数として，数列 $\{a_n\}$ が漸化式 $a_{n+2}=pa_{n+1}+qa_n$ を満たすとする．a_{n+2} は，a_{n+1} と a_n（手前の 2 項）で決まるが，a_{n+2} を c で割った余り r_{n+2} も，手前の 2 項の余りで決まる．合同式（☞本シリーズ「数 A」p.57）を用いれば，（≡は mod c として）$a_{n+2}\equiv r_{n+2}$，$a_{n+1}\equiv r_{n+1}$，$a_n\equiv r_n$ のとき，

$$a_{n+2}=pa_{n+1}+qa_n \Longrightarrow r_{n+2}\equiv pr_{n+1}+qr_n \cdots\cdots Ⓐ$$

ということである．よって，元の数列 $\{a_n\}$ を経由せずに，余り r_n をⒶから直接計算できる．ここで，

1° n の小さい順に r_n を並べていくとき，右図で，　……，㋐，㋑，……，㋐′，㋑′，……（＊）

㋐′＝㋐，㋑′＝㋑なら，㋐′以降は（＊）の繰り返し．

2° c で割った余りは 0，1，…，$c-1$ の c 通りしかないので，

α，β を c で割った余りとするとき，$(\alpha,\ \beta)$ という 2 数の組合せは，$c\times c=c^2$ 通りしかない．

が言え，$(r_1,\ r_2)$，$(r_2,\ r_3)$，… のペアを順次求めて調べると，2° により c^2+1 個のペアまでに 1° の 〰〰 となる 2 つのペアが必ず見つかり，$\{r_n\}$ は周期的に同じ値をくり返すことが分かる．

解 答

（1） a_n を 2，3 で割った余りをそれぞれ b_n，c_n とする．例えば c_n は，≡ を mod 3 として，$c_1=1$，$c_2=1$，$c_3\equiv c_2+c_1=2$，$c_4\equiv c_3+c_2=3\equiv 0$，……と計算していく．このようにして以下の表を得る．

⇦前文の，㋐′＝㋐，㋑′＝㋑が現れたら，あとは周期的になるので，それを利用して表を完成すればよい（具体的には b_n では 5 個のペア，c_n では 10 個のペアを見れば，同じものが現れているはず）．

n	1	2	3	4	5	6	7	8	9	10	11	12	13	14	15	16
b_n	1	1	0	1	1	0	1	1	0	1	1	0	1	1	0	1
c_n	1	1	2	0	2	2	1	0	1	1	2	0	2	2	1	0

（2） $b_4=b_1$，$b_5=b_2$ であるから，$\{b_n\}$ は「1，1，0」の繰り返しである．よって，a_n が 2 の倍数となる条件は **n が 3 の倍数であること**．　⇦$b_n=0$

（3） $\{c_n\}$ は，「1，1，2，0，2，2，1，0」の繰り返しであるから，a_n が 3 の倍数となる条件は，**n が 4 の倍数であること**．　⇦$c_n=0$

（4） a_n が $6=2\cdot 3$ の倍数となるのは，$b_n=0$ かつ $c_n=0$ となるときで，それは，（2）（3）より，n が $3\times 4=12$ の倍数であるとき．よって，求める条件は **n が 12 の倍数であること**．　⇦3 と 4 は互いに素．

（5） 2000 を 3 で割った余りは 2 だから，$b_{2000}=b_2=1$ よって，a_{2000} は奇数．

また，2000 を 8 で割った余りは 0 だから，$c_{2000}=c_8=0$ よって，a_{2000} は 3 の倍数．　⇦$\{c_n\}$ の周期は 8．

よって，$a_{2000}=3(2k+1)=6k+3$（k は整数）と表せるから，求める余りは，**3**　⇦「奇数 かつ 3 の倍数」⟺「3 の奇数倍」

14 演習題（解答は p.106）

整数からなる数列 $\{a_n\}$ を $\begin{cases} a_1=1,\ a_2=3 \\ a_{n+2}=3a_{n+1}-7a_n \end{cases}$（$n=1$，2，…）によって定める．

（1） a_n が偶数となることと，n が 3 の倍数となることは同値であることを示せ．

（2） a_n が 10 の倍数となるための条件を（1）と同様の形式で求めよ．（東大・理系）

まずは実験して周期性を見い出す．

15 漸化式と整数

(1) p, q, r, s を整数とする．このとき $p+q\sqrt{2}=r+s\sqrt{2}$ が成り立つならば $p=r$ かつ $q=s$ となることを示せ．ここで $\sqrt{2}$ が無理数であることは使ってよい．

(2) 自然数 n に対し，$(3+2\sqrt{2})^n=a_n+b_n\sqrt{2}$ を満たす整数 a_n，b_n が存在することを数学的帰納法により示せ．

(3) a_n，b_n を(2)のものとする．このときすべての自然数 n について $(x, y)=(a_n, b_n)$ は方程式 $x^2-2y^2=1$ の解であることを数学的帰納法により示せ．　（三重大・人文，教，生物資源）

漸化式を利用して数学的帰納法で示す　例題の(2)(3)では「数学的帰納法で示せ」という指示があるので，漸化式の利用が思いつきやすいだろう．a_n，b_n についての漸化式を作ることがポイントの問題であり，具体的には $(3+2\sqrt{2})^{n+1}=(3+2\sqrt{2})\cdot(3+2\sqrt{2})^n$ を a_n，b_n などを用いて表した $a_{n+1}+b_{n+1}\sqrt{2}=(3+2\sqrt{2})(a_n+b_n\sqrt{2})$ を使って漸化式を作る（右辺を展開し，係数を比較すると連立漸化式ができる）．

解答

(1) $p+q\sqrt{2}=r+s\sqrt{2}$ のとき，$(q-s)\sqrt{2}=r-p$ ……①

$q-s\neq0$ と仮定すると $\sqrt{2}=\dfrac{r-p}{q-s}=\dfrac{(\text{整数})}{(\text{整数})}=(\text{有理数})$ となって $\sqrt{2}$ が無理数であることに矛盾する．よって $q-s=0$ であり，これと①から $r-p=0$

従って $p=r$ かつ $q=s$ となり，題意が示された．

(2) $(3+2\sqrt{2})^n=a_n+b_n\sqrt{2}$ を満たす整数 a_n，b_n が存在する ……②

ことを数学的帰納法で示す．

• $n=1$ のとき，$a_1=3$，$b_1=2$ ……③　とすれば②が成り立つ．

• $n=k$ のときに②が成り立つ，つまり

$(3+2\sqrt{2})^k=a_k+b_k\sqrt{2}$ を満たす整数 a_k，b_k が存在する

と仮定する．

$$(3+2\sqrt{2})^{k+1}=(3+2\sqrt{2})\cdot(3+2\sqrt{2})^k=(3+2\sqrt{2})(a_k+b_k\sqrt{2})$$
$$=(3a_k+4b_k)+(2a_k+3b_k)\sqrt{2}$$

であるから，$a_{k+1}=3a_k+4b_k$，$b_{k+1}=2a_k+3b_k$ ………④　とすれば帰納法の仮定（a_k，b_k は整数）より a_{k+1}，b_{k+1} は整数となる．よって $n=k+1$ のときも②が成り立つ．以上で題意が示された．

⇦(1)より，a_{k+1}，b_{k+1} はただ1つに決まる．

(3) $a_n{}^2-2b_n{}^2=1$ ……⑤　であることを数学的帰納法で示す．

• $n=1$ のとき，③より $3^2-2\cdot2^2=9-8=1$ だから⑤を満たす．

• $n=k$ のとき，⑤ $(a_k{}^2-2b_k{}^2=1)$ が成り立つと仮定する．これと④より

$$a_{k+1}{}^2-2b_{k+1}{}^2=(3a_k+4b_k)^2-2(2a_k+3b_k)^2=a_k{}^2-2b_k{}^2=1$$

となるから，$n=k+1$ のときも⑤が成り立つ．以上で題意が示された．

15 演習題（解答は p.107）

二つの数列 $\{a_n\}$，$\{b_n\}$ を次の漸化式によって定める．

$$a_1=3,\ b_1=1,\ a_{n+1}=\frac{1}{2}(3a_n+5b_n),\ b_{n+1}=\frac{1}{2}(a_n+3b_n)$$

(1) すべての自然数 n について，$a_n{}^2-5b_n{}^2=4$ であることを示せ．

(2) すべての自然数 n について，a_n，b_n は自然数かつ a_n+b_n は偶数であることを証明せよ．　（筑波大）

(1)(2)とも数学的帰納法で示す．(2)の「a_n+b_n は偶数」の扱い方・示し方を考えよう．

16 方程式の有理数解

3 次方程式 $x^3-x^2+2x-1=0$ の実数解は無理数であることを，背理法を用いて示せ．

（富山県立大）

無理数であることを示すには 例題の場合，問題文から「有理数解をもつと仮定して矛盾を導く」という方針がわかる．無理数とは有理数でない実数のことであるから，無理数であることを示すときは背理法が基本であり，指示がなくてもこの方針が思い浮かぶようにしておきたい．

有理数解をもつとしてそれを $x=\dfrac{q}{p}$ とおき，方程式に代入するのであるが，「p と q は互いに素」と仮定しておくのがポイントとなる．

解答

与えられた方程式 $x^3-x^2+2x-1=0$ ……① が有理数解をもつと仮定し，それを $x=\dfrac{q}{p}$（p は自然数，q は整数で p と q は互いに素）とおく．$x=\dfrac{q}{p}$ を①に代入すると

$$\frac{q^3}{p^3}-\frac{q^2}{p^2}+2\cdot\frac{q}{p}-1=0$$

p^3 倍すると，$q^3-pq^2+2p^2q-p^3=0$ ……②

②は $q^3=pq^2-2p^2q+p^3$ となるから，

⇦ p を含む項と含まない項に分離

$$q^3=p(q^2-2pq+p^2) \quad \cdots\cdots③$$

③の右辺は p の倍数だから左辺の q^3 も p の倍数となるが，p と q は互いに素なので $p=1$ である．

⇦ $p=1$ だから有理数解は整数解となる．このあとは，$y=f(x)$ のグラフを描いてもできる．$f'(x)=3x^2-2x+2>0$ からグラフは下のようになり，整数解はない．

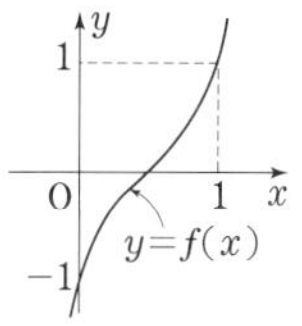

同様に，②が $q^3-pq^2+2p^2q=p^3$ すなわち $q(q^2-pq+2p^2)=p^3$ と書けることから，q は p^3 の約数で ±1

これより，①が有理数解をもつとすると $x=1$ または $x=-1$ となるが，

$$1^3-1^2+2\cdot1-1=1\neq0,\ (-1)^3-(-1)^2+2(-1)-1=-5\neq0$$

なのでいずれも①の解にならない．これは矛盾であるから，背理法により①は有理数解をもたない，すなわち①の実数解は無理数であることが示された．

➡注 整数係数の n 次方程式 $a_nx^n+\cdots+a_1x+a_0=0$ （$a_n\neq0$，$a_0\neq0$）が有理数解をもつならば，それは $\pm\dfrac{(a_0\text{の約数})}{(a_n\text{の約数})}$ の形に書けることが知られている（つまり，この形の有理数の中に方程式の解がなければ方程式は有理数解をもたない）．これを方程式①に適用すると，$n=3$ で $a_3=1$，$a_0=-1$ なので「①が有理数解をもつならばそれは $x=\pm1$」となる．

⇦この定理の証明は本シリーズ数Ⅱの p.35 にある．数Ⅱをもっている人は，この証明と例題の解答を見くらべてみよう．

16 演習題（解答は p.107）

a，b，c を奇数とする．x についての 2 次方程式 $ax^2+bx+c=0$ に関して，

（1） この 2 次方程式が有理数の解 $\dfrac{q}{p}$ をもつならば，p と q はともに奇数であることを背理法で証明せよ．ただし，$\dfrac{q}{p}$ は既約分数とする．

（2） この 2 次方程式が有理数の解をもたないことを（1）を利用して証明せよ．

（鹿児島大）

（1） 偶数・奇数に着目する．
（2） （1）の式をもう一度見ると，…

17 三角関数と漸化式

tを実数とし，数列$\{a_n\}$を，$a_1=1$，$a_2=2t$，$a_{n+1}=2ta_n-a_{n-1}$（$n\geqq 2$）で定める．

（１） $t\geqq 1$ならば，$0<a_1<a_2<a_3<\cdots\cdots$ となることを示せ．

（２） $-1<t<1$ならば，$t=\cos\theta$となるθを用いて，$a_n=\dfrac{\sin n\theta}{\sin\theta}$（$n\geqq 1$）

となることを示せ． （神戸大・理系／一部略）

前の二つから次が成立 例題の漸化式は，a_nとa_{n+1}が決まるとa_{n+2}が決まる形になっている．そこで，数学的帰納法を用いるときは，仮定にa_kとa_{k+1}が現れるようにする．

（１）では，「$a_n<a_{n+1}$」を示すことを目標にする．このとき，$a_k<a_{k+1}\Longrightarrow a_{k+1}<a_{k+2}$を示すことになり，仮定に$a_k$と$a_{k+1}$が現れ漸化式から$a_{k+2}$を$a_k$と$a_{k+1}$で表せる．

（２）では，$a_k=\dfrac{\sin k\theta}{\sin\theta}$と$a_{k+1}=\dfrac{\sin(k+1)\theta}{\sin\theta}$の２つを仮定しないと$a_{k+2}$を計算できない．そこで「（ｉ） $n=1$，２で成り立つ．（ii） $n=k$，$k+1$で成り立つと仮定すると$n=k+2$で成り立つ．」ことを示す．この帰納法を用いるときは，（ｉ）で$n=1$，２の２つの値で成り立つことを確かめるのを忘れないようにしよう．

なお，（１）で，$a_{k+2}>a_{k+1}$を示す際，$a_{k+1}>0$を使うことになるので，$0<a_k<a_{k+1}\Longrightarrow 0<a_{k+1}<a_{k+2}$を示すことにすればよい．

解答

（１） $a_{n+2}=2ta_{n+1}-a_n$（$n\geqq 1$）……………………………………………………①

自然数nについて，$0<a_n<a_{n+1}$が成り立つことを数学的帰納法で示す．

Ⅰ．$a_1=1$，$a_2=2t$により，$t\geqq 1$のとき，$0<a_1<a_2$が成り立つ．

Ⅱ．$0<a_k<a_{k+1}$が成り立つと仮定する．このとき，①と$t\geqq 1$から，

$$a_{k+2}-a_{k+1}=(2ta_{k+1}-a_k)-a_{k+1}=(2t-1)a_{k+1}-a_k\geqq a_{k+1}-a_k>0$$

（$\because$ $2t-1\geqq 1$，$a_{k+1}>0$により，$(2t-1)a_{k+1}\geqq a_{k+1}$）

よって，$a_{k+2}>a_{k+1}>0$ つまり $0<a_{k+1}<a_{k+2}$も成り立つ．

以上から，$0<a_n<a_{n+1}$（$n=1$，２，…）が成り立ち，題意が示された．

（２） 自然数nについての数学的帰納法で示す．

Ⅰ．$a_1=1=\dfrac{\sin\theta}{\sin\theta}$，$a_2=2t=2\cos\theta=\dfrac{\sin 2\theta}{\sin\theta}$により，$n=1$，２で成立．

⇦(1，2) 3，…，(k，k+1) k+2，と進んでいく帰納法

Ⅱ．$a_k=\dfrac{\sin k\theta}{\sin\theta}$，$a_{k+1}=\dfrac{\sin(k+1)\theta}{\sin\theta}$を仮定する．このとき，①から

$$a_{k+2}=2ta_{k+1}-a_k=\frac{2\cos\theta\sin(k+1)\theta-\sin k\theta}{\sin\theta}$$

$$=\frac{\{\sin((k+1)\theta+\theta)+\sin((k+1)\theta-\theta)\}-\sin k\theta}{\sin\theta}=\frac{\sin(k+2)\theta}{\sin\theta}$$

$2\sin\alpha\cos\beta=\sin(\alpha+\beta)+\sin(\alpha-\beta)$

⇦また，$\sin((k+1)\theta-\theta)=\sin k\theta$

以上から，題意が示された．

17 演習題（解答は p.108）

（１） nを正の整数とする．$\cos n\theta$は，あるxのn次式$p_n(x)$を用いて，$\cos n\theta=p_n(\cos\theta)$と表せることを示せ．［ヒント：$\cos n\theta=2\cos\theta\cos(n-1)\theta-\cos(n-2)\theta$を用いよ］

（２） $p_n(x)$はnが偶数なら偶関数，奇数なら奇関数になることを示せ．

（３） 整式$p_n(x)$の定数項を求めよ． （九州大・文系／一部略）

$\cos 2\theta=2\cos^2\theta-1$により，$p_2(x)=2x^2-1$

18 方程式の解の個数／置き換え

$0\leqq\theta\leqq\pi$ として，θ の方程式 $-\cos 2\theta+(2-9a)\sin\theta+12a^2-9a+3=0$
について，次の各問に答えよ．ただし，a は実数の定数とする．

（1） $a=\dfrac{1}{2}$ のとき，解の個数を求めよ．

（2） 異なる4つの実数解をもつとき，a の値の範囲を求めよ．（中京大・情報）

$\sin\theta$ の値を1つに決めても，θ は1つとは限らない　θ の範囲を $0\leqq\theta<2\pi$ や $0\leqq\theta\leqq\pi$ に限定したとしても，$\sin\theta=t$ と置き換えている場合は，t の解の個数と θ の解の個数とは必ずしも一致しないことに注意しよう．

$0\leqq\theta<2\pi$ とし，実数 t の値を1つ定めたとき，$\sin\theta=t$ を満たす θ が何個定まるかであるが，それは右のグラフにより，

$t=1$ または $t=-1$　のとき，θ は1個だけ
$-1<t<1$　のとき，θ は2個
$t>1$ または $t<-1$　のとき，θ は0個

である．このように，t を1つに定めても θ の個数は1つとは限らない．

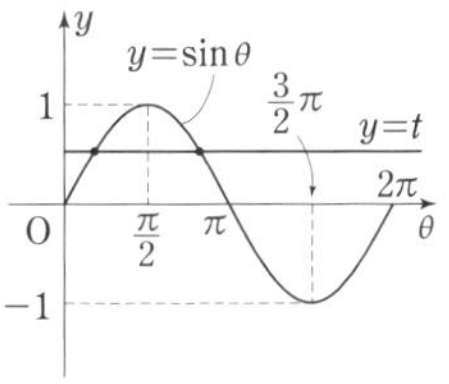

また，文字を置き換えているときは，置き換えた文字の取り得る値の範囲を押さえておく必要がある．本問の場合，$\sin\theta=t$ とおけば，$0\leqq\theta\leqq\pi$ により，$0\leqq t\leqq 1$ である．

解 答

$\sin\theta=t$ とおくと，$-(1-2t^2)+(2-9a)t+12a^2-9a+3=0$

$\therefore\ 2t^2+(2-9a)t+12a^2-9a+2=0$ ……①　（左辺を $f(t)$ とおく）

（1） $a=\dfrac{1}{2}$ のとき，①は $4t^2-5t+1=0$ となり，$t=1,\ \dfrac{1}{4}$ である．

$\sin\theta=1$ となる θ は $\theta=\dfrac{\pi}{2}$ で，$\sin\theta=\dfrac{1}{4}$ となる θ は2つ存在するから，求める解の個数は**3つ**である．

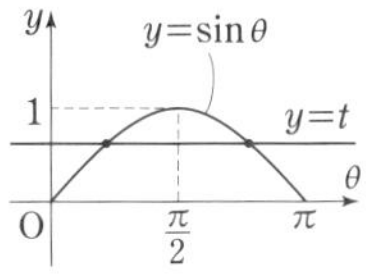

（2） t を1つ定めたとき，$0\leqq t<1$ ならば θ は $0\leqq\theta\leqq\pi$ に2つ，$t=1$ ならば1つ定まるので，θ が4つ定まるのは①が $0\leqq t<1$ を満たす異なる2つの解をもつときである．①の判別式を D とすると，その条件は，次の1°～3°がすべて成り立つことである．

1°　$D=(2-9a)^2-8(12a^2-9a+2)>0$　$\therefore\ -3(5a-2)(a-2)>0$ ……①

2°　軸について：$0<-\dfrac{2-9a}{4}<1$　$\therefore\ \dfrac{2}{9}<a<\dfrac{2}{3}$ ……②

3°　$f(0)\geqq 0$ かつ $f(1)>0$

$f(0)=12a^2-9a+2=12\left(a-\dfrac{3}{8}\right)^2+\dfrac{5}{16}$ により，$f(0)$ はつねに正である．

$f(1)=12a^2-18a+6=6(a-1)(2a-1)>0$ ……③

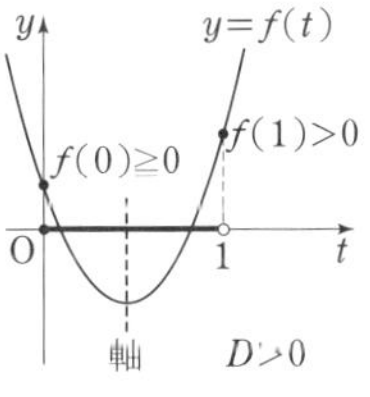

①，②，③の共通範囲を求めて，答えは，$\boldsymbol{\dfrac{2}{5}<a<\dfrac{1}{2}}$

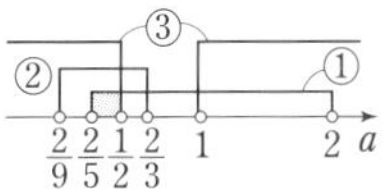

18 演習題（解答は p.109）

$0\leqq x<2\pi$ のとき，方程式 $2\sqrt{2}(\sin^3 x+\cos^3 x)+3\sin x\cos x=0$ を満たす x の個数を求めよ．（京大・文系）

$\sin x$，$\cos x$ の対称式である．

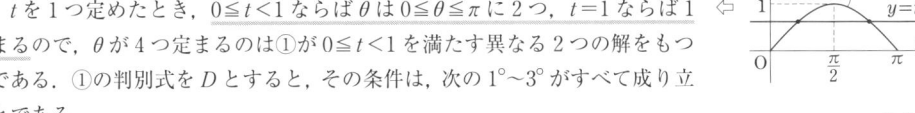

融合問題
演習題の解答

1…B**	**2**…B**○	**3**…C***
4…B**○B*○	**5**…B***	**6**…B**○
7…B**	**8**…B**	**9**…B***
10…B***	**11**…B***	**12**…B***
13…B**○	**14**…B**	**15**…B***
16…B**	**17**…B**○	**18**…B***

1 AE$=x$, AF$=y$ とおき，EF^2 を表す．また，右図で

$\triangle$ABC：$\triangle$AEF$=ab:xy$

が成り立つ．

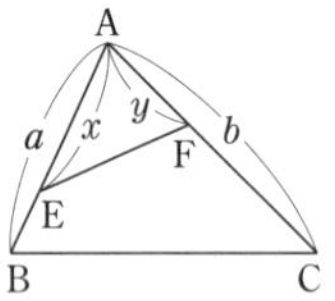

解 AE$=x$, AF$=y$
$(0<x<5,\ 0<y<7)$ とおく．

$\dfrac{\triangle \mathrm{AEF}}{\triangle \mathrm{ABC}}=\dfrac{xy}{5\cdot 7}$ が $\dfrac{1}{2}$ で

あるから，$xy=\dfrac{35}{2}$ ……①

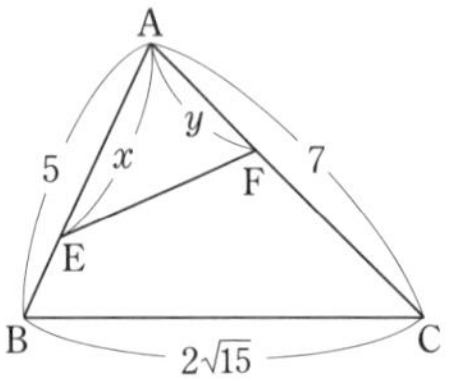

$\triangle$ABC に余弦定理を使い $\cos A$ を求めると，

$$\cos A=\frac{5^2+7^2-(2\sqrt{15})^2}{2\cdot 5\cdot 7}=\frac{25+49-60}{2\cdot 5\cdot 7}=\frac{1}{5}$$

次に，$\triangle$AEF に余弦定理を使うと，

$$\mathrm{EF}^2=x^2+y^2-2xy\cos A$$
$$=x^2+y^2-\frac{2}{5}xy$$
$$=x^2+\left(\frac{35}{2}\right)^2\cdot\frac{1}{x^2}-7 \quad (\because\ ①)$$
$$\geqq 2\sqrt{x^2\times\left(\frac{35}{2}\right)^2\cdot\frac{1}{x^2}}-7=2\cdot\frac{35}{2}-7=28$$

（∵ 相加平均≧相乗平均）

ここで，等号は，$x^2=\left(\dfrac{35}{2}\right)^2\cdot\dfrac{1}{x^2}$ $\quad\therefore\quad x=\sqrt{\dfrac{35}{2}}$

のときである．①から y も求めると，

$$x=y=\sqrt{\frac{35}{2}}<5$$

であり，このとき E，F は辺 AB，辺 AC 上にある．

よって，EF の最小値は $\sqrt{28}=\mathbf{2\sqrt{7}}$

⇨注 EF が最小になるのは，AE$=$AF のときであるが，感覚的にも納得がいく結果である．

2 直方体の対角線が球の中心を通る（証明については，☞注）ことから，直方体の3辺の長さ x, y, z に関する式を作る．(1)は，この関係式を使って直方体の体積 xyz から z を消去し，体積を y の関数とみて最大値を考える．(2)は $V(x)$ の最大値を求める．

解 (1) 直方体の残り2辺の長さを y, z とする．直方体が球に内接するから，

直方体の対角線は球の中心を通り，対角線は球の直径（長さ2）となる．よって，

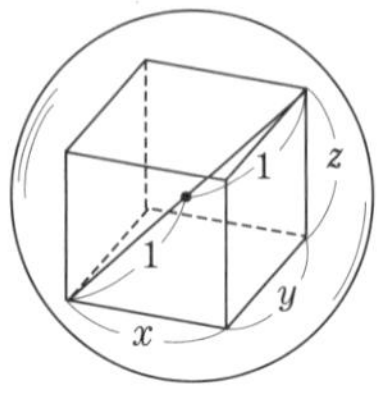

$$x^2+y^2+z^2=2^2$$

従って，直方体の体積は

$$xyz$$
$$=xy\sqrt{4-x^2-y^2}=x\sqrt{y^2(4-x^2-y^2)}$$

ルートの中は，

$$y^2(4-x^2-y^2)=-y^4+(4-x^2)y^2$$
$$=-\left(y^2-\frac{4-x^2}{2}\right)^2+\left(\frac{4-x^2}{2}\right)^2$$

となり，$y^2=\dfrac{4-x^2}{2}$ ($0<x<2$ より右辺は正）のとき最大となるから，x を固定したときの xyz の最大値は

$$V(x)=x\sqrt{\left(\frac{4-x^2}{2}\right)^2}=\boldsymbol{\frac{1}{2}x(4-x^2)}$$

(2) $f(x)=2V(x)=x(4-x^2)=-x^3+4x$ とおくと，

$$f'(x)=-3x^2+4$$

となるから，$0<x<2$ における増減とグラフの概形は右のようになる．よって，$V(x)$ の最大値は，

x	0	…	$\frac{2}{\sqrt{3}}$	…	2
$f'(x)$		$+$	0	$-$	
$f(x)$		↗		↘	

$$M=V\left(\frac{2}{\sqrt{3}}\right)$$
$$=\frac{1}{2}\cdot\frac{2}{\sqrt{3}}\left(4-\frac{4}{3}\right)$$
$$=\boldsymbol{\frac{8}{3\sqrt{3}}}$$

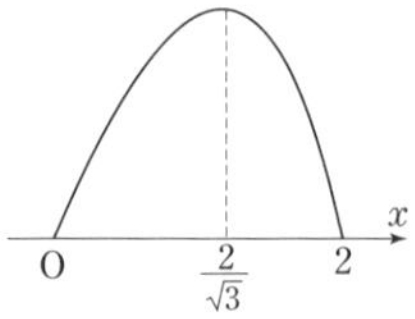

⇨注 直方体の一つの面を含む平面での球の断面を考える．球の断面は円で，それに直方体の面（長方形）が内接しているから，この円の中心Cは長方形の対角線の交点で，さらにCを通りこの平面に垂直な直線 l は球の中心を通る．直方体の各面についてこれが言えるから，l の交点，すなわち直方体の対角線の交点が球の中心となる．

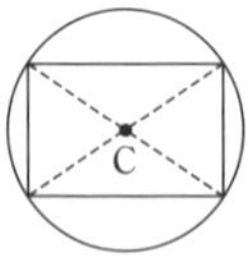

証明は上のようになるが，直観的に明らかなことであるから，解答程度の書き方でよいだろう．

3 （１） ASの中点をHとおくと，AS＝2AHであることに着目する．

また，$\sin\alpha+\sin\beta$ の形の式の最大値に帰着されるが，$\alpha+\beta$ が θ によらないので，和→積の公式を使う．

（２） $\sin\left(\dfrac{\pi}{2}-\theta\right)=\cos\theta$ を使うと角度は $\dfrac{t}{2}$ と $\dfrac{t}{4}$ だけになり，このあとは角度を統一する．

解 （１） ASの中点をHとおくと，$\angle \mathrm{AOH}=\dfrac{\theta}{2}$，

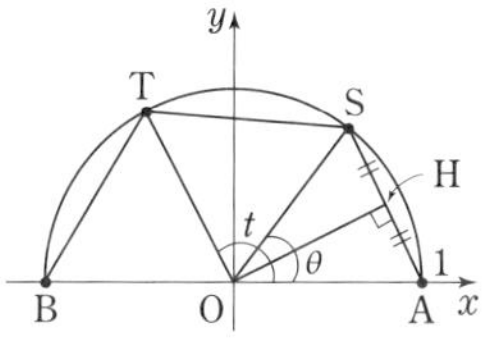

$\mathrm{AS}=2\mathrm{AH}=2\mathrm{OA}\sin\dfrac{\theta}{2}$

$=2\sin\dfrac{\theta}{2}$

同様に，$\angle\mathrm{SOT}=t-\theta$ に注意して，

$\mathrm{ST}=2\sin\dfrac{t-\theta}{2}$

したがって，

$$\mathrm{AS}+\mathrm{ST}=2\left(\sin\frac{\theta}{2}+\sin\frac{t-\theta}{2}\right)\ \cdots\cdots①$$

$$=2\left\{\sin\left(\frac{t}{4}+\frac{2\theta-t}{4}\right)+\sin\left(\frac{t}{4}-\frac{2\theta-t}{4}\right)\right\}$$

$$=4\sin\frac{t}{4}\cos\frac{2\theta-t}{4}\ \cdots\cdots②$$

$0<\theta<t$ により $-\dfrac{t}{4}<\dfrac{2\theta-t}{4}<\dfrac{t}{4}$ であり，

$0<t<\pi$ であるから，②は，

$\dfrac{2\theta-t}{4}=0$ つまり $\theta=\dfrac{t}{2}$ のとき最大値 $\boldsymbol{4\sin\dfrac{t}{4}}$ をとる．

（２） （１）により，

$\mathrm{AS}+\mathrm{ST}\leqq 4\sin\dfrac{t}{4}$ （等号は $\theta=\dfrac{t}{2}$ のとき）

また，$\mathrm{TB}=2\sin\dfrac{\pi-t}{2}=2\sin\left(\dfrac{\pi}{2}-\dfrac{t}{2}\right)=2\cos\dfrac{t}{2}$

であるから，

$$L=\mathrm{AS}+\mathrm{ST}+\mathrm{TB}\leqq 4\sin\frac{t}{4}+2\cos\frac{t}{2}$$

$$=4\sin\frac{t}{4}+2\left(1-2\sin^2\frac{t}{4}\right)$$

$$=-4\left(\sin\frac{t}{4}-\frac{1}{2}\right)^2+3$$

よって，$L\leqq 3$ が成り立つ．等号は，

$\theta=\dfrac{t}{2}$ かつ $\sin\dfrac{t}{4}=\dfrac{1}{2}$ のとき．

$0<\dfrac{t}{4}<\dfrac{\pi}{4}$ により，$\dfrac{t}{4}=\dfrac{\pi}{6}$ 　　∴ $\boldsymbol{t=\dfrac{2}{3}\pi}$，$\boldsymbol{\theta=\dfrac{\pi}{3}}$

⇨注 （１） A(1, 0)，S($\cos\theta$，$\sin\theta$)から

$\mathrm{AS}=\sqrt{(\cos\theta-1)^2+\sin^2\theta}=\sqrt{2-2\cos\theta}$

とした場合は，さらに半角の公式を用いて

$\mathrm{AS}=\sqrt{2(1-\cos\theta)}=\sqrt{2\cdot 2\sin^2\dfrac{\theta}{2}}=2\sin\dfrac{\theta}{2}$

とすれば $\sqrt{\quad}$ は解消される．

4 （ア） P($\cos\theta$，$\sin\theta$)とおいて計算しよう．

（イ） $x=\cos\theta$，$y=\sin\theta$ とおくことができる．

解 （ア） Pは $x^2+y^2=1$ 上の点だから，P($\cos\theta$，$\sin\theta$)（$0\leqq\theta<2\pi$）とおける．

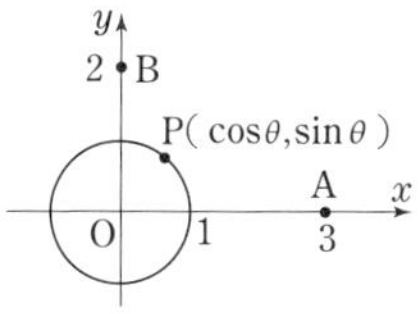

このとき，

$\mathrm{PA}^2+\mathrm{PB}^2$

$=(\cos\theta-3)^2+\sin^2\theta+\cos^2\theta+(\sin\theta-2)^2$

$=\cos^2\theta-6\cos\theta+9+\sin^2\theta$

$\qquad+\cos^2\theta+\sin^2\theta-4\sin\theta+4$

$=2+9+4-6\cos\theta-4\sin\theta$

$=15-\sqrt{52}\left(\cos\theta\cdot\dfrac{6}{\sqrt{52}}+\sin\theta\cdot\dfrac{4}{\sqrt{52}}\right)$

$=15-2\sqrt{13}\cos(\theta-\alpha)\ \cdots\cdots①$

ただし，α は右に示す角である．

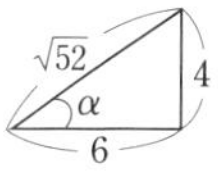

①は $\cos(\theta-\alpha)=-1$ すなわち $\theta-\alpha=\pi$ のとき最大になるから，

$\mathrm{PA}^2+\mathrm{PB}^2$ の**最大値**は $\boldsymbol{15+2\sqrt{13}}$，

そのときのPの $\boldsymbol{x}$ **座標**は

$\cos\theta=\cos(\alpha+\pi)=-\cos\alpha=-\dfrac{6}{\sqrt{52}}=-\boldsymbol{\dfrac{3}{\sqrt{13}}}$

⇨注 他の解法も考えられる．

【線形計画法】

P(x，y)とおくと，

$\mathrm{PA}^2+\mathrm{PB}^2=15-(6x+4y)$

となるから，$x^2+y^2=1\ \cdots\cdots②$

のときの $6x+4y=k\ \cdots\cdots③$

の最小値を考えればよい．

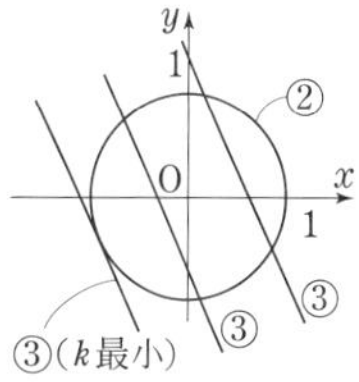

これは②と③が図のように接する場合であるから，Oと③の距離について，

$\dfrac{|k|}{\sqrt{6^2+4^2}}=1$ 　　∴ $k=-2\sqrt{13}$

【視覚的解法】

ABの中点(3/2，1)をMとすると，中線定理（☞本シリーズ「数A」p.99，傍注）により，

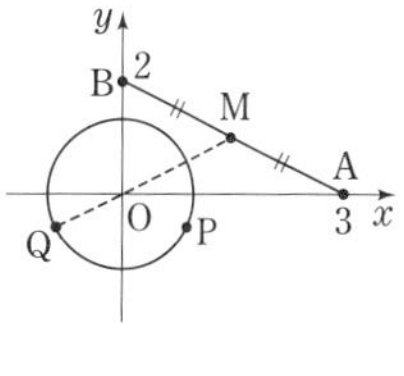

$\mathrm{PA}^2+\mathrm{PB}^2=2(\mathrm{PM}^2+\mathrm{MA}^2)$

よって，PMが最大になるPを求めればよく，それは右図のQである．

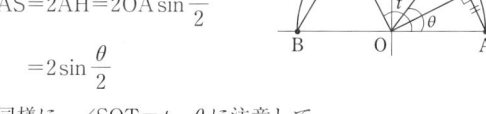

（イ）$x^2+y^2=1$ により，$x=\cos\theta$，$y=\sin\theta$ $(0\leqq\theta<2\pi)$ とおける．

$$4x^2+4xy+y^2$$
$$=4\cos^2\theta+4\cos\theta\sin\theta+\sin^2\theta$$
$$=4\cdot\frac{1+\cos2\theta}{2}+2\sin2\theta+\frac{1-\cos2\theta}{2}$$
$$=\frac{1}{2}(3\cos2\theta+4\sin2\theta)+\frac{5}{2}$$
$$=\frac{5}{2}\cos(2\theta-\alpha)+\frac{5}{2}\ \cdots\cdots①$$

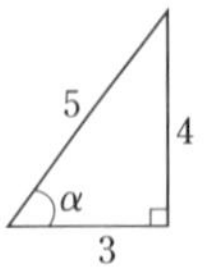

ただし α は右に示す角である．

$\cos(2\theta-\alpha)$ の取り得る値の範囲は -1 以上 1 以下であるから，

①の**最小値**は $-\frac{5}{2}+\frac{5}{2}=\mathbf{0}$，**最大値**は $\frac{5}{2}+\frac{5}{2}=\mathbf{5}$

⇨**注**　$4x^2+4xy+y^2=(2x+y)^2\ \cdots\cdots②$　なので，$2x+y$ の取り得る値の範囲を考えてもよい．

このあとは，例えば，（ア）の注の線形計画法と同様に，$x^2+y^2=1\ \cdots\cdots③$　のときの $2x+y=k\ \cdots\cdots④$ の取り得る値の範囲を求めればよい．円③と直線④が共有点をもつ条件（中心Oと④の距離 $\leqq1$）を考えて，

$$\frac{|k|}{\sqrt{2^2+1^2}}\leqq1\qquad\therefore\ |k|\leqq\sqrt{5}$$

となる．これから，$0\leqq②\leqq5$ が分かる．

また，$x=\cos\theta$，$y=\sin\theta$ とおいて，$2x+y$ を合成してもよい．

5　（３）（２）の連立方程式から定数項を消して ●x＋▲$y=0$ の形の式を作る．

（４）前半：　ABの中点をNとして $\overrightarrow{\mathrm{NO'}}$ を考える．$\overrightarrow{\mathrm{NO'}}$ は $\overrightarrow{\mathrm{BA}}$ に垂直だから，$\overrightarrow{\mathrm{BA}}$ を 90° 回転して長さを調節すれば求められる．

後半：　O，M，O′ が一直線上にあることを示す．OMの傾きは（２）で求めた $\frac{y_0}{x_0}$ でOO′の傾きは $\frac{\text{O}' \text{の}\ y\ \text{座標}}{\text{O}' \text{の}\ x\ \text{座標}}$ だから，これらが等しいことを言えばよい．

解　（１）$\angle\mathrm{A'OB}=\theta$ とおく．$t=\tan\theta$ である．

下左図より，$\mathbf{A'(-rt,\ r)}$，$\mathbf{B'(1,\ -t)}$

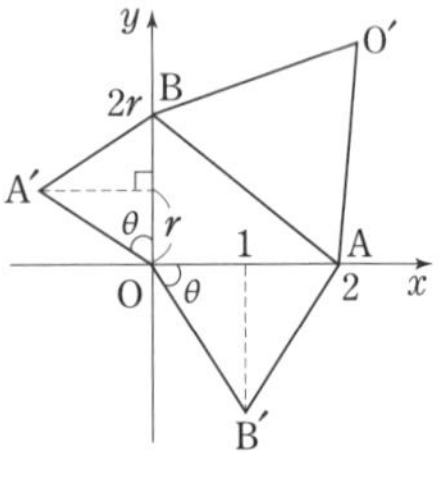

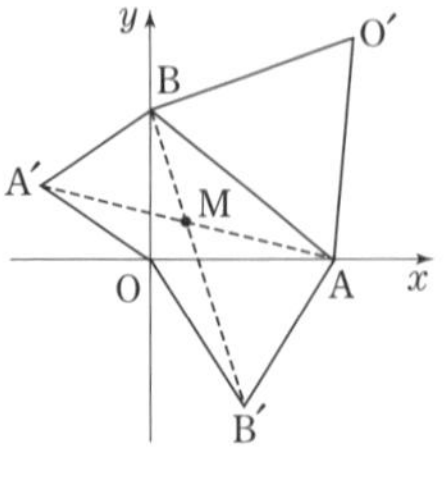

（２）A(2, 0)，B(0, 2r) と（１）の結果より

AA′：　$y=\frac{-r}{2+rt}(x-2)$

$\therefore\ \boldsymbol{rx+(2+rt)y=2r}$

BB′：　$y=(-t-2r)x+2r$

$\therefore\ \boldsymbol{(t+2r)x+y=2r}$

（３）$\mathrm{M}(x_0,\ y_0)$ は AA′ 上，BB′ 上の点なので

$rx_0+(2+rt)y_0=2r\ \cdots\cdots①$

$(t+2r)x_0+y_0=2r\ \cdots\cdots②$

①−②より，

$-(t+r)x_0+(1+rt)y_0=0$

$$\therefore\ \boldsymbol{\frac{y_0}{x_0}=\frac{t+r}{1+rt}}$$

（４）ABの中点を N(1, r) とする．

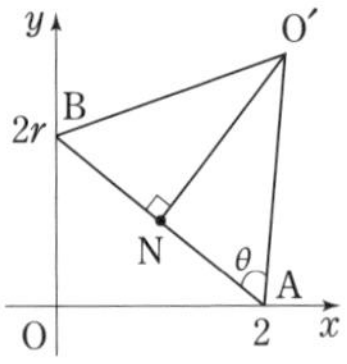

$\overrightarrow{\mathrm{NO'}}$ は $\overrightarrow{\mathrm{AB}}=2\begin{pmatrix}-1\\r\end{pmatrix}$ と垂直で右上向きだから $\begin{pmatrix}r\\1\end{pmatrix}$ と同じ向きである．また，

$$\mathrm{NO'}=\mathrm{AN}\tan\theta=\frac{\mathrm{AB}}{2}\cdot t=\sqrt{1+r^2}\,t$$

であるから，$\left|\begin{pmatrix}r\\1\end{pmatrix}\right|=\sqrt{r^2+1}$ に注意すると，

$$\overrightarrow{\mathrm{NO'}}=t\begin{pmatrix}r\\1\end{pmatrix}$$

よって，

$$\overrightarrow{\mathrm{OO'}}=\overrightarrow{\mathrm{ON}}+\overrightarrow{\mathrm{NO'}}=\begin{pmatrix}1\\r\end{pmatrix}+t\begin{pmatrix}r\\1\end{pmatrix}=\begin{pmatrix}1+rt\\r+t\end{pmatrix}$$

$$\therefore\ \mathbf{O'}(\boldsymbol{1+rt,\ r+t})$$

このときOO′の傾きは $\frac{r+t}{1+rt}$ であり，これはOMの傾き $\frac{y_0}{x_0}$ に等しいから，O，M，O′ は一直線上にある．すなわち，3直線 AA′，BB′，OO′ は1点で交わる．

6　（１）$\overrightarrow{\mathrm{AB}}$，$\overrightarrow{\mathrm{AC}}$ の両方に垂直．

（２）３辺の長さを計算する．

（３）重心をGとすると $\overrightarrow{\mathrm{OG}}=\frac{1}{3}(\overrightarrow{\mathrm{OA}}+\overrightarrow{\mathrm{OB}}+\overrightarrow{\mathrm{OC}})$

（４）正四面体の他の頂点をDとすると，Dから平面ABCに下ろした垂線の足はGなので $\overrightarrow{\mathrm{GD}}$ は（１）で求めたベクトルと同じ方向である．GDの長さを図形的に求め，$\overrightarrow{\mathrm{GD}}$（２つある）を計算する．

解 A(1, 1, 1), B(2, 1, 2), C(1, 2, 2)

(1) 求めるベクトルを $\vec{n}=\begin{pmatrix}a\\b\\c\end{pmatrix}$ とすると，$\vec{n}$ は

$\overrightarrow{AB}=\begin{pmatrix}1\\0\\1\end{pmatrix}$ と $\overrightarrow{AC}=\begin{pmatrix}0\\1\\1\end{pmatrix}$ の両方に垂直だから，

$$\vec{n}\cdot\overrightarrow{AB}=0,\ \vec{n}\cdot\overrightarrow{AC}=0$$

$$\therefore\ a+c=0,\ b+c=0$$

$$\therefore\ a=-c,\ b=-c$$

よって $\vec{n}=\begin{pmatrix}-c\\-c\\c\end{pmatrix}=-c\begin{pmatrix}1\\1\\-1\end{pmatrix}$ となり，答えは $\begin{pmatrix}\mathbf{1}\\\mathbf{1}\\\mathbf{-1}\end{pmatrix}$

(2) $|\overrightarrow{AB}|=\sqrt{1^2+1^2}=\sqrt{2}$，$|\overrightarrow{AC}|=\sqrt{1^2+1^2}=\sqrt{2}$，

$$|\overrightarrow{BC}|=\left|\begin{pmatrix}-1\\1\\0\end{pmatrix}\right|=\sqrt{(-1)^2+1^2}=\sqrt{2}$$

より AB＝BC＝CA となり，△ABC は正三角形である．

(3) △ABC の重心を G とすると，

$$\overrightarrow{OG}=\frac{1}{3}(\overrightarrow{OA}+\overrightarrow{OB}+\overrightarrow{OC})$$

$$=\frac{1}{3}\left\{\begin{pmatrix}1\\1\\1\end{pmatrix}+\begin{pmatrix}2\\1\\2\end{pmatrix}+\begin{pmatrix}1\\2\\2\end{pmatrix}\right\}=\frac{1}{3}\begin{pmatrix}4\\4\\5\end{pmatrix}$$

よって，$\mathrm{G}\left(\boldsymbol{\frac{4}{3}},\ \boldsymbol{\frac{4}{3}},\ \boldsymbol{\frac{5}{3}}\right)$

(4) 正四面体の他の頂点を D とする．D から平面 ABC に下ろした垂線の足が G になることから，$\overrightarrow{GD}$ は平面 ABC の法線ベクトルと同じ方向であり，

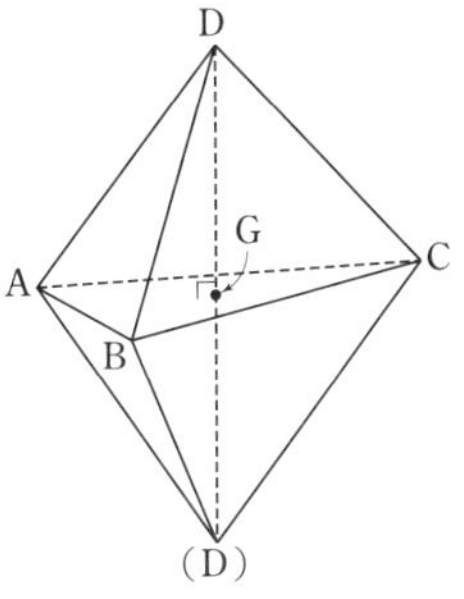

$$\overrightarrow{GD}=k\begin{pmatrix}1\\1\\-1\end{pmatrix}\ \cdots\cdots\cdots①$$

と書ける．

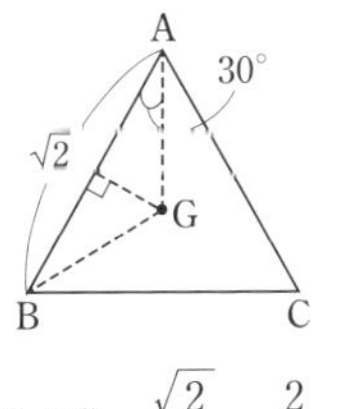

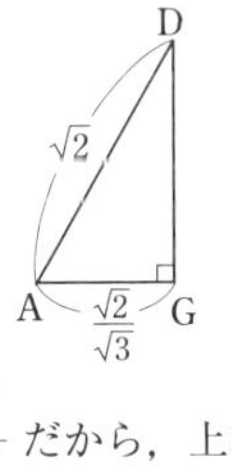

上左図で $AG=\frac{\sqrt{2}}{2}\cdot\frac{2}{\sqrt{3}}=\frac{\sqrt{2}}{\sqrt{3}}$ だから，上右図より

$$GD=\sqrt{(\sqrt{2})^2-\left(\frac{\sqrt{2}}{\sqrt{3}}\right)^2}=\sqrt{2-\frac{2}{3}}=\frac{2}{\sqrt{3}}\ \cdots\cdots②$$

①のとき

$$|\overrightarrow{GD}|=|k|\sqrt{1^2+1^2+(-1)^2}=\sqrt{3}\,|k|\ \cdots\cdots\cdots\cdots③$$

だから，②＝③のとき

$$\frac{2}{\sqrt{3}}=\sqrt{3}\,|k|\qquad\therefore\ k=\pm\frac{2}{3}$$

従って

$$\overrightarrow{OD}=\overrightarrow{OG}+\overrightarrow{GD}=\frac{1}{3}\begin{pmatrix}4\\4\\5\end{pmatrix}\pm\frac{2}{3}\begin{pmatrix}1\\1\\-1\end{pmatrix}$$

複号が＋の方が $\begin{pmatrix}2\\2\\1\end{pmatrix}$，－の方が $\frac{1}{3}\begin{pmatrix}2\\2\\7\end{pmatrix}$ だから，

D の座標は **(2, 2, 1)** と $\left(\boldsymbol{\frac{2}{3}},\ \boldsymbol{\frac{2}{3}},\ \boldsymbol{\frac{7}{3}}\right)$

7 A, B, C が対等なので，O を始点としたベクトルを考える．$\overrightarrow{OA'}$ を $\overrightarrow{OA}$，$\overrightarrow{OB}$，$\overrightarrow{OC}$ で表す．

△A′B′C′ と △ABC の相似比を求めるから，$\overrightarrow{A'B'}$ を計算してみよう．

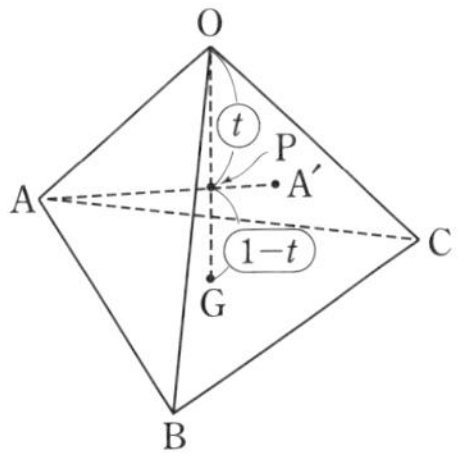

解 $\overrightarrow{OA}=\vec{a}$，$\overrightarrow{OB}=\vec{b}$，$\overrightarrow{OC}=\vec{c}$ とおく．

$$\overrightarrow{OG}=\frac{1}{3}(\vec{a}+\vec{b}+\vec{c})$$

$$\overrightarrow{OP}=t\overrightarrow{OG}$$

$$=\frac{t}{3}(\vec{a}+\vec{b}+\vec{c})$$

である．点 A′ は直線 AP 上にあるから，$\overrightarrow{AA'}=x\overrightarrow{AP}$ とおくと，

$$\overrightarrow{OA'}=\overrightarrow{OA}+x\overrightarrow{AP}=\vec{a}+x\left\{\frac{t}{3}(\vec{a}+\vec{b}+\vec{c})-\vec{a}\right\}\ \cdots\cdots①$$

と表せる．

A′ は面 OBC 上にあるから，①の $\vec{a}$ の係数は 0

よって，$1+x\left(\frac{t}{3}-1\right)=0\qquad\therefore\ x=\frac{3}{3-t}\ \cdots\cdots\cdots\cdots②$

①に代入して，$\overrightarrow{OA'}=\frac{t}{3-t}(\vec{b}+\vec{c})$

同様に，$\overrightarrow{OB'}=\frac{t}{3-t}(\vec{c}+\vec{a})$，$\overrightarrow{OC'}=\frac{t}{3-t}(\vec{a}+\vec{b})$

したがって，

$$\overrightarrow{A'B'}=\overrightarrow{OB'}-\overrightarrow{OA'}=\frac{t}{3-t}(\vec{a}-\vec{b})=\frac{t}{3-t}\overrightarrow{BA}$$

同様に，$\overrightarrow{B'C'}=\frac{t}{3-t}\overrightarrow{CB}$，$\overrightarrow{C'A'}=\frac{t}{3-t}\overrightarrow{AC}$

よって，△A′B′C′∽△ABC で，相似比は $\boldsymbol{\frac{t}{3-t}}$ **：1**

別解 ［△A′B′C′ は，P を中心に △ABC を相似拡大したものと予想されることに着目］

(解答の②以降)

$\overrightarrow{AA'}=x\overrightarrow{AP}$ を，始点が P のベクトルに直すと，

$$\overrightarrow{PA'}-\overrightarrow{PA}=-x\overrightarrow{PA}\qquad\therefore\ \overrightarrow{PA'}=(1-x)\overrightarrow{PA}$$

②を代入して，$\overrightarrow{\mathrm{PA'}}=-\dfrac{t}{3-t}\overrightarrow{\mathrm{PA}}$

同様に，$\overrightarrow{\mathrm{PB'}}=-\dfrac{t}{3-t}\overrightarrow{\mathrm{PB}}$，$\overrightarrow{\mathrm{PC'}}=-\dfrac{t}{3-t}\overrightarrow{\mathrm{PC}}$

したがって，△A′B′C′ は △ABC を P を中心として逆向きに $\dfrac{t}{3-t}$ 倍に相似拡大したものであり，相似比は $\boldsymbol{\dfrac{t}{3-t}:1}$ である．

＊　　　　＊

例題は一部省略して取り上げたが，ここで，省略した設問とその解答を紹介しよう．

> ○7 （４） 対角線 AC と BD の長さが等しいとき，線分 PR と QS は直交することを示せ．

解 （４） $\mathrm{AC}^2=\mathrm{BD}^2$ により，

$$|\vec{c}-\vec{a}|^2=|\vec{d}-\vec{b}|^2$$

であるから，［分数を避けるため $\overrightarrow{\mathrm{PR}}$ などを２倍し］

$$2\overrightarrow{\mathrm{PR}}\cdot2\overrightarrow{\mathrm{QS}}=(2\vec{r}-2\vec{p})\cdot(2\vec{s}-2\vec{q})$$
$$=\{(\vec{c}+\vec{d})-(\vec{a}+\vec{b})\}\cdot\{(\vec{a}+\vec{d})-(\vec{b}+\vec{c})\}$$
$$=\{(\vec{d}-\vec{b})+(\vec{c}-\vec{a})\}\cdot\{(\vec{d}-\vec{b})-(\vec{c}-\vec{a})\}$$
$$=|\vec{d}-\vec{b}|^2-|\vec{c}-\vec{a}|^2=0$$

したがって，$\mathrm{PR}\perp\mathrm{QS}$

８ （２） 合成する．$f(x)$ の最大値が１以下となる条件を求めればよい．

（３） 座標平面上で包含関係を考える．

解 （１） $f(x)=4a\sin x\cos x+2b\cos^2 x$

$$=4a\cdot\frac{1}{2}\sin 2x+2b\cdot\frac{1+\cos 2x}{2}$$
$$=\boldsymbol{2a\sin 2x+b\cos 2x+b}$$

（２） $(a,\ b)=(0,\ 0)$ のとき，$f(x)=0$ であるから，

「すべての実数 x に対して $f(x)\leqq1$」……………①

が成り立つ．

$(a,\ b)\neq(0,\ 0)$ のとき，$f(x)$ の式を合成して，

$$f(x)=\sqrt{4a^2+b^2}\sin(2x+\gamma)+b$$

（ただし γ は，$\cos\gamma=\dfrac{2a}{\sqrt{4a^2+b^2}}$，$\sin\gamma=\dfrac{b}{\sqrt{4a^2+b^2}}$ を満たす定角 $(0\leqq\gamma<2\pi)$）

よって，$f(x)$ の最大値は $\sqrt{4a^2+b^2}+b$ であるから，①が成り立つための条件は，

$$\sqrt{4a^2+b^2}+b\leqq1$$

よって，$\sqrt{4a^2+b^2}\leqq1-b$

$\therefore\ 4a^2+b^2\leqq(1-b)^2$ かつ $1-b\geqq0$

$\therefore\ b\leqq-2a^2+\dfrac{1}{2}$ かつ $b\leqq1$

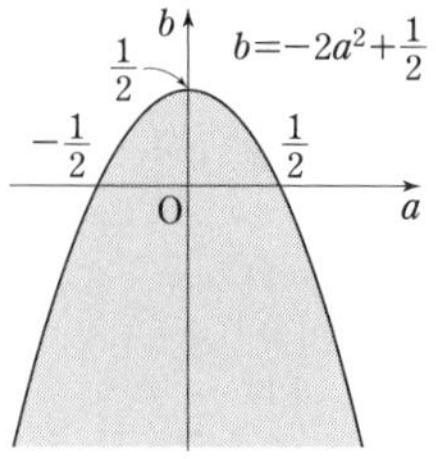

以上より，点 $(a,\ b)$ の範囲は右図の網目部分（境界を含む）となる．

（３） R の最大値を求めるので $R>0$ として考えればよい．

このとき，$a^2+b^2\leqq R$ を満たす $a,\ b$ について①が成り立つ条件は，円板 $a^2+b^2\leqq R$ が（２）の範囲に含まれることであり，さらにそれは，曲線 $C：b=-2a^2+\dfrac{1}{2}$ 上のすべての点が $a^2+b^2\geqq R$ を満たすことと同値である．

ここで，C 上の点 $(a,\ b)\left(a^2=-\dfrac{1}{2}b+\dfrac{1}{4},\ b\leqq\dfrac{1}{2}\right)$ に対して，

$$a^2+b^2=b^2-\frac{1}{2}b+\frac{1}{4}=\left(b-\frac{1}{4}\right)^2+\frac{3}{16}$$

の最小値は $\dfrac{3}{16}$ であるから，求める最大値は $\boldsymbol{\dfrac{3}{16}}$

９ 中心の y 座標も設定して，r_n と r_{n+1} の関係をとらえよう．また，円 C_n と放物線 $y=x^2$ が２点で接する条件は，y の重解条件に結びつけることができるが，別解のようにとらえることもできる．

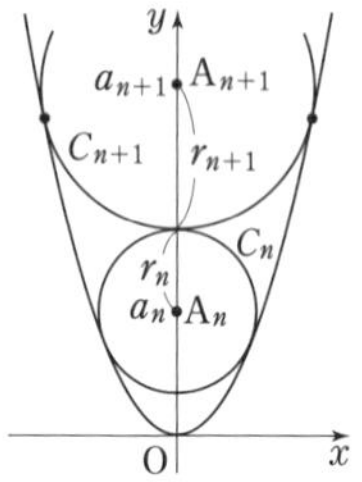

解 円 C_n の中心を $\mathrm{A}_n(0,\ a_n)$ とおくと，C_n の方程式は

$x^2+(y-a_n)^2={r_n}^2$ ……①

これが放物線 $y=x^2$ ……②

と２点で接するから，①，②から x を消去して得られる

y の方程式　$y+(y-a_n)^2={r_n}^2$

すなわち，　$y^2-(2a_n-1)y+({a_n}^2-{r_n}^2)=0$ ………③

が $y>0$ である重解をもつ．その条件は，③の判別式を D とすると，

$$\begin{cases} D=(2a_n-1)^2-4({a_n}^2-{r_n}^2)=0 \\ (\text{重解})=\dfrac{(2\text{解の和})}{2}=\dfrac{2a_n-1}{2}>0 \end{cases}$$

$\therefore\ a_n={r_n}^2+\dfrac{1}{4}$ …………④，$a_n>\dfrac{1}{2}$ ……………⑤

また，円 C_n と C_{n+1} が外接するから，

$$\mathrm{A}_n\mathrm{A}_{n+1}=r_n+r_{n+1}$$
$$\therefore\ a_{n+1}-a_n=r_n+r_{n+1}$$

これと④により，

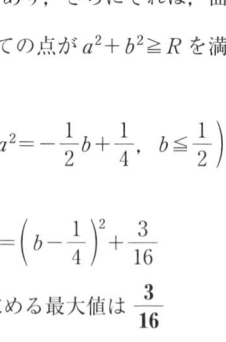

$$\left(r_{n+1}{}^2+\frac{1}{4}\right)-\left(r_n{}^2+\frac{1}{4}\right)=r_{n+1}+r_n$$

$\therefore\quad (r_{n+1}+r_n)(r_{n+1}-r_n)=r_{n+1}+r_n$

$r_{n+1}+r_n$ で割り，$r_{n+1}-r_n=1$

よって，$\{r_n\}$ は公差 1 の等差数列であり，$r_1=1$ であるから，　　$\boldsymbol{r_n=n}$

（このとき，④から $a_n=n^2+\dfrac{1}{4}$ であり，⑤を満たす）

別解［接点で，接線を共有することに着目すると］

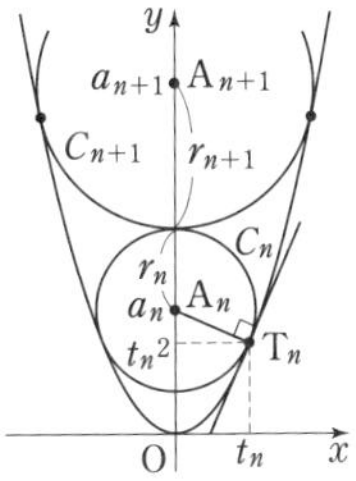

接点を $T_n(t_n,\ t_n{}^2)$，C_n の中心を $A_n(0,\ a_n)$ とおく．A_nT_n は T_n における $y=x^2$ の接線（傾き $2t_n$）に垂直で T_n を通るから，

$$y=-\frac{1}{2t_n}(x-t_n)+t_n{}^2$$

A_n の座標を代入して，$a_n=\dfrac{1}{2}+t_n{}^2$ ……………………⑥

$A_nT_n{}^2=t_n{}^2+(a_n-t_n{}^2)^2=t_n{}^2+\dfrac{1}{4}$ により $r_n{}^2=t_n{}^2+\dfrac{1}{4}$

これと⑥により，④が得られる．［以下省略］

10　（1）　x か y を固定する（y 固定の方がよい）他に，三角形の内部または周にある格子点の個数として，長方形を補助に一挙に数える手もある（☞別解）．

（2）　まず z を固定すると（1）が利用できる．式の形から，$n-z$ を k と固定（$z=n-k$ と固定）しよう．

解　（1）　$\dfrac{x}{3}+\dfrac{y}{2}\leqq k$，$x\geqq 0$ により，

$$0\leqq x\leqq 3k-\frac{3}{2}y \cdots\cdots ①$$

（ⅰ）　$y=2j$（$j=0,\ 1,\ \cdots,\ k$）のとき，①は $0\leqq x\leqq 3k-3j$ だから，整数 x は $3k-3j+1$ 個．

（ⅱ）　$y=2j+1$（$j=0,\ 1,\ \cdots,\ k-1$）のとき（ただし $k\geqq 1$ の場合），①は $0\leqq x\leqq 3k-3j-\dfrac{3}{2}$

だから，整数 x は $0\leqq x\leqq 3k-3j-2$ の $3k-3j-1$ 個．

以上から，$k\geqq 1$ のとき，

$$a_k=\sum_{j=0}^{k}(3k-3j+1)+\sum_{j=0}^{k-1}(3k-3j-1)$$

$$=\left\{\sum_{j=0}^{k-1}(3k-3j+1)\right\}+1+\sum_{j=0}^{k-1}(3k-3j-1)$$

$$=\left\{\sum_{j=0}^{k-1}\{(3k-3j+1)+(3k-3j-1)\}\right\}+1$$

$$=\left\{\sum_{j=0}^{k-1}6(k-j)\right\}+1=6\{k+(k-1)+\cdots+1\}+1$$

$$=6(1+2+\cdots+k)+1=\boldsymbol{3k(k+1)+1} \cdots\cdots ②$$

$k=0$ のとき $(x,\ y)=(0,\ 0)$，$a_0=1$ だから②で良い．

（2）　$\dfrac{x}{3}+\dfrac{y}{2}\leqq n-z$ だから，$n-z=k$（k は $0\leqq k\leqq n$ の整数）と固定すると，$(x,\ y)$ の組は a_k 個．よって，

$$b_n=\sum_{k=0}^{n}a_k=\sum_{k=0}^{n}\{3k(k+1)+1\}$$

$$=\sum_{k=0}^{n}\{k(k+1)(k+2)-(k-1)k(k+1)\}+n+1$$

$$=n(n+1)(n+2)+n+1=\boldsymbol{(n+1)^3}$$

別解　（1）　a_k は図の△OAB の内部と周に含まれる格子点の個数．対称性より△CBA の内部と周に含まれる格子点の個数も a_k である．

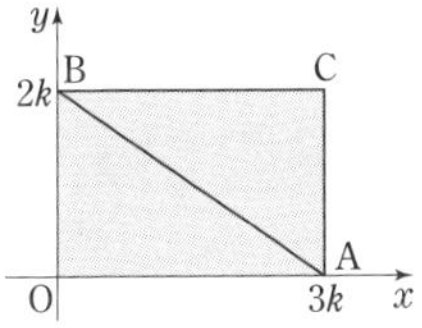

一方，▭OACB の内部と周の格子点は $(3k+1)(2k+1)$ 個，線分 AB 上の格子点は，

AB：$y=2k-\dfrac{2}{3}x$ より，$x=0,\ 3,\ 6,\ \cdots,\ 3k$ の $k+1$ 個あるから，$2a_k=(3k+1)(2k+1)+(k+1)$

$$\therefore\quad \boldsymbol{a_k=3k^2+3k+1}$$

11　（2）　二項係数 ${}_nC_r$ はもちろん整数である．（1）が利用できる．

（3）　（2）を利用する．${}_pC_k$ を登場させるため，二項定理を用いる．$2^p=(1+1)^p$ を展開する．

解　（1）　$p\cdot{}_{p-1}C_{k-1}=p\cdot\dfrac{(p-1)!}{(k-1)!(p-k)!}$

$$=\frac{p!}{(k-1)!(p-k)!}=k\cdot\frac{p!}{k!(p-k)!}=k\cdot{}_pC_k$$

よって，　$p\cdot{}_{p-1}C_{k-1}=k\cdot{}_pC_k$ ……………………①

（2）　①の左辺は p の倍数であるから，$k\cdot{}_pC_k$ も p の倍数である．一方，p は素数であるから，$1\leqq k\leqq p-1$ のとき，k と p は互いに素である．

したがって，${}_pC_k$ は p の倍数である．

（3）　二項定理により，

$$2^p=(1+1)^p={}_pC_0+{}_pC_1+{}_pC_2+\cdots+{}_pC_{p-1}+{}_pC_p$$

$$=2+({}_pC_1+{}_pC_2+\cdots+{}_pC_{p-1})$$

$\therefore\quad 2^p-2={}_pC_1+{}_pC_2+\cdots+{}_pC_{p-1}$ ……………………②

（2）により，②は p の倍数である．

➡**注**　（3）と $2^p-2=2(2^{p-1}-1)$ により，p が 3 以上の素数ならば，$2^{p-1}-1$ は p の倍数である．

一般に，p が素数で a と p が互いに素のとき，

$a^{p-1}-1$ は p の倍数

であることが知られている（フェルマーの小定理）．

12 （3） 与式の左辺を簡単な形にするには？と考えると（1）（2）が使える．

解 （1） 二項定理より，

$$(1+x)^n=\sum_{k=0}^{n}{}_n\mathrm{C}_k x^k$$

$x=-1$ を代入すると，

$0={}_n\mathrm{C}_0+{}_n\mathrm{C}_1(-1)+{}_n\mathrm{C}_2(-1)^2+\cdots+{}_n\mathrm{C}_n(-1)^n$

$\therefore\ {}_n\mathrm{C}_0-{}_n\mathrm{C}_1+{}_n\mathrm{C}_2-\cdots+(-1)^n{}_n\mathrm{C}_n=0$ …………①

（2） $\dfrac{k}{n}{}_n\mathrm{C}_k=\dfrac{k}{n}\cdot\dfrac{n!}{k!(n-k)!}$

$=\dfrac{k}{n}\cdot\dfrac{n\cdot(n-1)!}{k\cdot(k-1)!\{n-1-(k-1)\}!}$

$=\dfrac{(n-1)!}{(k-1)!\{n-1-(k-1)\}!}={}_{n-1}\mathrm{C}_{k-1}$

（3） （2）により，$\dfrac{{}_{n-1}\mathrm{C}_{k-1}}{k}=\dfrac{{}_n\mathrm{C}_k}{n}$ であるから，

$\dfrac{1}{1}{}_{n-1}\mathrm{C}_0+\dfrac{(-1)^1}{2}{}_{n-1}\mathrm{C}_1+\dfrac{(-1)^2}{3}{}_{n-1}\mathrm{C}_2$

$+\cdots+\dfrac{(-1)^{n-1}}{n}{}_{n-1}\mathrm{C}_{n-1}$

$=\dfrac{{}_n\mathrm{C}_1}{n}+\dfrac{{}_n\mathrm{C}_2(-1)^1}{n}+\cdots+\dfrac{{}_n\mathrm{C}_n(-1)^{n-1}}{n}$

$=\dfrac{1}{n}\{{}_n\mathrm{C}_1-{}_n\mathrm{C}_2+\cdots+{}_n\mathrm{C}_n(-1)^{n-1}\}$ ……………………②

①より，〰〰 $={}_n\mathrm{C}_0=1$ となるから，②$=\dfrac{1}{n}$

よって，題意は示された．

➡**注** $(1-x)^{n-1}$

$={}_{n-1}\mathrm{C}_0-{}_{n-1}\mathrm{C}_1x+\cdots\cdots+(-1)^{n-1}{}_{n-1}\mathrm{C}_{n-1}x^{n-1}$

の両辺を0から1まで積分することで，（3）を示すこともできる．

実行してみると，

左辺について，

$\displaystyle\int_0^1(1-x)^{n-1}dx=\int_0^1\{-(x-1)\}^{n-1}dx$

$\displaystyle=\int_0^1(-1)^{n-1}(x-1)^{n-1}dx=\left[\frac{(-1)^{n-1}(x-1)^n}{n}\right]_0^1$

$\displaystyle=\left[-\frac{(1-x)^n}{n}\right]_0^1=\frac{1}{n}$

右辺について，

$\displaystyle\int_0^1({}_{n-1}\mathrm{C}_0-{}_{n-1}\mathrm{C}_1x+\cdots+(-1)^{n-1}{}_{n-1}\mathrm{C}_{n-1}x^{n-1})\,dx$

$\displaystyle=\left[\frac{{}_{n-1}\mathrm{C}_0}{1}x-\frac{{}_{n-1}\mathrm{C}_1}{2}x^2+\cdots+\frac{(-1)^{n-1}{}_{n-1}\mathrm{C}_{n-1}}{n}x^n\right]_0^1$

$=\dfrac{1}{1}{}_{n-1}\mathrm{C}_0+\dfrac{(-1)}{2}{}_{n-1}\mathrm{C}_1+\cdots+\dfrac{(-1)^{n-1}}{n}{}_{n-1}\mathrm{C}_{n-1}$

13 BとCのどちらにいるかで場合分けする必要はない．AとA以外の2つに分けるだけでOKである．

解

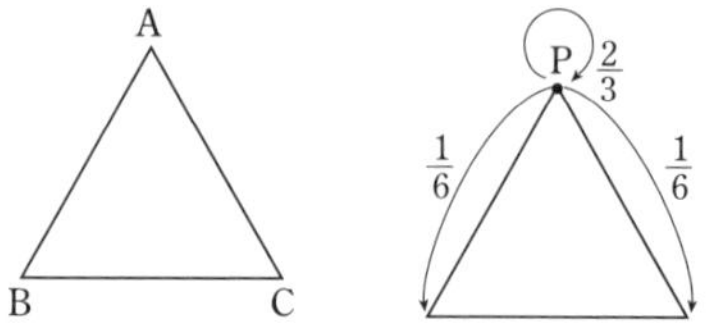

（1） $n+1$ 分後にPがA上にあるのは，n 分後に，

1° A上にあり（確率 p_n），Aに留まる

2° A以外にあり（確率 $1-p_n$），Aに移動する

のいずれかの場合であるから，

$$\boldsymbol{p_{n+1}}=p_n\cdot\frac{2}{3}+(1-p_n)\cdot\frac{1}{6}=\boldsymbol{\frac{1}{2}p_n+\frac{1}{6}}\ \text{…………①}$$

（2） $\alpha=\dfrac{1}{2}\alpha+\dfrac{1}{6}$ ……② とすると，$\alpha=\dfrac{1}{3}$ であり，

①−②により，$p_{n+1}-\dfrac{1}{3}=\dfrac{1}{2}\left(p_n-\dfrac{1}{3}\right)$

$\therefore\ p_n-\dfrac{1}{3}=\left(\dfrac{1}{2}\right)^n\left(p_0-\dfrac{1}{3}\right)$

$p_0=1$ であるから，$\boldsymbol{p_n=\dfrac{1}{3}+\dfrac{1}{3\cdot2^{n-1}}}$

➡**注** （1） ①の……を $(1-p_n)\cdot\dfrac{1}{6}\times2$ としてしまう人がいる（PがBとCのどちらにいるか分けて，2倍している？）．これが間違いであることは，次のように考えれば，納得がいくだろう．——

n 分後にPがB，C上にある確率は，対等性により等しいから，ともに $\dfrac{1-p_n}{2}$ である．解答の2°は，「B→A」，「C→A」に分けられ，

$\dfrac{1-p_n}{2}\cdot\dfrac{1}{6}+\dfrac{1-p_n}{2}\cdot\dfrac{1}{6}=(1-p_n)\cdot\dfrac{1}{6}$

14 （1） 奇偶を考えるので，2で割った余りを調べる．

（2） $10=2\times5$ により，5で割った余りを調べる．

解 （1） 以下，合同式は mod 2 とする．

a_n を2で割った余りを r_n とすると，$r_1=1$，$r_2=1$ であり，

$a_{n+2}=3a_{n+1}-7a_n$

$\equiv a_{n+1}+a_n$ （$\because$ $3\equiv1$，$-7\equiv1$）

よって，　$r_{n+2}\equiv r_{n+1}+r_n$ …………………………①

これを用いて，$r_3\equiv1+1\equiv0$，$r_4\equiv0+1\equiv1$，……

というように具体的に計算すると次の表を得る．

n	1	2	3	4	5	6	7	8	9	……
r_n	1	1	0	1	1	0	1	1	0	……

①により，r_{n+2} は r_{n+1} と r_n（手前の2項）で決まるが，$r_4 \equiv r_1$，$r_5 \equiv r_2$ であるので，表とから r_n は「1，1，0」の繰り返しとなる．よって，r_n が0になる（すなわち，a_n が偶数になる）のは n が3の倍数となるときであるから，題意は示された．

（2） a_n が $10(=2\times5)$ の倍数となる条件は，a_n が偶数でかつ5の倍数となることである．

以下，合同式は mod 5 とする．

a_n を5で割った余りを s_n とすると，$s_1=1$，$s_2=3$ であり，

$$a_{n+2}=3a_{n+1}-7a_n$$
$$\equiv 3a_{n+1}+3a_n \quad (\because \ -7\equiv 3)$$

よって，$s_{n+2}\equiv 3s_{n+1}+3s_n=3(s_{n+1}+s_n)$

であり，$s_3\equiv 3(3+1)\equiv 12\equiv 2$，……

というように具体的に計算すると，次の表を得る．

n	1	2	3	4	5	6	……
s_n	1	3	2	0	1	3	……

$s_5=s_1$，$s_6=s_2$ であるから，s_n は「1，3，2，0」の繰り返しとなる．よって，a_n が5の倍数となるのは，n が4の倍数となるときである．

よって，（1）と合わせて，a_n が10の倍数となるための条件は，**n が $3\cdot4=12$ の倍数となること**である．

15 数学的帰納法を用いる．

（1） $a_k{}^2-5b_k{}^2=4 \Longrightarrow a_{k+1}{}^2-5b_{k+1}{}^2=4$ を，漸化式を使って示す．

（2） 「a_n，b_n は自然数かつ a_n+b_n は偶数」を帰納法の仮定にすることがポイント．a_n+b_n が偶数のとき a_n と b_n はともに偶数かともに奇数であり，これを使うと帰納法が進む．

解 $a_1=3$，$b_1=1$ ……………………………………①

$$a_{n+1}=\frac{1}{2}(3a_n+5b_n) \cdots\cdots ②$$

$$b_{n+1}=\frac{1}{2}(a_n+3b_n) \cdots\cdots ③$$

（1） $a_n{}^2-5b_n{}^2=4$ ……④ を n に関する数学的帰納法で示す．

• $n=1$ のとき，①より

$$a_1{}^2-5b_1{}^2=9-5=4$$

だから成り立つ．

• $n=k$ のときの④すなわち $a_k{}^2-5b_k{}^2=4$ が成り立つと仮定する．このとき，②③より

$$a_{k+1}{}^2-5b_{k+1}{}^2=\frac{1}{4}(3a_k+5b_k)^2-\frac{5}{4}(a_k+3b_k)^2$$
$$=\frac{1}{4}(9a_k{}^2+30a_kb_k+25b_k{}^2)-\frac{5}{4}(a_k{}^2+6a_kb_k+9b_k{}^2)$$
$$=a_k{}^2-5b_k{}^2=4$$

となるから，④は $n=k+1$ のときも成り立つ．

以上で題意が示された．

（2） 「a_n，b_n は自然数かつ a_n+b_n は偶数」………⑤ を n に関する数学的帰納法で示す．

• $n=1$ のとき，①より⑤は成り立つ．

• $n=k$ のときに⑤が成り立つと仮定する．このとき，a_k と b_k はともに偶数またはともに奇数である．

a_k と b_k がともに偶数のとき，

$$a_{k+1}=\frac{1}{2}(3a_k+5b_k)=\frac{1}{2}(\text{偶数}+\text{偶数}) \text{ は自然数}$$

$$b_{k+1}=\frac{1}{2}(a_k+3b_k)=\frac{1}{2}(\text{偶数}+\text{偶数}) \text{ は自然数}$$

であり，a_k と b_k がともに奇数のとき，

$$a_{k+1}=\frac{1}{2}(3a_k+5b_k)=\frac{1}{2}(\text{奇数}+\text{奇数}) \text{ は自然数}$$

$$b_{k+1}=\frac{1}{2}(a_k+3b_k)=\frac{1}{2}(\text{奇数}+\text{奇数}) \text{ は自然数}$$

である．また，②＋③（の n を k にしたもの）から

$$a_{k+1}+b_{k+1}=2a_k+4b_k=2(a_k+2b_k)$$

となるので，これは偶数である．

以上で，$n=k+1$ のときにも⑤が成り立つことが示され，題意が証明された．

⇨**注** （2） a_k+b_k が偶数 $\Longrightarrow a_{k+1}$，b_{k+1} は自然数を示すところでは，次のような式変形をすると場合わけは不要になる．

$$a_{k+1}=\frac{1}{2}(3a_k+5b_k)=\underline{\frac{3}{2}(a_k+b_k)}+b_k$$

$$b_{k+1}=\frac{1}{2}(a_k+3b_k)=\underline{\frac{1}{2}(a_k+b_k)}+b_k$$

となり，＿＿ はいずれも自然数だから a_{k+1}，b_{k+1} は自然数．

16 （1） 背理法で示す．「p と q はともに奇数」でないと仮定し，$x=\dfrac{q}{p}$ を方程式に代入して矛盾を導けばよい．「　」の否定は p と q の少なくとも一方が偶数だが，$\dfrac{q}{p}$ が既約分数なので p と q がともに偶数ということはない．

（2） これも背理法で示す．（1）で書いた式をもう一度見てみよう．

解 （1） 背理法で示す．$ax^2+bx+c=0$ が有理数解 $x=\dfrac{q}{p}$（既約分数）をもち，「p と q はともに奇数」ではないとする．このとき，

$$a\cdot\left(\frac{q}{p}\right)^2+b\cdot\frac{q}{p}+c=0$$

$$\therefore\quad aq^2+bpq+cp^2=0 \quad\cdots\cdots①$$

$\dfrac{q}{p}$ が既約分数であって「p と q はともに奇数」でないとき，p が偶数で q が奇数……② または p が奇数で q が偶数……③ である．

a, b, c が奇数であるから，②のとき aq^2 が奇数で bpq, cp^2 が偶数だから①の左辺は奇数となる．③のときは，aq^2, bpq が偶数で cp^2 が奇数だから①の左辺は奇数となる．①の右辺は偶数だからいずれも成り立たない．以上で，題意が示された．

（2） 背理法で示す．$ax^2+bx+c=0$ が有理数解 $x=\dfrac{q}{p}$（既約分数）をもつとすると，（1）で示したことから，p と q はともに奇数である．このとき，①の左辺の aq^2, bpq, cp^2 はいずれも奇数だから①の左辺は奇数となり，0 になることはない．以上で示された．

17 （1）のヒントの式は，「積→和」公式により

$$2\cos\theta\cos(n-1)\theta=\cos(n-2)\theta+\cos n\theta$$

となることから証明できる．ヒントを利用して，$n=k$, $k+1$ のときの成立を仮定する帰納法を使うことになる．すると，$n=1$, 2 から出発することになるが，$n=2$ の場合は，$\cos 2\theta=2\cos^2\theta-1$ により，$p_2(x)=2x^2-1$ である．なお，$p_n(x)$ は1つに定まる．もしも $q_n(x)$ が $\cos n\theta=q_n(\cos\theta)$ を満たすとすれば，$\cos\theta=x$ とおくと，$-1\leqq x\leqq 1$ で $p_n(x)=q_n(x)$ が成立する．$-1\leqq x\leqq 1$ の無限個の x で成り立つのだから，整式 $p_n(x)$ と整式 $q_n(x)$ は一致する．

（2） 偶関数どうしの和や差は偶関数
奇関数どうしの和や差は奇関数
偶関数どうしの積は偶関数
奇関数どうしの積も偶関数
偶関数と奇関数の積は奇関数

となる（☞注1）．

解 $\cos n\theta=2\cos\theta\cos(n-1)\theta-\cos(n-2)\theta$ ……①

（1） ある x の n 次式 $p_n(x)$ があって，

$\cos n\theta=p_n(\cos\theta)$ と書けることを n についての数学的帰納法によって証明する．

（i） $n=1$ のとき，$p_1(x)=x$ とすると，
$\cos(1\cdot\theta)=\cos\theta$ により成り立つ．

（ii） $n=2$ のとき，$p_2(x)=2x^2-1$ とすると，
$\cos(2\cdot\theta)=2\cos^2\theta-1$ により成り立つ．

（iii） $n=k$, $k+1$ のとき成り立つと仮定する．

$n=k+2$ のとき，①と帰納法の仮定を用いて，

$$\begin{aligned}\cos(k+2)\theta&=2\cos\theta\cos(k+1)\theta-\cos k\theta\\&=2\cos\theta\cdot p_{k+1}(\cos\theta)-p_k(\cos\theta)\end{aligned}$$

となるので，

$$p_{k+2}(x)=2xp_{k+1}(x)-p_k(x) \quad\cdots\cdots②$$

と $p_{k+2}(x)$ を定めれば，$\cos(k+2)\theta=p_{k+2}(\cos\theta)$ となる．また，次数について，仮定により $2xp_{k+1}(x)$ は $1+(k+1)=k+2$ 次式，$p_k(x)$ は k 次式なので $p_{k+2}(x)$ は $k+2$ 次式である．

（i）～（iii）から，数学的帰納法により証明された．

（2） 「n が偶数のとき，$p_n(x)$ は偶関数．
n が奇数のとき，$p_n(x)$ は奇関数」

を n についての数学的帰納法により証明する．

（i） $n=1$, 2 で成り立つ．

（ii） $n=k$, $k+1$ で成り立つとする．

$n=k+2$ のとき，$k+2$ が偶数の場合には，k は偶数，$k+1$ は奇数なので，$p_k(x)$ は偶関数．
$2xp_{k+1}(x)$ は奇関数×奇関数で偶関数．
よって，②により $p_{k+2}(x)$ も偶関数．

$k+2$ が奇数の場合には，k は奇数，$k+1$ は偶数なので，$p_k(x)$ は奇関数，$2xp_{k+1}(x)$ は奇関数×偶関数で奇関数．
よって，②により $p_{k+2}(x)$ は奇関数．

（i）（ii）から，数学的帰納法により証明された．

（3） $p_n(x)$ の定数項を求めるには，$x=0$ を代入すればよい．定数項は，$p_n(\cos\theta)=\cos n\theta$ により，

$$p_n(0)=p_n\left(\cos\frac{\pi}{2}\right)=\cos\frac{n\pi}{2}$$

よって，**n が 4 の倍数のとき，1**
n が 4 の倍数以外の偶数のとき，-1
n が奇数のとき，0

➡**注1.** $f(x)$ が奇関数のとき，$f(-x)=-f(x)$
$g(x)$ が偶関数のとき，$g(-x)=g(x)$

が成り立つ．前文において，例えば奇関数×偶関数が奇関数になることは，$h(x)=f(x)\times g(x)$ とおくと，$h(-x)=f(-x)g(-x)=-f(x)g(x)=-h(x)$ となることから確認できる．

➡**注2.** $p_n(x)$ はチェビシェフの多項式と呼ばれている．詳しくは，☞p.111.

18 $\sin x$ と $\cos x$ の対称式は $t=\sin x+\cos x$ だけで表すことができる．また，t の値を定めたとき，x が何個定まるかを調べる．その際，$y=\sin x+\cos x$ のグラフを活用しよう．

解 $2\sqrt{2}(\sin^3 x+\cos^3 x)+3\sin x\cos x=0$ …………①

ここで，

$t=\sin x+\cos x$

$(0\leqq x<2\pi$ ……②）とおく．

$t=\sqrt{2}\sin\left(x+\dfrac{\pi}{4}\right)$

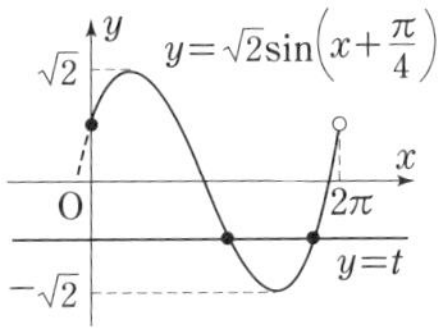

であるから，右図により，

$$\begin{cases} t=\pm\sqrt{2} \text{ のとき } x \text{ は 1 個} \\ -\sqrt{2}<t<\sqrt{2} \text{ のとき } x \text{ は 2 個} \end{cases}$$ ………………③

であり，$-\sqrt{2}\leqq t\leqq\sqrt{2}$ ……④ である．また，

$t^2=1+2\sin x\cos x$ $\quad\therefore\quad \sin x\cos x=\dfrac{t^2-1}{2}$

[$a^3+b^3=(a+b)(a^2-ab+b^2)$ であるから]

$$\therefore\quad \sin^3 x+\cos^3 x=(\sin x+\cos x)(1-\sin x\cos x)$$
$$=t\left(1-\frac{t^2-1}{2}\right)=\frac{t(-t^2+3)}{2}$$

よって，①は

$$\sqrt{2}\,t(-t^2+3)+\frac{3}{2}(t^2-1)=0$$
$$\therefore\quad 2\sqrt{2}\,t^3-3t^2-6\sqrt{2}\,t+3=0$$ ……………⑤

⑤の左辺を $f(t)$ とおくと，

$$f'(t)=6\sqrt{2}\,t^2-6t-6\sqrt{2}$$
$$=6(\sqrt{2}\,t^2-t-\sqrt{2})=6(\sqrt{2}\,t+1)(t-\sqrt{2})$$

であるから，$y=f(t)$ の増減表，グラフは次の通り．

t	$-\sqrt{2}$	$\cdots$	$-\frac{1}{\sqrt{2}}$	$\cdots$	$\sqrt{2}$
$f'(t)$		$+$	0	$-$	0
$f(t)$	1	↗		↘	-7

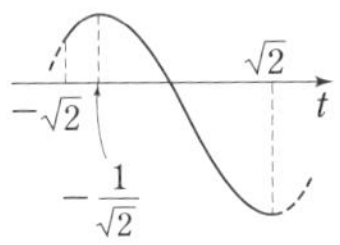

よって，④を満たす⑤の解 t はただ1個で，$\pm\sqrt{2}$ ではない．

したがって，③により，①，②を満たす x は **2個．**

ミニ講座・2 ペル方程式

○15 の例題では，

整数 a_n，b_n を $(3+2\sqrt{2})^n=a_n+b_n\sqrt{2}$ $(n=1,\ 2,\ \cdots)$ で定めると，$(x,\ y)=(a_n,\ b_n)$ は $x^2-2y^2=1$ を満たす．

ということを示しました．

ここでは，この問題について少し掘り下げて考えてみます．なお，$x^2-2y^2=1$ のような形の不定方程式はペル方程式と呼ばれています．

まず，a_n と b_n を求めましょう．それには，例題の解答で作った漸化式

$$a_{n+1}=3a_n+4b_n,\ b_{n+1}=2a_n+3b_n \quad \cdots\cdots ①$$

を解けばよいのですが，実はそんなことをしなくても一瞬で求めることができます．

$$a_n+b_n\sqrt{2}=(3+2\sqrt{2})^n \quad \cdots\cdots ②$$

の $\sqrt{2}$ を $-\sqrt{2}$ にかえた式

$$a_n-b_n\sqrt{2}=(3-2\sqrt{2})^n \quad \cdots\cdots ③$$

が成り立つので，［証明はあとで］

$$\frac{②+③}{2} \text{ より } a_n=\frac{1}{2}\{(3+2\sqrt{2})^n+(3-2\sqrt{2})^n\}$$

$$\frac{②-③}{2\sqrt{2}} \text{ より } b_n=\frac{1}{2\sqrt{2}}\{(3+2\sqrt{2})^n-(3-2\sqrt{2})^n\}$$

です．入試では，「整数 a_n，b_n を②で定めるとき③が成り立つことを示せ」という問題が出ることがあります．感覚的には，上で述べたように「$\sqrt{2}$ を $-\sqrt{2}$ にかえて」ですが，答案は（これではマズイので）帰納法による証明を書くのがよいでしょう．①を導いてから

$a_k-b_k\sqrt{2}=(3-2\sqrt{2})^k$ を仮定し，①を用いて

$$(3-2\sqrt{2})^{k+1}=(a_k-b_k\sqrt{2})(3-2\sqrt{2})$$
$$=(3a_k+4b_k)-(2a_k+3b_k)\sqrt{2}=a_{k+1}-b_{k+1}\sqrt{2}$$

となります．

さて，②×③を計算してみると，

$$(a_n+b_n\sqrt{2})(a_n-b_n\sqrt{2})=(3+2\sqrt{2})^n(3-2\sqrt{2})^n$$
$$\therefore\ a_n{}^2-2b_n{}^2=\{(3+2\sqrt{2})(3-2\sqrt{2})\}^n$$
$$\therefore\ a_n{}^2-2b_n{}^2=1^n=1$$

となって，$(x,\ y)=(a_n,\ b_n)$ が $x^2-2y^2=1$ を満たしていることが確かめられます．

最後に，$x^2-2y^2=1$ の自然数解 x，y がここに出てきた $(x,\ y)=(a_n,\ b_n)$ に限られることを示してみましょう．

$(x,\ y)=(p,\ q)$ が $x^2-2y^2=1$ を満たす，すなわち $p^2-2q^2=1$ が成り立つとします．この $(p,\ q)$ に対し，$(a_n,\ b_n)$ から $(a_{n+1},\ b_{n+1})$ を作る操作と逆の操作を考え，整数 p'，q' を

$$(p+q\sqrt{2})(3-2\sqrt{2})=p'+q'\sqrt{2} \quad \cdots\cdots ☆$$

で定めます．☆の各辺に $3+2\sqrt{2}$ をかけると

$$p+q\sqrt{2}=(p'+q'\sqrt{2})(3+2\sqrt{2}) \quad \cdots\cdots ★$$

となることから，「逆の操作」であることが理解できるでしょう．☆に戻って，左辺を計算すると

$$3p-4q+(3q-2p)\sqrt{2}$$

ですから，

$$p'=3p-4q,\ q'=3q-2p$$

です．このとき，

$$(p')^2-2(q')^2=(3p-4q)^2-2(3q-2p)^2$$
$$=(9p^2-24pq+16q^2)-2(9q^2-12pq+4p^2)$$
$$=p^2-2q^2=1$$

となるので，$(x,\ y)=(p',\ q')$ は $x^2-2y^2=1$ の解です．

さらに，$p>3$，$q>2$ であれば

$$0<p'=3p-4q<p \cdots ④,\quad 0<q'=3q-2p<q \cdots ⑤$$

となります．これを示しましょう．

$p^2-2q^2=1$ の両辺を q^2 で割ると，

$$\frac{p^2}{q^2}-2=\frac{1}{q^2} \qquad \therefore\ \left(\frac{p}{q}\right)^2=2+\frac{1}{q^2}$$

$q>2$ なので，

$$2<\left(\frac{p}{q}\right)^2<2+\frac{1}{4} \qquad \therefore\ \frac{16}{9}<2<\left(\frac{p}{q}\right)^2<\frac{9}{4}$$

従って，$\dfrac{4}{3}<\dfrac{p}{q}<\dfrac{3}{2}$ すなわち

$$4q<3p,\ 2p<3q \quad \cdots\cdots ⑥$$

です．これで④，⑤の左側 $0<p'$，$0<q'$ が示されました．

右側の不等式は，

$$3p-4q<p \iff p<2q,\ 3q-2p<q \iff q<p$$

なので，⑥より成り立ちます．

以上で，$x^2-2y^2=1$ の自然数解 $(x,\ y)=(p,\ q)$ があると，$p>3$，$q>2$ であれば，より小さい解

$$(x,\ y)=(p',\ q')=(3p-4q,\ 3q-2p)$$

が作れることがわかりました．これを繰り返す（つまりこの p'，q' を改めて p，q とする）と，p は減少する自然数の列ですから，必ず $0<p\leqq 3$ となります．

この範囲に $x^2-2y^2=1$ の解は $(x,\ y)=(3,\ 2)$ しかありませんから，★より，この不定方程式の解は

a_n，b_n を $a_n+b_n\sqrt{2}=(3+2\sqrt{2})^n$ を満たす整数とするとき，$(x,\ y)=(a_n,\ b_n)$

に限られることが示されました．

ミニ講座・3
チェビシェフの多項式

○17 の演習題において，$p_n(x)$ を $T_n(x)$ と書くと，演習題の解答およびその経過から，次が成立します．

> 多項式関数の列 $\{T_n(x)\}$ $(n=0,\ 1,\ 2,\ \cdots)$ を，
> $T_0(x)=1,\ T_1(x)=x,$
> $T_{n+2}(x)=2xT_{n+1}(x)-T_n(x)$
> で定めると，$T_n(x)$ は以下の性質をもつ．
> （１） $T_n(x)$ は n 次式
> （２） n が偶数のとき $T_n(x)$ は偶関数
> 　　 n が奇数のとき $T_n(x)$ は奇関数
> （３） $\cos n\theta=T_n(\cos\theta)$

$T_n(x)$ を第１種チェビシェフの多項式といいます．

漸化式から，$n=2\sim5$ の $T_n(x)$ の式を求めると，

$T_2(x)=2x^2-1$

$T_3(x)=2x(2x^2-1)-x=4x^3-3x$ ……………①

$T_4(x)=2x(4x^3-3x)-(2x^2-1)=8x^4-8x^2+1$

$T_5(x)=2x(8x^4-8x^2+1)-(4x^3-3x)$
$=16x^5-20x^3+5x$

となります．

cos の３倍角の公式は，$\cos3\theta=4\cos^3\theta-3\cos\theta$ ですが，これは $\cos3\theta$ が $\cos\theta$ の多項式で表されること（①の x に $\cos\theta$ を代入した式で表される）を意味します．（３）により，$\cos n\theta$ は $\cos\theta$ の多項式 $T_n(\cos\theta)$ で表されます．$T_n(\cos\theta)$ は $\cos n\theta$ の n 倍角の公式になるわけです．

さて，$y=T_n(x)$ のグラフを考察してみましょう．

$-1\leqq x\leqq1$ のとき，$x=\cos\theta$ とおくと，（３）により，

$$y=T_n(x)=T_n(\cos\theta)=\cos n\theta$$

となるので，

$\left.\begin{array}{l}-1\leqq x\leqq1 \text{ のとき}\\ -1\leqq y\leqq1\end{array}\right\}$☆

が成り立ちます．

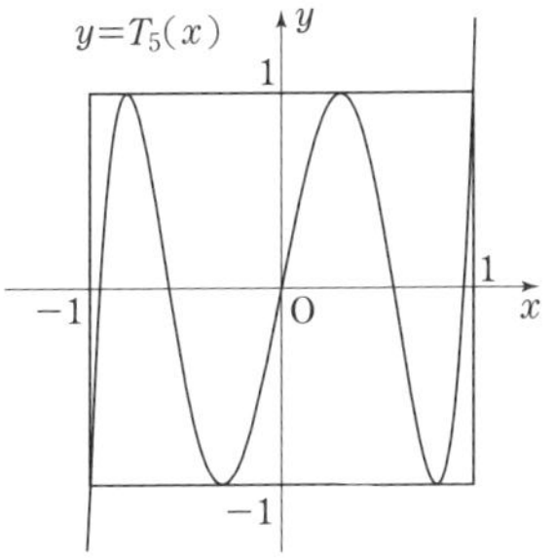

$y=T_5(x)$ のグラフを描くと右のようになります（正方形の枠は☆の境界線）．同様に，$y=T_3(x)$ と $y=T_4(x)$ のグラフを描くと下図のようになります．

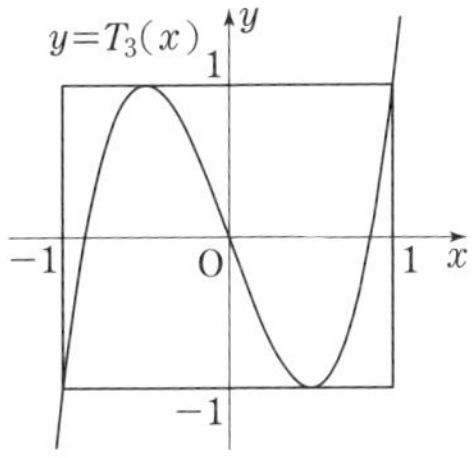

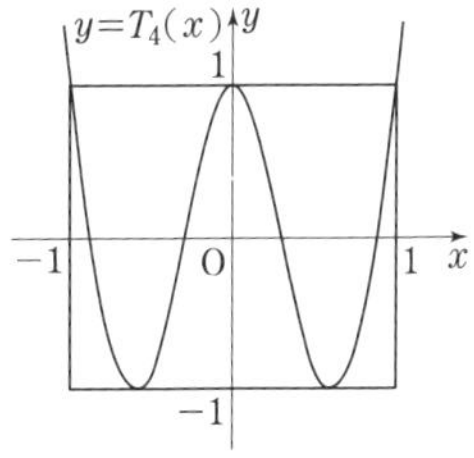

何か気づくことはありませんか？

$T_n(x)=0$ は n 次方程式なので，異なる実数解は n 個以下ですが，$n=5,\ 3,\ 4$ のとき，$y=T_n(x)$ は x 軸と異なる n 個の交点をもっています（図参照）．

そこで，次の問題を考えてみましょう．

> **問題** x の n 次方程式 $T_n(x)=0$ は，$-1\leqq x\leqq1$ の範囲に n 個の異なる解をもつことを示せ．

解 $x=\cos\theta$ ……① とおくと，$-1\leqq x\leqq1$ となる x に対し，①を満たし，かつ $0\leqq\theta\leqq\pi$ となる θ が１対１に対応する．

したがって，$T_n(x)=0$ の $-1\leqq x\leqq1$ での解の個数と，$T_n(\cos\theta)=0$ の $0\leqq\theta\leqq\pi$ での解の個数は等しい．

（３）を用いて，$T_n(\cos\theta)=0$ のとき，

$$\cos n\theta=0$$

$0\leqq\theta\leqq\pi$ のとき，$\theta=\dfrac{1}{n}\left(\dfrac{\pi}{2}+k\pi\right)$ $(k=0,\ 1,\ \cdots,\ n-1)$

という n 個の異なる解をもつから，題意が成り立つ．

ところで，○17 の例題で，t⇨x とすると，$\{a_n\}$ は $\{T_n(x)\}$ と同じ形の漸化式を満たしています．t⇨x，a_n⇨$U_{n-1}(x)$ として，$T_n(x)$ と同様にまとめると，実は次のようになります．

> 多項式関数の列 $\{U_n(x)\}$ $(n=0,\ 1,\ 2,\ \cdots)$ を，
> $U_0(x)=1,\ U_1(x)=2x,$
> $U_{n+2}(x)=2xU_{n+1}(x)-U_n(x)$
> で定めると，$U_n(x)$ は以下の性質をもつ．
> （ⅰ） $U_n(x)$ は n 次式
> （ⅱ） n が偶数のとき $U_n(x)$ は偶関数
> 　　 n が奇数のとき $U_n(x)$ は奇関数
> （ⅲ） $\sin n\theta=U_{n-1}(\cos\theta)\sin\theta$ $(n\geqq1)$

$U_n(x)$ を第２種チェビシェフの多項式といいます．（ⅰ）～（ⅲ）のいずれも数学的帰納法で示すことができます．○17（２）は（ⅲ）を示す問題でした．

あとがき

本書をはじめとする『1対1対応の演習』シリーズでは，スローガン風にいえば，

志望校へと続く

バイパスの整備された幹線道路

を目指しました．この目標に対して一応の正解のようなものが出せたとは思っていますが，100点満点だと言い切る自信はありません．まだまだ改善の余地があるかもしれません．お気づきの点があれば，どしどしご質問・ご指摘をしてください．

本書の質問や「こんな別解を見つけたがどうだろう」というものがあれば，“東京出版・大学への数学・編集部宛（住所は下記）”にお寄せください．

質問は原則として封書（宛名を書いた，切手付の返信用封筒を同封のこと）を使用し，**1通につき1件**でお送りください（電話番号，学年を明記して，できたら在学（出身）校・志望校も書いてください）．

なお，ただ漠然と‘この解説が分かりません’という質問では適切な回答ができませんので，‘この部分が分かりません’とか‘私はこう考えたがこれでよいのか’というように具体的にポイントをしぼって質問するようにしてください（以上の約束を守られないものにはお答えできないことがありますので注意してください）．

毎月の「大学への数学」や増刊号と同様に，読者のみなさんのご意見を反映させることによって，100点満点の内容になるよう充実させていきたいと思っています．

（坪田）

小社のホームページ上に「1対1対応の演習」の部屋があります．本書の読者向けのミニ講座などを掲載しています．
https://www.tokyo-s.jp/1to1/
にアクセスして下さい．

大学への数学
1対1対応の演習／数学B［新訂版］

平成25年 3月25日　第1刷発行
令和 3年 9月25日　第15刷発行

編　者　東京出版編集部
発行者　黒木美左雄
発行所　株式会社　東京出版
〒150-0012　東京都渋谷区広尾 3-12-7
電話 03-3407-3387　振替 00160-7-5286
https://www.tokyo-s.jp/

製版所　日本フィニッシュ
印刷所　光陽メディア
製本所　技秀堂
落丁・乱丁の場合は，送料弊社負担にてお取り替えいたします．

ISBN978-4-88742-194-3（定価はカバーに表示してあります）